DE OVERBODIGE MAN

Anthony Clare

De overbodige man

Mannelijkheid in crisis

WERELDBIBLIOTHEEK · AMSTERDAM

Uit het Engels vertaald door Ria Loohuizen

Oorspronkelijke titel *On Men*
Omslagontwerp Volken Beck

© 2000 Anthony Clare
© 2002 Nederlandse vertaling: Ria Loohuizen en
Uitgeverij Wereldbibliotheek bv, Amsterdam
Spuistraat 283 • 1012 VR Amsterdam
tel. 020 638 18 99 • fax 020 638 44 91
e-mail info@wereldbibliotheek.nl
www.wereldbibliotheek.nl

ISBN 90 284 1944 6

Inhoud

In herinnering aan mijn vader

1

De stervende fallus

Naar gelang ik ouder en misschien wijzer word, ben ik me steeds meer bewust van wat ik allemaal niet weet. Ik weet nog steeds niet wat mensen gelukkig maakt, hoewel ik heel wat weet over wat ze ongelukkig maakt. Ik weet niet of er een God bestaat, terwijl ik ooit met een hartstochtelijke overtuiging heb geloofd. Ik weet niet of een moeder van nature goed is of dat ze het kan leren, waarom sommige mensen leiders worden en anderen zich laten leiden, of er tijdens mijn leven een medicijn zal worden uitgevonden tegen kanker, schizofrenie of de ziekte van Alzheimer.

Wat ik wel weet is hoe het is om een man te zijn. Maar als ik er bij stilsta hoe ik iets over mannelijkheid en het man-zijn te weten ben gekomen, dan realiseer ik me dat ik bijna al die kennis impliciet heb opgedaan en alles heb geleerd door een soort osmotisch proces. Ik kan mij niet herinneren dat iemand – mijn vader, mijn moeder, mijn leraren, een leeftijdgenoot – ooit heeft gezegd: 'Dit is wat het betekent om een man, een zoon, een broer, een minnaar, een vader te zijn.' Maar al van heel jongs af aan wist ik wat een man doet, dat zijn werk even belangrijk, zelfs belangrijker is dan hijzelf, dat een man in de moderne kapitalistische maatschappij niet in termen van zijn maar in termen van doen gedefinieerd wordt.

Mijn carrière, in het bijzonder mijn medische carrière, werd altijd, door zowel mijzelf als door anderen, beschouwd en opgevat als belangrijker dan mijn vrouw, mijn gezin, mijn vrienden. Tijdens mijn studie – eerst medicijnen, vervolgens psychiatrie – heb ik nooit een mannelijke collega meegemaakt die openlijk toegaf dat zijn gezin op de eerste plaats kwam. Mannelijke collega's organiseerden vrolijk vergaderingen van dit of dat comité laat op de avond en waren verbaasd of geïrriteerd wanneer hun vrouwelijke collega's erop wezen dat hun privéleven het onmogelijk maakte dat zij die bijwoonden. Als een man zoiets had gezegd dan zou hij ervan beticht worden dat hij zijn werk niet serieus nam. De meeste mannelijke collega's waren druk bezig te laten zien hoe zij alle uren die God hun had gegeven, benutten. Het was zoiets als chimpansees die zich op de borst slaan en hun tanden laten zien. Vaak was het ongeveer net zo productief.

In een interview uit 1912 in de *The New York Times* merkte Carl Jung op dat het libido van Amerikaanse mannen bijna geheel gericht is op zijn zaken, zodat hij als echtgenoot blij is dat hij geen verantwoordelijkheden heeft: 'Hij laat de gehele bestiering van zijn gezin over aan zijn vrouw. Dat is wat men noemt de Amerikaanse vrouw onafhankelijkheid geven. Ik noem het de luiheid van de Amerikaanse man. Daarom is hij zo aardig en beleefd als hij thuis is en kan hij op zijn werk zo hard vechten. Zijn echte leven is waar hij vecht. Het luie deel van zijn leven is waar zijn gezin is.'[1]

Jung schreef over Amerikaanse mannen rond de voorlaatste eeuwwisseling. Het had net zo goed kunnen slaan op man, werk en gezinsleven van tachtig jaar later. Het had in elk geval op mij kunnen slaan. De aard en reikwijdte in aanmerking genomen van de feministische analyse en de seksuele revolutie van de tweede helft van de twintigste eeuw, leek er een heleboel veranderd te zijn, voor vrouwen. Maar wat is er met de mannen gebeurd?

Aan het eind van de jaren zestig en in de jaren zeventig stuitte ik als jonge psychiater regelmatig op het fenomeen dat toen bekendstond als 'het lege-nest-syndroom'. Het was iets waar getrouwde vrouwen aan leden die hun hele leven aan hun gezin hadden gewijd en op vijftigjarige leeftijd merkten dat hun kinderen volwassen waren en het huis uitgingen, en dat het leven van hun man zich afspeelde op zijn werk en op de golfbaan. In de jaren negentig zag ik niet zoveel vrouwen uit een leeg nest.

In plaats daarvan zie ik mannen van middelbare leeftijd die loyaal hun hele leven hebben gewijd aan één bedrijf, er alles voor opgaven, en die ineens wegens vervroegd pensioen of bezuinigingen de laan uit zijn gestuurd. Verbijsterd kijken zij om zich heen, maar hun kinderen zijn uitgevlogen en hun vrouw houdt zich met andere dingen bezig. Nu zijn het de vrouwen die golfspelen, die een baan en bevriende collega's hebben. Nu zijn het de mannen die ineengedoken in het lege nest zitten en zenuwachtig, wat een Ierse vriend en zakenman 'de vergeten toekomst' noemde, tegemoet zien.

Vanaf het begin van mijn openbare leven als man – op school, de universiteit, in het dispuut, het onderzoekslaboratorium, het ziekenhuis – leerde ik te wedijveren en een zelfvertrouwen te veinzen dat ik niet vaak (nooit) voelde. Dat wordt van mannen verwacht. Het resultaat is dat een van de meest voorkomende angsten van mannen is, dat ze op een geheimzinnige manier ooit 'betrapt' zullen worden. Als jonge vader schreeuwde ik tegen mijn kinderen om me machtig te voelen en verklaarde ik, bedekt of soms openlijk, dat stoere jongens niet zeurden maar sterk en verantwoordelijk moesten zijn en hun kwetsbaarheid moesten onderdrukken, vooral als ze wilden vermijden dat ze door andere jongens gepest werden. Als jonge echtgenoot hield ik van mijn vrouw en was ik, dat geloofde ik althans, een medelevende en verlichte 'nieuwe' man. Nu ben ik daar niet meer zo zeker van. Zij gaf een heleboel op om een toegewijde, fulltime moeder te zijn. Ik gaf weinig op om een marginale, parttime vader te zijn. Maar ik was de kostwinner van het gezin en dat was een heleboel waard – mij in elk geval wel – en ik was een vader voor mijn kinderen, al zou ik moeilijk hebben kunnen omschrijven wat het vaderschap nou precies inhield.

Nu is de hele kwestie van het man-zijn – waar ze voor dienen, hun doel, hun waarde, hun rechtvaardiging – een kwestie van openbaar debat. Serieuze commentatoren beweren dat mannen overbodig zijn, dat vrouwen ze niet nodig hebben en dat kinderen beter af zijn zonder hen. Aan het begin van de eenentwintigste eeuw valt het moeilijk te ontkennen dat mannen ernstig in de problemen zitten. Over de hele wereld, in de ontwikkelde landen en de ontwikkelingslanden, is antisociaal gedrag in essentie mannelijk. Geweld, seksuele mishandeling van kinderen, clandestien drugsgebruik, alcoholmisbruik en gokken zijn allemaal grotendeels mannelijke activiteiten. De gerechtshoven en gevangenissen staan bol van de mannen. Als het op agressie, misdadig gedrag, het nemen van risico's en sociale chaos aankomt, winnen mannen goud.

Maar al dat ondeugende gedrag in aanmerking genomen lijken ze er niet gelukkiger op te zijn geworden. In Noord-Amerika, Europa en Australië wordt er door 3 à 4 maal zoveel mannen zelfmoord gepleegd als door vrouwen.[2] De stijging in het aantal jonge mannen dat zichzelf van het leven berooft in de ontwikkelde wereld is terecht epidemisch genoemd. Voor de ouderen is de situatie nauwelijks beter. Tegenover elke 6 op de 100.000 vrouwen die per jaar zelfmoord plegen, staan 40 oudere mannen. En deze zelfmoordcijfers worden beschouwd als het topje van de ijsberg van mannelijke depressie, een ijsberg die alleen verborgen is omdat mannen te trots of te emotioneel geconstipeerd zijn om toe te geven dat ze hun gevoelens niet meer onder controle hebben. Mannen die bekendstaan om hun vermogen en voorkeur om stoned, dronken of seksueel provocatief te zijn, lijken door angst bevangen bij het vooruitzicht te moeten onthullen dat ze depressief, afhankelijk, hulpbehoevend zouden kunnen zijn, en dat vaak ook zijn.

Er wordt wel gezegd dat het altijd zo is geweest en dat het enige wat aan het veranderen is, is dat mannen uit de emotionele kast komen. Volgens dat argument hebben mannen, na de veronderstelde emotionaliteit van de vrouw altijd te hebben geridiculiseerd, vernederd en gepatroniseerd, nu het belang en de volwassenheid ingezien van het erkennen, maar ook van het op een beschaafde en open manier uiten van gevoelens.

Anderen hebben opgeworpen dat er een waarlijke stijging is in mannelijk ongenoegen, waarvoor geen tekort aan oorzaken bestaat. Boven aan de lijst staat de toenemende assertiviteit van de vrouw. Als gevolg van de feministische revolutie zijn vrouwen volgens dat argument niet langer bereid het eigendom te zijn van patriarchale mannen. In die feministische revolutie werd de mannelijke macht verstoten. Als kolonisten die hun rijk zien verbrokkelen, vinden mannen het niet leuk wat er gebeurt. Er zijn weinig vrouwen die aandacht willen besteden aan dat argument. Uiteindelijk hebben vrouwen maar een heel magere winst geboekt. Er zijn in de hele wereld nog steeds veel meer mannen dan vrouwen in machtige posities, mannen die nog steeds door het glazen plafond omlaag turen, nog steeds door het kabinet en de vergaderzalen van elk ontwikkeld land paraderen, schijnbare meesters van hun lot en dat van ieder ander. In de derde wereld is de situatie zelfs nog ongelijker. De geslachtelijke ongelijkheid bij het delen van de last van onbetaald werk is onverbiddelijk en ondanks alle gesprekken over gelijke rechten blijven vrouwen in de hele wereld meer uren werken dan mannen en krijgen ze er minder voor betaald. De kolonisten regeren nog steeds.

Onder die omstandigheden is het begrijpelijk dat vrouwen weinig geduld hebben met mannelijke gevoeligheden. Maar het kan zijn dat ze de clou missen. Het is waar dat het patriarchaat nog niet tot val is gebracht. Maar de rechtvaardiging ervan is een puinhoop. De kolonisten zijn nog niet afgezet, maar de gekoloniseerden zijn aan het beramen, discussiëren en organiseren en hebben aan de hand van een aantal kleine, goedgeplande opstanden hun capaciteiten gedemonstreerd. Er heerst een gevoel, zeker in de buitenste regionen van het patriarchale rijk, dat de tijd van mannelijke autoriteit, overheersing en macht voorbij is. Onder het oppervlak wordt de mannelijke macht ondermijnd. In Europa – op lagere scholen, op middelbare scholen, tot de universiteiten aan toe – presteren meisjes beter dan jongens. In de landen van de Europese Unie studeren 20 procent meer vrouwen af dan mannen. Na school en studie zijn de vooruitzichten op een goede baan voor vrouwen beter dan voor mannen. In Duitsland bijvoorbeeld raakten tussen 1991 en 1995 tweemaal zoveel mannen als vrouwen hun baan kwijt. In feite kregen vrouwen 210.000 banen, terwijl mannen er 400.000 kwijtraakten. Sommige tienerjongens stellen zichzelf gerust dat, als ze de twintig of dertig bereiken, de juiste orde zich opnieuw zal laten gelden en mannen de plaats aan de top waar ze recht op hebben, weer zullen innemen. Maar die geruststelling klinkt om een aantal redenen steeds holler. Vrouwen zijn in opmars en al hebben ze nog een lange weg af te leggen, veel mannen die zich al bedreigd voelen reageren daar op met toenemende agressie tegen vrouwen en tegen zichzelf.

En als veranderingen in onderwijs en werk niet voldoende zijn om de doorsneeman te demoraliseren, dan is er nog de treurige, zielige, openbare soap-opera van de relatie van de man met zijn penis. Mannen die op de meeste andere gebieden van hun leven van zelfbeheersing zo'n fetisj maken, lijken hun eigen seksuele driften bepaald niet meester te zijn. Erger nog, er is nog maar weinig veranderd aan de wildere kant van de mannelijke seksualiteit – verkrachting, aanranding, seksueel geweld – die zich in overweldigende mate manifesteert in agressief gedrag jegens kinderen en vrouwen. Het is dan ook niet zo vreemd dat veel onschuldige mannen, zoals de familieleden van mannen die gemarteld en gemoord hebben, hun verontschuldigingen aanbieden voor misdaden die zij zelf niet hebben gepleegd.

Maar zijn mannen echt bang voor hun eigen gevoelens? En als dat zo is, hebben zij daar dan een goede reden voor? Minachten mannen vrouwen en als dat zo is, waardoor wordt die minachting dan veroorzaakt? Er is wel eens opgeworpen dat misogynie – vrouwenhaat – een onvermijdelijk verschijnsel is tijdens de ontplooiing van een man en dat er eenvoudig geen goede mannen bestaan.[3] Kan het zijn dat de angst en minachting verbonden zijn met een diepere angst voor de mannelijke seksualiteit zelf? Hier betreedt men gevaarlijke grond. Eén verkeerde stap en je riskeert ervan beschuldigd te worden dat je *vrouwen* de schuld geeft van het mannelijke onvermogen om hun seksuele gevoelens onder controle te houden en hun agressie in te tomen. Dat is wat vele mannen geloven en waar sommigen naar handelen. Vrouwen worden gevreesd, geminacht en soms zelfs vernietigd vanwege wat mannen vinden dat vrouwen ze aandoen. Voor dergelijke mannen is hun eigen seksualiteit opwindend juist omdat die onvoorspelbaar, wispelturig, gevaarlijk kan zijn – en vrouwen krijgen er uiteindelijk de schuld van dat ze hem provoceren. Voor dergelijke mannen vertegenwoordigen vrouwen, alleen al door hun aanwezigheid, een zeer storende uitdaging van hun zelfbeheersing. De mate in aanmerking genomen waarin beheersing voor veel mannen het bepalende kenmerk van hun mannelijkheid is, tart elke hint in de richting van of de dreiging van het verlies van zelfbeheersing de essentie van wat het is om man te zijn. Uit het seksuele gedrag van Bill Clinton bleek dat de mythe van het paradijs nog steeds levend is en in bloei staat in het hart van het Amerikaanse rijk. Mannen komen ten val omdat vrouwen ze verleiden. Dat blijft dé verklaring voor mannelijk seksueel gedrag waar mannen de voorkeur aan geven. In plaats van de aard van de mannelijke seksualiteit en de relatie ervan tot macht, sociale status, agressie en overheersing te onderwerpen aan een werkelijk rigoureuze analyse, trekken de meeste mannelijke commentatoren zich liever terug in zelfmedelijden en uiteindelijk in deprimerend gezeur over hoe moeilijk het is om een volbloed man te zijn in een dynamische relatie met een vrouw in de nieuwe post-feministische wereld van gelijke rechten voor man en vrouw.

In een interview met Germaine Greer in 1989 vroeg ik me af of zij accepteerde dat achter alle drukte en façade veel mannen niet zo zelfverzekerd waren als zij leken. 'Fallische onzekerheid doet me weinig,' antwoordde ze snibbig, en voegde eraan toe dat het er uiteindelijk op neerkwam 'dat mannen de droom van de fallus hadden gecreëerd. Dat mannen zich er zorgen over maken of de fallische afdeling wel goed genoeg is. Dat vrouwen heel tevreden zijn met alle andere zaken – de sociale status, macht, intelligentie.'[4]

Ze heeft zonder meer gelijk. Mannen blijven zich zorgen over maken 'of de fallische afdeling wel goed genoeg is'. Zij maken zich zorgen over de afmeting, vorm en potentie van hun geslachtsdelen. Mannen, jong en oud, raken ontdaan van spottende verwijzingen naar wat Sylvia Plath afdeed als een 'ouwe kalkoenennek en krop'. In de succesvolle Britse film *The Full Monty* werd expliciet een vergelijking getrokken tussen mannelijke inadequaatheid als gevolg van het verlies van een baan en mannelijke zorg over de seksuele potentie. Mannen moeten een band met elkaar hebben, dingen delen en emotioneel met elkaar kunnen opschieten, zich in hun volle naaktheid aan elkaar en aan vrouwen blootstellen om helemaal menselijk te zijn, dat was de boodschap van de film. Toen volgde de ultieme terugdeinzing waarin alles inderdaad werd blootgegeven aan het bioscooppubliek, behalve de 'ouwe kalkoenennek en krop'!

Het is bepaald waar dat de gepreoccupeerdheid van mannen met hun penis gebaseerd is op angst: niet op de freudiaanse angst voor castratie, maar op de adleriaanse angst uitgelachen te worden. Kunnen we het? vragen de mannen van vandaag zich bezorgd af terwijl ze naar hun verschrompelde pik kijken en hun sociale vaardigheid analyseren; kunnen we wedijveren, slagen, presteren, veroveren, overheersen, ons laten gelden, de expert uithangen, en hem overeind krijgen? En dan is er ook nog de onvermijdelijke ongelijkheid tussen de geslachten, het feit dat in tegenstelling tot het orgasme van een vrouw, de erectie van een man niet kan worden geveinsd. De overduidelijke zichtbaarheid van het mannelijk geslacht, de conditie en afmeting, opgewonden of slappe staat, is direct meetbaar en vergelijkbaar. Het is daarom nauwelijks verwonderlijk dat de komst van de Viagra-pil vergezeld is gegaan van niet alleen twijfelachtige grappen en walgelijke dubbelzinnigheden, maar ook van zure en paniekerige politieke discussies over het mogelijke faillissement van ziektekosten-verzekeringsmaatschappijen, veroorzaakt door een stormloop van mannen die het laatste stimulerende middel voor hun 'ouwe kalkoenennek' in handen willen krijgen.

Het enige, algemeen erkende biologische verschil tussen de seksen is dat vrouwen twee x-vormige chromosomen bezitten en mannen een x- en een kleine y-vormige chromosoom. Het y-chromosoom neemt superieure mannelijke kracht, grootte, spiermassa, behendigheid, snelheid voor zijn rekening. Deze attributen zijn van aanzienlijke waarde geweest in een wereld die werd beheerst door een behoefte aan fysieke macht en energie en een rauwe, beestachtige, krijgshaftige kracht. Wij zijn gewend te denken dat een 'echte' man het type is dat in de ijzer- en staalindustrie, op scheepswerven, in de bouw en op het land werkt. Onze krijgshelden zijn bijna altijd van het mannelijk geslacht geweest – in de fantasie en in de werkelijkheid van het vuistgevecht, van het pure fysieke lef, de wil om te overleven, de atletische waaghalzerij. Wat is de prijs voor al die brute kracht, macht en energie nu er meer mensen in de keukens werken dan in de mijnen, nu gecomputeriseerde robots en geen zwetende mannen meer auto's in elkaar zetten en nu de mannelijke neiging tot geweld niet meer de redding van de nationale eer betekent, maar het overleven van de wereld bedreigt?

Er bestaat bijna niets meer in de hedendaagse maatschappij dat niet door vrouwen gedaan kan worden. 'En wat dan nog!' zeggen vrouwen, niet onredelijk, in aanmerking genomen dat het een eeuw heeft geduurd voordat deze stand van zaken bereikt werd. Inderdaad: en wat dan nog. Het probleem is er een voor mannen en in het bijzonder voor die mannen – en zij zijn in de meerderheid – die hun leven, hun identiteit, de essentie van hun mannelijkheid hebben ontleend aan beroepsgebonden prestaties en die zich hebben beroemd op het werk dat alleen zij als man konden uitvoeren. De generatie van mijn vader beroemde zich erop dat zij kostwinners waren – voor hun vrouw, gezin en zichzelf. Vandaag de dag lijkt het verdienen van de kost niet langer van ze geëist te worden. Getrouwde vrouwen halen steeds meer voordeel uit hun opleiding, wenden hun intelligentie aan en genereren hun eigen inkomen. In eenoudergezinnen dringen vrouwen sterk aan op crèches op het werk en betere kinderopvang, en ook op bijstandsuitkeringen als compensatie voor door mannen gegenereerd geld.

Niet alleen wordt de rol van de kostwinner belaagd, zelfs de rol van de vader wordt bedreigd. Aan het eind van het tweede millennium was de rol van de man bij de voortplanting en bij het opvoeden van kinderen aanmerkelijk kleiner geworden. De stijging van het aantal alleenstaande moeders suggereert niet alleen dat mannen inadequaat zijn als partner en als vader, maar eveneens dat ze eenvoudig overbodig zijn. Vrouwen beginnen zich er sterk voor te maken dat zij in hun eentje kinderen kunnen krijgen en opvoeden. Dat zij geen man nodig hebben om kinderen te krijgen. De ontwikkeling van geassisteerde reproductie, door middel van methodes als in-vitrobevruchting, kunstmatige bevruchting door een anonieme donor, en het draagmoederschap, doet samen met de hogelijk politieke en controversiële bewering dat één ouder een kind even goed kan opvoeden als twee ouders, de vraag rijzen: waar moet het met het vaderschap naartoe?

Als conceptie, zwangerschap, bevalling en opvoeding heel goed volbracht kunnen worden zonder de actieve deelname van iemand van het mannelijk geslacht, waarom zouden we dan nog iets met hem te maken hebben – het hartzeer, de problemen, dat hele verdomde bestaan van de huidige man in aanmerking genomen? Ooit zo trots op zijn penis (uiteindelijk beweerde Freud dat vrouwen hem daar om benijdden), is de man inmiddels vervallen tot de rol van ondersteunende zaaddrager, terwijl de vrouw vooraan op het toneel staat, niet alleen bij het scheppen van nieuw leven (die plaats heeft zij altijd al ingenomen), maar bij de hele verzorging. Het is daarom nauwelijks vreemd te noemen dat er mannen zijn die in alle ernst beweren dat de enige manier waarop zij weer een reproductieve en ouderlijke rol van enige betekenis zouden kunnen spelen, is als zij door middel en met behulp van de wetenschap zelf kinderen konden krijgen!

Een eeuw geleden stelde een knorrige Freud, perplex van een schijnbare epidemie van hysterische, depressieve, lethargische en onbevredigde vrouwen de vraag: Wat wil de vrouw eigenlijk? Hij vroeg dat in een tijd toen het vrouw-zijn gelijk stond aan pathologisch-zijn, het man-zijn aan de verpersoonlijking van vitaliteit. Een eeuw later is het niet de vrouw die wordt beschouwd als pathologisch maar de man, is het niet wat de vrouw wil maar wat de man wil wat raadselachtig is. Maar voordat we kunnen beginnen met de vraag wat mannen willen, verdienen of nodig hebben, moeten wij herwaarderen wat we van mannen weten. Wat brengt het Y-chromosoom, de oorzaak van alle problemen, teweeg? Zijn mannen van nature en onverbeterlijk gewelddadig? Gaat de kwestie tussen de seksen voor mannen per definitie over domineren of gedomineerd worden, voor vrouwen over de keus tussen tegenstribbelen of onderdanig zijn? Kunnen mannen in een wereld van gelijke kansen voor man en vrouw de relatie met zichzelf en met vrouwen herdefiniëren? Is er iets over van de mannelijke rol als kostwinner en beschermer? Hebben wij mannen nodig? En zo ja, wat voor soort mannen, wat voor soort vaders hebben wij dan nodig?

De hedendaagse wereld is nog steeds grotendeels verdeeld in twee domeinen: het particuliere domein, voornamelijk bewoond door vrouwen, en het openbare domein, waar mannen hun identiteit kunnen vinden en cultiveren en hun overheersing kunnen afdwingen. De macht van het patriarchaat, die reeks machtsrelaties die mannen in staat stelt vrouwen te overheersen, stoelt op het geloof dat het openbare boven het particuliere staat. Vrouwen die vechten om aan de beperkingen van het patriarchaat te ontsnappen, worden gedwongen tot een zwijgende acceptatie van de superieure waarde van het openbare – zaken, beroep en kantoor – en een devaluering van het particuliere. Mannen voelen als gevolg daarvan weinig behoefte om de prioriteit die zij aan het openbare geven, opnieuw op waarde te schatten; het verlangen van vrouwen om hun eigen openbare geldigheid te bewijzen wordt zelfs geïnterpreteerd als nog meer bewijs dat het openbare inderdaad superieur is en het particuliere terecht als inferieur wordt opgevat.

Bij mijn onderzoek van de op de proef gestelde status van de mannelijkheid heb ik de term 'fallus' heel bewust gekozen. De *penis* is een anatomische term die verwijst naar het mannelijk voortplantingsorgaan. De *fallus* is een antropologische en theologische term die verwijst naar het beeld ervan. De penis is een orgaan met biologische functies, de fallus een idee dat in verscheidene religies wordt geëerd als symbool van mannelijke macht. Fallisch verwijst niet alleen naar de penis, maar houdt ook de begrippen potentie, viriliteit, mannelijkheid, kracht en macht in. Het wordt wel eens gezien als 'symbool der symbolen', het kenmerk dat het individu als man aanduidt en hem een plaats geeft in termen van autoriteit, controle, overheersing.[5] De fallus 'kenmerkt wat mannen denken dat ze hebben en waarvan gedacht wordt dat vrouwen het missen'.[6] De penis is niet aan de orde, behalve als mogelijk overbodig zijnde als instrument voor de voortplanting. Maar de fallische man, autoritair, dominant, assertief – de man die niet alleen over zichzelf heerst, maar ook over de vrouw – begint uit te sterven, en het is nu de vraag of een nieuwe man als een feniks zal verrijzen om zijn plaats in te nemen of dat de man zelf grotendeels overbodig zal worden.

2

Waarom het y-chromosoom?

Wanneer heb je een verhoogde kans om op de mavo in plaats van de havo terecht te komen, om in de puberteit met de politie in aanraking en op twintigjarige leeftijd in de gevangenis terecht te komen? Wanneer ben je eerder geneigd om heroïne te spuiten, te veel alcohol te drinken, overspel te plegen en je kinderen in de steek te laten? Wanneer is het risico dat je zelfmoord pleegt drie maal zo groot en de kans dat je een moord pleegt tien maal zo groot? Het antwoord luidt: als je van het mannelijk geslacht bent. En hoe ontstaat iemand van het mannelijk geslacht? Door een minuscuul y-chromosoom, onzichtbaar voor het blote oog, het kleinste chromosoom dat al onze menselijke genen bevat. De genen in het y-chromosoom stimuleren de ontwikkeling van mannelijke karakteristieken, met inbegrip van de vorming van de penis en testikels, de productie van sperma en de ontwikkeling van de secundaire seksuele karakteristieken zoals baardgroei, een diepe stem en de vorm en afmeting van het bekken.

Elke menselijke cel bevat zesenveertig chromosomen. Vierenveertig daarvan zijn identieke paren, maar er zijn er twee die daarvan afwijken: één in de vorm van een x en één in de vorm van een y. Deze twee chromosomen reguleren de seksuele ontwikkeling.

Honderden miljoenen jaren geleden werd het geslacht misschien wel niet door chromosomen bepaald, maar door een of andere milieufactor, bijvoorbeeld de temperatuur waarbij het eitje geïncubeerd werd. Zo gebeurt het nog steeds bij dieren als krokodillen en zeeschildpadden. Maar de seksualiteit van het menselijk embryo wordt bepaald door de geslachtschromosomen. Vrouwelijke personen hebben meestal twee x-chromosomen, mannelijke personen hebben één x en één y. Onder een microscoop lijkt het y-chromosoom ongeveer eenderde van de grootte van het x-chromosoom.

Het is het y-chromosoom dat de sleutel tot de mannelijkheid bevat. Zonder y ontwikkelt het embryo zich als een vrouwelijk wezen. Hoewel er duizenden genen op het x-chromosoom aangetroffen worden, zitten er waarschijnlijk niet meer dan een paar dozijn op het y-chromosoom. Tot op heden hebben onderzoekers slechts 21 van die genen geïdentificeerd. Ze kunnen in drie groepen worden verdeeld, op basis van de rol die zij spelen in het lichaam.[1] Eén groep bevat een enkel gen dat het lot van het embryo om een man te worden bepaalt door de testikels te ontwikkelen. De tweede groep, die bestaat uit ongeveer tien genen, wordt pas actief tijdens de puberteit en beïnvloedt de productie van sperma. De derde groep, de resterende tien genen, dient om ervoor te zorgen dat de cellen in het lichaam efficiënt en effectief functioneren.

Bij de menselijke voortplanting dragen man en vrouw elk een geslachtschromosoom bij aan het ontstaan van de geslachtschromosomen van het embryo. De vrouw kan slechts één van haar twee x-chromosomen bijdragen, terwijl de man een x (waarbij het embryo van het vrouwelijk geslacht zal zijn) of een y (waarbij het embryo van het mannelijk geslacht zal zijn) kan bijdragen. Het kruisen en koppelen van ouderlijke genen wordt beschouwd als een verbetering van de overlevingskansen van de soort. Er wordt een nageslacht geproduceerd dat genetisch van elke ouder verschilt. De kansen dat hun nageslacht nieuwe mogelijkheden kan exploiteren die zich voordoen door een steeds veranderend milieu en de aanslag kan overleven van vijandige biologische en milieufactoren, worden daarbij vergroot.

In een heel vroeg stadium van de ontwikkeling van een menselijk embryo ziet men een primitieve constructie die de gang van Müller wordt genoemd. Dat is een voorloper van de uterus en het innerlijke deel van de vagina, en komt voor bij zowel het mannelijke als vrouwelijke embryo. Totdat de foetale testikels, beïnvloed door het y-chromosoom, hormonen beginnen af te scheiden, bestaat er geen duidelijk seksueel onderscheid binnen in het embryo. Zelfs als de testis aanwezig is maar zich om de een of andere reden niet afscheidt, zal zich een vrouwelijk embryo ontwikkelen. De grondstatus van de menselijke ontwikkeling is vrouwelijk. Tenzij en tot de foetale testis gaat werken zijn wij allemaal embryonale vrouwen. In een prachtige samenvatting van de biologie van geslachtelijke verschillen wordt het als volgt geformuleerd: 'Mannelijk onderscheid treedt op doordat de foetale testes, die actief androgeen (testosteron) produceren, en een substantie die de ontwikkeling van de vrouwelijke anlagen (Mülleriaanse remmingssubstantie) tegenhoudt, mannelijkheid aan de *in de grond vrouwelijke neiging van het lichaam* opdringen, terwijl vrouwelijk onderscheid ontstaat door de relatieve afwezigheid van die invloeden.' (cursivering van mij, A.C.)[2]

Dus: vanaf het prille begin heeft een van de oudste verklaringen voor het ontstaan der seksen, een van de bouwstenen van het patriarchaat in het jodendom en christendom, namelijk het Genesis-verhaal in de bijbel, het bij het verkeerde eind. Eva komt niet voort uit Adams rib. Adam komt voort uit Eva. Een man te zijn vergt niet alleen een Y-chromosoom, maar tevens dat er door een van de genen van het Y-chromosoom een schakel wordt aangezet. Als de schakel hapert dan wordt het embryo een vrouw, Y-chromosoom of geen Y-chromosoom.

De meeste mensen zijn niet bijzonder geïnteresseerd in het Y-chromosoom als het aankomt op het verklaren hoe mannen in elkaar zitten. In plaats daarvan concentreren zij zich op *testosteron*: het hormoon dat geproduceerd wordt door de mannelijke testis als gevolg van de inwerking van de genen op het Y-chromosoom. Er zijn gerespecteerde wetenschappers en politieke commentatoren, bijna allemaal mannen, die dat hormoon de meest ontzagwekkende krachten toekennen. Testosteron, benadrukken zij, ondersteunt patriarchale gemeenschappen, verklaart de overheersende aanwezigheid van mannen in regeringen en directeurskamers, zet moordzuchtige jongeren aan om Amerikaanse schoolkinderen neer te schieten, wakkert het seksueel gebruik en misbruik van vrouwen en kinderen aan.

Testosteron is de reden waarom mannen naar de maan vliegen, de Mount Everest beklimmen, de Sixtijnse Kapel beschilderen en met pornografie leuren. Testosteron is, simpelweg, zoals een schaamteloze verdediger van het patriarchaat het stelde, de reden waarom 'de menselijke biologie de mogelijkheid uitsluit van een menselijk maatschappelijk systeem waarvan de autoriteitsstructuur niet wordt gedomineerd door het mannelijk geslacht, en waarin mannelijke agressie zich niet manifesteert door middel van overheersing en het behalen van een positie, status en macht'.[3]

De sociobiologen staan daarin niet alleen. Hoewel zij er bepaald niet zo zeker van is dat de gehele verklaring te vinden is in testosteron, twijfelt Germaine Greer er niet aan dat het eindresultaat van al die embryonale interacties pathetisch, zoniet afstotend is. 'Van het mannelijk geslacht te zijn,' verklaart zij vrij recent, 'is een soort *idiot savant* te zijn, vol vreemde obsessies over fetisjistische activiteiten en fantasieobjecten, vastberaden in het nastreven van willekeurige doelen, gedoemd tot rivaliteit en onrechtvaardigheid, niet alleen tegenover vrouwen maar ook tegenover kinderen, dieren en andere mannen.'[4]

Maar waar is het bewijs dat testosteron de sleutel is tot mannelijke agressie en geweld? Het hormoon en zijn metabolieten verklaren wel waarom mannen lichamelijk groter, sterker, sneller en gemiddeld slanker zijn dan vrouwen, waarom er haar op hun gezicht groeit, waarom zij zwaardere stemmen en smallere heupen hebben. Behalve de *masculiniserende* effecten hebben testosteron en aanverwante mannelijke geslachtshormonen (tezamen heten zij *androgenen*) *anabole* (bevorderlijk voor de opbouw van eiwit) eigenschappen. De anabole steroïden die door atleten gebruikt worden om spiermassa te kweken, vet kwijt te raken en hun prestaties op te voeren, zijn synthetische derivaten van testosteron, ontwikkeld om proteïnesamenvoeging te maximaliseren en masculiniserende effecten te minimaliseren. De anatomische en fysiologische ontwikkeling van de mannelijke en vrouwelijke seksualiteit is redelijk goed bekend en wij kunnen tot op heden concluderen dat het Y-chromosoom de genetische bouwsteen is van de mannelijkheid. Samen met de hormonen die door de genen worden gestimuleerd – testosteron en zijn metabolieten – produceert het de anatomische man.

Maar houdt het daarbij op? Hoe zit het met die verschillen tussen de seksen, waarvan de sociobiologen benadrukken dat zij het gevolg zijn van de manier waarop de bedrading van de mannelijke hersenen verschilt van de vrouwelijke hersenen? Kunnen al die beweringen over mannen – dat zij agressief, strijdlustig, gewelddadig, grof, verslaafd, losbandig en antisociaal zijn – geworteld zijn in een minuscuul Y-vormig chromosoompje en zijn 21 genen?

Testosteron en het mannelijk geslacht

Op het eerste gezicht ziet het bewijs ten gunste van het argument van de biologen – dat testosteron fundamentele verschillen veroorzaakt in de manier waarop het mannelijk brein functioneert – er veelbelovend uit. Onderzoek, uitgevoerd in de afgelopen dertig jaar, toont aan dat seksuele differentiatie in het zich ontwikkelende embryo zich niet alleen afspeelt op het gebied van de interne en externe geslachtsorganen. Seksuele differentiatie komt eveneens voor binnen het centrale zenuwstelsel, met inbegrip van de hersenen zelf. De befaamde neuropsycholoog Torsten Wiesel beschrijft het mooi: 'Genen die de embryonale ontwikkeling regelen, vormen de structuur van het kinderlijk brein; de ervaring van het kind in de wereld stelt vervolgens het patroon af van de neurale verbindingen die ten grondslag liggen aan de werking van het brein. Die afstelling [...] moet zeker blijven plaatsvinden door de volwassenheid heen.'[5]

Het is tegenwoordig bekend dat de geslachtshormonen niet alleen het aantal hersencellen en de groei van de neurieten en neurodendrons – die via synapsen (of verenigingen) de hersencellen verbinden – reguleren, maar ook de receptoren in de hersenen waarop de geslachtsorganen reageren. Deze seksuele differentiatie van de hersenen, georkestreerd door de geslachtshormonen, vindt plaats tijdens een betrekkelijk korte ontwikkelingsfase, maar resulteert in permanente verandering in die delen van de hersenen die gevoelig zijn voor deze hormonen.

De meeste studies naar hersendifferentiatie werden uitgevoerd met laboratoriumdieren en hebben talloze verschillen tussen de seksen aangetoond met betrekking tot hormonen die handelden door hersenreceptoren, waaronder gedrag als copulatie, geurmarkering, vocalisering en partnerherkenning. Wanneer bijvoorbeeld fragmenten uit bepaalde hersencentra van pasgeboren mannelijke ratten worden verwijderd en getransplanteerd in de hersenen van vrouwelijke ratten, dan komt bij deze vrouwelijke dieren als ze volwassen zijn mannelijk paringsgedrag voor;[6] ook zijn er seksuele verschillen aangetroffen in de gedeelten van de hersenen van zangvogels, die de klankbeheersing bepalen.[7] Eveneens is aangetoond dat, nadat de zich ontwikkelende hersenen van vrouwelijke muizen en resusapen waren blootgesteld aan hoge doseringen van circulerende mannelijke geslachtshormonen, de wijfjes van beide diersoorten agressiever werden.[8] Wat duidelijk uit dierstudies naar voren komt is dat a) de toediening van mannelijke geslachtshormonen aan genetische vrouwtjes tijdens de ontwikkeling van de foetus resulteert in ontvrouwelijking en/of de ontwikkeling van mannelijke eigenschappen en gedrag en b) dat de onthouding van mannelijke geslachtshormonen bij genetische mannetjesdieren tijdens de prenatale periode resulteert in ontmannelijking en/of de ontwikkeling van vrouwelijke eigenschappen en gedrag tijdens adolescentie en volwassenheid.[9]

Dergelijke ingenieuze onderzoeksuitkomsten hebben ertoe geleid dat biologen zichzelf voorbij zijn gerend met de verklaring van de sekseverschillen bij mensen als gevolg van geslachtshormonen die handelen naar de zich ontwikkelende hersenen. Er schuilt gevaar in de extrapolatie van dieren naar mensen. Het soort manipulaties dat toegepast wordt op ratten, hamsters en guinese biggetjes kunnen om overduidelijke ethische, morele en wettelijke redenen niet worden toegepast op mensen. Bijgevolg – en dit is een heel belangrijk voorbehoud – is elke interpretatie van de relatie tussen hormonen die hun invloed doen gelden tijdens de prenatale periode en de menselijke gedragsontwikkeling, beperkt tot het leggen van correlatieve in plaats van causale verbanden.

Desalniettemin hebben onderzoekers de populaire biologische theorie van sekseverschillen in agressief gedrag heel serieus genomen, hetgeen op basis van de dierstudies waarnaar al verwezen werd, suggereert dat verschillen in patronen van vroege blootstelling aan de mannelijke geslachtshormonen (androgenen) mannelijke en vrouwelijke hersenen op verschillende wijzen gevoelig maken voor de activerende effecten van circulerende androgenen, waardoor mannetjes agressiever kunnen worden.[10] De conventionele wijsheid is dat jongens met soldaatjes en pistolen spelen en meisjes met poppen en kinderwagens, dat jongens wilde spelletjes doen en meisjes ordelijke en georganiseerde spelletjes die te maken hebben met fantasieën over het huishouden en kinderen krijgen.

Wat zou er gebeuren als vrouwelijke wezens om de een of andere reden tijdens hun embryonale ontwikkeling of vroege jeugd blootgesteld werden aan het testosteron? Maakt testosteron ze agressiever? Verandert het meisjes in typische jongens of vormt het effect van hun chromosomale status en hun opvoeding als meisje een tegenwicht tegen het effect van het testosteron?

Een curieus ongeluk bij een medische behandeling heeft een gelegenheid geschapen om de inwerking in te schatten die testosteron heeft op het zich ontwikkelende vrouwelijke wezen. In de jaren veertig tot de jaren zeventig van de twintigste eeuw werden meer dan een half miljoen menselijke zwangerschappen behandeld met het niet-steroïdale synthetische oestrogeen diëthylstilbestrol (DES), met het doel om spontane abortus te voorkomen bij zwangere vrouwen die hun vrucht dreigden te verliezen. DES heeft bij dieren een uitwerking die overeenkomt met die van mannelijke geslachtshormonen. Daardoor kan men verwachten dat het gedrag van vrouwspersonen die aan DES worden blootgesteld meer mannelijke kenmerken vertoont.

Maar ofschoon er veel naar deze studies wordt verwezen door degenen die geloven dat ze afdoende aantonen dat er een biologische basis voor agressie bestaat, zijn de bevindingen in feite tegenstrijdig en niet overtuigend. Er zijn geen consistente veranderingen gemeld in het geslachtsrollenpatroon van vrouwen die prenataal blootgesteld werden aan DES, hoewel er veel onderzoek naar is gedaan, waaronder een van de meest geciteerde, dat van Ehrhardt en zijn collega's aan de Columbia University.[11] Daarin werden dertig vrouwen met een achtergrond van prenatale blootstelling aan DES vergeleken met dertig niet-blootgestelde vrouwen die voor een onderzoek naar dezelfde kliniek waren verwezen wegens een afwijkend uitstrijkje. Het geslachtsrollenpatroon in de kindertijd, adolescentie en volwassenheid werd beoordeeld door middel van een semi-gestructureerde vragenlijst, en een aantal maatstaven werd ontworpen om typisch mannelijk of vrouwelijk gedrag te karakteriseren. De resultaten, gepubliceerd in een overvloed van artikelen in vooraanstaande biologische en medische tijdschriften, waren teleurstellend. Het enige dat eruit bleek was een *vermoeden* dat vrouwen die in utero blootgesteld waren geweest aan DES, als volwassene minder ouderlijk gedrag vertoonden jegens hun eigen kinderen dan de controlegroep. (Men neme er nota van dat inadequaat ouderlijk gedrag beschouwd werd als typisch mannelijk gedrag!)

De natuur zelf biedt eveneens een gelegenheid om de biologische en gedragsmatige effecten van de mannelijke hormonen te bestuderen. Er bestaat een aandoening, de zogenoemde congenitale bijnierhyperplasie, waarbij de productie van abnormaal grote hoeveelheden mannelijke hormonen (androgenen) kunnen voorkomen bij vrouwen wegens een genetisch defect, hetgeen kan leiden tot een situatie die lijkt op die welke in utero wordt ondergaan door foetussen die blootgesteld werden aan DES. Vrouwen die dit defect hebben, zijn chromosomaal van het vrouwelijk geslacht (zij bezitten de XX-chromosomen) maar lijden, als gevolg van de verhoogde productie van androgenen, vanwege het congenitale defect aan een vermannelijking van de vrouwelijke geslachtsorganen bij de geboorte. Als ze niet behandeld worden, ontstaat bij hen een mannelijk lichamelijk uiterlijk, krijgen ze de baard in de keel, een vergrote clitoris en een gebrek aan borstontwikkeling tijdens de puberteit. Nog later is er een totale afwezigheid van menstruatie en een onstuimige haargroei. De volledig ontwikkelde vorm komt in Europa en de Verenigde Staten naar schatting bij ongeveer 1 op de 6.000 geboorten voor.

Verscheidene vroege studies leken aan te tonen dat meisjes met aangeboren bijnierhyperplasie tijdens hun jeugd een wilder gedrag vertoonden dan hun zusjes of niet-verwante meisjes in de controlegroep. Zij waren meestal lichamelijk actiever, speelden wildere achtervolgingsspelletjes en hadden de neiging om een loopbaan boven het krijgen van kinderen te stellen wanneer zij in hun jeugd fantaseerden over hun volwassen leven – waarbij alle activiteiten en voorkeuren door onderzoekers aangemerkt werden als duidend op een mannelijke oriëntatie.[12] In een veel geciteerde studie observeerden Sheri Berenbaum en Melissa Hines het speelgedrag van meisjes die aan bijnierhyperplasie leden en vergeleken het met dat van hun broertjes en zusjes.[13] Bij een keuze tussen trucks en autootjes en bouwblokken, of poppen en keukenattributen, boeken en bordspelletjes, gaven de meisjes met bijnierhyperplasie de voorkeur aan het meer stereotiep 'mannelijke' speelgoed, en voor eenzelfde tijdsperiode als de jongens. Zowel de meisjes met bijnierhyperplasie als de gezonde jongens verschillen van de gezonde meisjes in hun keuzepatroon.

Dit werk heeft veel aandacht gekregen, maar zit vol tekortkomingen. Ten eerste is het aantal getroffen meisjes klein. Ten tweede is er een feit waarnaar zelden wordt verwezen door de onderzoekers, namelijk dat meisjes die lijden aan aangeboren bijnierhyperplasie voor een groot deel anatomisch en psychologisch ernstig getroffen zijn. De eerste paar jaar van hun leven, en zeker tot zij plastische chirurgie hebben ondergaan, hebben zij een penisachtige clitoris en een scrotum. Dan is er mogelijk nog het effect van een chirurgische ingreep. Tevens is er de kwestie van de ouders: hun houding tegenover en verwachtingen van hun dochters met bijnierhyperplasie. Zoals overtuigend is beargumenteerd door Bleier, is het heel goed mogelijk dat de meisjes die een zogenoemd 'mannelijk' gedrag vertoonden degenen waren die het ernstigst waren aangetast en bijgevolg het sterkst geneigd waren zichzelf te zien als een jongen en bij anderen, met inbegrip van hun eigen ouders, de verwachting op te roepen dat zij zich als een jongen zouden gedragen.[14]

Een ander zeldzaam natuurlijk experiment betreft chromosomale manspersonen (XY) met een gedeeltelijke ongevoeligheid voor androgenen als gevolg van een tekort in een chemische stof, 5a-reductase type 2, waardoor het voor hen onmogelijk is te reageren op een normaal testosteronniveau. Omdat het tekort zich voordoet terwijl het embryo zich midden in de seksedifferentiatie bevindt, is het testosteron niet in staat om de juiste anatomische mannelijke ontwikkeling te bewerkstelligen, met als gevolg dat de baby's geboren worden met geslachtsorganen die onvolledig zijn gedifferentieerd. Ze zien er eerder vrouwelijk uit dan mannelijk en worden meestal als vrouw opgevoed.[15] Bij dergelijke gevallen komt het *genotype*, de feitelijke combinatie van speciale geërfde genen die in deze gevallen het Y-chromosoom bevatten, in conflict met het *fenotype*, een begrip dat verwijst naar de waarneembare effecten die de activiteit van deze genen bewerkstelligen bij de individuen. Behandeling met hoge doseringen mannelijke geslachtshormonen tijdens de volwassenheid lijkt de virilisatie en mannelijke seksuele prestaties te verbeteren, maar veel van deze chromosomaal mannelijke wezens zoeken officiële toewijzing tot de mannelijkheid en behoeven chirurgische correctie van de enigszins misvormde penis en de testikels, die vaak wel aanwezig maar verborgen zijn.

Een van de beroemdste (en meest bestudeerde) groepen patiënten die ongevoelig zijn voor androgenen, is te vinden in drie plattelandsdorpen in het zuidwesten van de Dominicaanse Republiek. Een team van de medische faculteit van de Cornell University en het Department of Paediatrics van de National University van de Dominicaanse Republiek hebben deze mannelijke pseudo-hermafrodieten bestudeerd om precies vast te stellen hoe belangrijk testosteron is voor de ontwikkeling van de mannelijke geslachtsidentiteit.[16] De proefpersonen kregen plasmatestosteron van hoog normaal peil, vertoonden een indrukwekkende reactie op testosteron en vormden een opmerkelijk model voor de evaluatie van het effect van testosteron bij de bepaling van de geslachtsidentiteit. Op basis van gedetailleerde retrospectieve vraaggesprekken (tegen de tijd dat de onderzoekers de 38 personen kregen te zien, hadden ze de volwassen leeftijd bereikt), constateerde men dat er 18 als meisje waren grootgebracht. Anatomisch zagen ze eruit als vrouwspersonen – bij de geboorte zag het scrotum eruit als een vagina, ze hadden een tamelijk grote clitoris en er waren geen testikels (in deze situatie dalen de testikels niet in en worden ze aangetroffen in de buikholte). In de puberteit, toen het testosteron eindelijk zijn invloed kon uitoefenen, vond de definitieve masculinisatie plaats, werd de stem zwaarder, groeide de clitoris uit tot de afmeting van een penis en daalden de testikels in het scrotum in. Op dat moment realiseerden de ouders en de aangetaste 'vrouwelijke wezens' dat er iets mis was. Wat er mis was, was dat de 'vrouwen' in feite mannen waren.

Van de achttien die als meisje werden opgevoed schakelden er zeventien meteen over op een mannelijke geslachtsidentiteit. De onderzoekers kwamen met een nogal technische uitleg tot de conclusie: 'Waar het geslacht van de opvoeding tegenstrijdig is met het door testosteron bewerkstelligde biologische geslacht, domineert het biologische geslacht wanneer de normale, door testosteron ingeleide activering van de puberteit mag plaatsvinden.'[17] In eenvoudiger taal wil dat zeggen dat het effect van testosteron in de puberteit het effect van het opvoeden van jongens als meisjes in de baby- en kindertijd teniet doet. Deze bevindingen dienen om de overwinning van het testosteron op de opvoeding te illustreren. Sommige ouders, vooral vaders, die bang zijn dat hun zoons worden grootgebracht op een 'meisjesachtige' manier, met vrouwelijke interesses, speelgoed en gedrag, kunnen dus gerustgesteld zijn!

In die Dominicaanse dorpen spelen jongens en meisjes met elkaar tot ze zes jaar oud zijn, maar worden daarna aangespoord om alleen te spelen met kinderen van hun eigen sekse. De meisjes helpen hun moeder in het huishouden, terwijl de jongens hun vader helpen in het zaai- en oogstseizoen. De jongens worden aangemoedigd om buiten te spelen. De meisjes worden aangemoedigd om bij hun moeder in de buurt te blijven of binnen te spelen. Als ze een jaar of elf zijn, gaan de jongens op zoek naar amusement in bars en bij hanengevechten. De pseudo-hermafrodieten waren grootgebracht als meisjes, hielpen hun moeder, bleven thuis, vermeden jongensachtige activiteiten en mannelijke kameraadschap werd hun onthouden; maar toen zij de puberteit bereikten vielen ze terug op hun mannelijkheid en leden – zo wordt ons verteld – geen duidelijke nadelige gevolgen! Het uitblijven van de werking van testosteron in de vroege jaren van hun ontwikkeling bracht geen ernstige lichamelijke of psychologische moeilijkheden teweeg tijdens hun adolescentie of latere jaren, toen het testosteron goed begon te werken. Deze bevinding is even interessant als de ietwat meer voor de hand liggende – dat testosteron de secundaire geslachtskenmerken teweegbrengt die de mannelijke puberteit kenmerken.

Wat gebeurt er als je circulerend testosteron verwijdert? Onderzoek dat daarnaar is uitgevoerd was gericht op de effecten op agressief en seksueel gedrag. Er zijn proeven gedaan met veroordeelde seksuele delinquenten die chirurgisch gecastreerd werden[18] of chemische middelen kregen toegediend die het testosteron konden onderdrukken.[19] Een aantal proeven doet vermoeden dat injecties met chemische middelen die de aanmaak van testosteron inperken, het aantal en de intensiteit van seksuele fantasieën en periodes van afwijkend gedrag kunnen verminderen.[20] Er is in dit verband wel beweerd dat minder delinquenten opnieuw tot misdaad en geweld overgingen, maar deze cijfers zijn niet vergeleken met cijfers van vergelijkbare mannen die niet behandeld waren. Er bestaat enig bewijs dat erop duidt dat recidivisme omlaag gaat bij pedofielen die zogenoemde chemische castratie ondergaan; maar het gebruik van een dergelijke benadering wordt ingeperkt door een hoge weigerings- en drop-out-factor. Het valt echter te verwachten dat de gehele verwijdering van het testosteron de seksdrift zou verminderen en daar ga ik hieronder verder op in. Wat we weten is dat het overgrote deel van de mannen die vrouwen en kinderen misbruiken en verkrachten geen consistente, betrouwbare en significante afwijkingen laten zien in testosteronaanmaak of -peil. Behalve testosteronaanmaak is er iets anders in het spel.

Testosteron, agressie en dominantie

Hoe zit het met het verband tussen testosteron en agressie? Mannen hebben meer testosteron in hun bloedsomloop dan vrouwen en mannen zijn agressiever.[21] Vrouwen produceren ook testosteron en mannen produceren ook oestrogeen. Bij vrouwen wordt testosteron aangemaakt in de bijnierschors en de eierstokken. Een normale vrouw produceert dagelijks ongeveer 200 microgram testosteron en 120 microgram oestrogeen, ongeveer een verhouding van 1,6 op 1 tussen testosteron en oestrogeen. Een normale man produceert dagelijks ongeveer dezelfde hoeveelheid oestrogeen (100 microgram), maar een verhoudingsgewijs veel grotere hoeveelheid testosteron – 5.100 microgram per dag – een testosteron/oestrogeenverhouding van 51 op 1. Niet alleen hebben mannen een veel hoger testosteronpeil dan vrouwen, het is bovendien het hoogst vlak na de puberteit en wanneer ze begin tot midden twintig zijn – wanneer mannelijk antisociaal en agressief gedrag op zijn hoogtepunt is.[22] Vanaf begin tot midden twintig vermindert het testosteronpeil bij mannen geleidelijk.[23] Het libido, antisociaal gedrag en de agressie bij mannen verminderen vanaf diezelfde periode eveneens.[24] Voordat echter aangenomen wordt dat het één de oorzaak is van het ander, is het belangrijk om op te merken dat de feitelijke daling in het testosteronpeil klein is. Een man van dik in de zeventig maakt in verhouding tot zijn lichaamsmassa substantiële hoeveelheden aan.[25]

Testosteron is dus noodzakelijk maar niet voldoende voor een normaal niveau van mannelijke seksuele begeerte. Beroofd van testosteron lijken mannen de zin in seks te verliezen. Maar de relatie tussen testosteron en de penis is zeer gecompliceerd. Spontane erecties, zoals die 's nachts kunnen voorkomen (nachtelijke peniszwelling), zijn in hoge mate afhankelijk van het peil van het circulerende testosteron. Ze komen minder vaak of geheel niet voor wanneer het testosteronpeil laag is en het is aangetoond dat ze frequenter voorkomen na een injectie met testosteron.[26] Daar staat tegenover dat erecties in reactie op erotische visuele stimuli onafhankelijk lijken te zijn van het circulerende testosteron![27] De relatie tussen testosteron en agressie is zelfs nog gecompliceerder.[28]

Met de ontwikkeling van eenvoudiger en betrouwbaarder methoden voor het meten van testosteron hebben opmerkelijke beweringen, voortgekomen uit onderzoeken, wisselende gradaties in voorstellingsvermogen en vindingrijkheid laten zien. Een hoog testosteronpeil is gemeld bij gewelddadige misdadigers, agressieve ijshockeyspelers, oud-militairen met een opvallende geschiedenis van echtscheiding, bij mensen die lijden aan drugs- en alcoholmisbruik, antisociaal gedrag en bij wetsovertreders.[29] In een intrigerende studie werd het testosteronpeil van vier mannelijke dokters tussen de 28 en 38 jaar oud, die een week lang op een boot vastzaten tijdens een vakantietocht, vastgesteld en men ontdekte dat het, volgens de beoordeling van vrouwen die ook op de boot zaten, correleerde met hun dominante en agressieve gedrag![30]

Het controversiële en toenemende gebruik van anabole steroïden door atleten biedt eveneens een gelegenheid om de relatie tussen hormonen en agressie op te helderen. De steroïden lijken in farmacologische samenstelling en uitwerking op testosteron. Het illegale gebruik door mannelijke en vrouwelijke atleten om hun kracht, conditie en algehele prestatie te verbeteren, komt tegenwoordig wijdverbreid voor en vele verschillende steroïden en combinaties van steroïden worden daarbij toegepast. Atleten die misbruik maken van anabole steroïden zijn sterk geneigd tot grote stemmingsschommelingen, waaronder ernstige depressie en euforie en opvallende geïrriteerdheid en agressie. Harrison Pope en David Katz van het McLean-ziekenhuis in Boston geven dramatische voorbeelden van door steroïden veroorzaakte agressie, die voorkwam bij 88 proefpersonen die er misbruik van hadden gemaakt.[31] Omdat hij geprikkeld raakte tijdens een verkeersopstopping bracht een van de gebruikers drie auto's ernstige schade toe met zijn vuisten en een metalen stang, terwijl de bestuurders doodsbenauwd in hun auto wegdoken. Een andere gebruiker werd gearresteerd wegens vernielingen aan een gebouw bij een woedeaanval tijdens een sportwedstrijd, terwijl weer een ander zijn hond bijna doodsloeg. Verscheidene gebruikers meldden dat zij uit huis waren gezet door hun ouders, vrouw of partner omdat ze vreselijk agressief waren geweest. Bijna al deze atleten ontkenden dat ze zich op vergelijkbare manier hadden gedragen voordat zij begonnen waren met het innemen van steroïden.

Wat echter een probleem is met dit en ander onderzoek is dat atleten die misbruik maken van anabole steroïden vaak ook andere middelen innemen, waaronder alcohol, cocaïne, opiaten, amfetamine en hallucinogenen. Bovendien is het niet duidelijk in welke mate anabole steroïden de neiging tot agressie en geprikkeldheid, die in dergelijke prestatie- en doelgerichte individuen toch al goed ontwikkeld is, nog verder aanwakkeren. Maar er bestaat een toenemende hoeveelheid literatuur die de opvatting ondersteunt dat anabole masculiniserende steroïden, vooral wanneer die in grote doses worden gebruikt, ernstige stemmingsstoornissen en agressie kunnen veroorzaken.

Is het dus over het geheel genomen een uitgemaakte zaak? Testosteron veroorzaakt agressie. Zo is de grote hoeveelheid onderzoek in de media ontvangen en beschreven. Met een dergelijke interpretatie gaat de handenwringende conclusie samen dat pogingen om mannen te temmen en te civiliseren gedoemd zijn te mislukken vanwege de woekerende expansiedrang van het testosteron. Het is de door testosteron gevoede agressie die de verschillen produceert in sociale rollen tussen de seksen en die het in de hele wereld heersende patriarchaat schraagt. Óf wij accepteren dat feit óf wij elimineren op de een of andere manier mannen farmacologisch.

Maar de werkelijkheid is veel ingewikkelder. Wat deze onderzoeken in feite aantonen is een *correlatie* tussen agressieniveau en testosteronpeil. Er is meer dan één verklaring voor een dergelijke correlatie. Inderdaad kan een verhoogd testosteronpeil agressie veroorzaken. Maar andersom kan toenemend agressief gedrag ook een hoger testosteronpeil veroorzaken. En dan is het nog mogelijk dat geen van beide het een of het ander veroorzaakt. Bovendien zijn de resultaten niet erg rechtlijnig. Tegenover elke studie die gewag maakt van een positieve correlatie tussen dit of dat agressieve of antisociale gedrag en testosteron staat een andere studie waarin een dergelijk verband niet wordt aangetoond. Er zijn bijvoorbeeld studies van normale jongens,[32] delinquente jongens[33] en zeer agressieve prepuberale jongens,[34] die hebben aangetoond dat er geen enkel verband bestaat tussen testosteron en het wel of niet vertonen van agressief gedrag. En wat het allerbelangrijkst is: er bestaat geen enkel bewijs dat mannen wier testosteronpeil normaal is, na toediening van een grote dosis testosteron agressiever of gewelddadiger worden dan ze al waren.[35]

Bestaat er bewijs dat agressief gedrag of anticipatie op conflict en rivaliteit zou kunnen resulteren in een hoger testosteronpeil? In het overzicht van Allan Mazur, verbonden aan de Universiteit van Syracuse, en Alan Booth van Pennsylvania State, wordt een aanzienlijke hoeveelheid onderzoek waarin een dergelijk verband ondersteund wordt, met bewijsstukken gestaafd.[36] Er is bijvoorbeeld aangetoond dat het testosteronpeil van atleten kort voor een wedstrijd stijgt, als in anticipatie.[37] Deze stijging kan bij een individuele persoon leiden tot het nemen van risico's en kan de coördinatie, cognitieve prestatie en concentratie verbeteren. Er zijn eveneens bevindingen dat een of twee uur na een wedstrijd het testosteronpeil van winnaars relatief hoger is dan dat van verliezers.[38] Uit andere studies van niet-fysieke krachtmetingen zijn vergelijkbare resultaten voortgekomen. Bijvoorbeeld dat het testosteronpeil stijgt voor een schaakwedstrijd en na afloop hoger is bij winnaars dan bij verliezers.[39] Zelfs bij een passieve toeschouwer kunnen variaties in het testosteronpeil voorkomen. Na afloop van de finale van de wereldkampioenschappen voetbal in 1994 (waarbij Brazilië Italië versloeg na het nemen van strafschoppen), steeg het testosteronpeil beduidend bij Braziliaanse supporters die de wedstrijd hadden gevolgd op de televisie, en daalde het bij de Italiaanse supporters![40]

Nog belangrijker onderzoek, dat de complexiteit van de rol van testosteron bij agressief gedrag illustreert, betreft mannen die geconfronteerd werden met een symbolische uitdaging of belediging. Het is aangetoond dat mensen die in de zuidelijke staten van de vs wonen eerder geneigd zijn te denken dat het gerechtvaardigd is om te doden om je huis te beschermen. Inwoners van het zuiden zijn eerder geneigd zich beledigd te voelen en te vinden dat geweld een toepasselijke reactie is op een belediging. En ze zijn sneller geneigd toe te geven dat ze hun kinderen zouden aanraden met een kind door wie ze gepest worden, eerder op de vuist te gaan dan te proberen met hem te praten.[41]

Er is een zeer vindingrijk experiment uitgevoerd waarbij een onderzoeker een student beledigde door in een smalle gang tegen hem aan te lopen en hem uit te schelden. (De studenten hadden gezegd dat ze wilden meewerken aan het onderzoek, maar kregen van tevoren geen details te horen.) Noorderlingen hadden de neiging om het incident te negeren. Zuiderlingen vatten het minder licht op. Na de scheldpartij schoot het testosteronpeil van de zuiderlingen omhoog, terwijl dat bij de noorderlingen niet het geval was.[42]

Toen gaven de onderzoekers er nog een andere draai aan. Studenten die door de gang liepen, kwamen een massief gebouwd figuur tegen die hen in het midden van de gang dreigend tegemoet kwam lopen. Zuiderlingen die niet kort daarvoor uitgescholden waren, gingen uit de weg toen de intimiderende figuur op gemiddeld drie meter afstand was. Degenen die wel pas uitgescholden waren liepen tot op ongeveer een meter afstand door. De zuiderlingen die zojuist uitgescholden waren, leken nog steeds in een vechtlustige stemming te verkeren, al werden ze geconfronteerd met iemand die veel zwaarder was dan zij. Bij de noordelijke studenten werd het punt waarop zij opzij gingen niet bepaald door het wel of niet beledigd zijn.

Andere studies laten de mate zien waarin sociale en culturele factoren de potentiële relatie tussen testosteron en agressie beïnvloeden. Bijvoorbeeld: onder Amerikaanse oud-militairen met een hoge sociaal-economische status waren degenen met een hoog testosteronpeil niet méér geneigd tot drugsgebruik of tot antisociaal gedrag dan hun gelijken met een normaal testosteronpeil.[43] Maar onder degenen met een lage sociaal-economische status waren degenen die een hoog testosteronpeil hadden, bijna tweemaal eerder geneigd dan hun gelijken met een normaal testosteronpeil om wel dergelijke problemen te hebben. Een plausibele verklaring, oppert Dov Cohen, een vooraanstaand onderzoeker op dit gebied, is dat lagere sociaal-economische milieus 'meer gevaar inhouden en gelegenheid bieden om in moeilijkheden te raken, zodat mensen met een hogere T (testosteron) problemen krijgen'.[44]

Studies als deze ondersteunen het argument dat agressief en gewelddadig gedrag niet verklaard kan worden door eenvoudigweg testosteron de schuld te geven. Er zijn inderdaad 'normale' testosteronpeilen nodig voor 'normale' niveaus van agressie, maar als de hoeveelheid testosteron in het bloed binnen het normale gehalte verandert, verandert niet het niveau van agressief gedrag dat erop volgt. Dien een grote dosis testosteron toe (en die moet dan heel groot zijn) en het agressieve gedrag neemt toe, maar zelfs dat is niet zo eenvoudig als het lijkt. Robert Sapolsky beschrijft in een knap en geestig essay een experiment met een groep apen. De dieren kregen de tijd om de gebruikelijke hiërarchie te vormen van dominantie en onderwerping. Vervolgens kreeg een van hen een injectie met een zware dosis testosteron toegediend. En ja hoor, de van testosteron verzadigde aap ging zich agressiever gedragen. Maar hij was niet lukraak agressief. Hij bleef onderdanig tegenover de apen door wie hij gedomineerd werd voordat hij het extra testosteron kreeg, maar was onuitstaanbaar agressief tegenover de apen die onder hem in de pikorde kwamen. Sapolsky vat de situatie samen met: 'testosteron *veroorzaakt* geen agressie, het *ver-*

sterkt de agressie die al aanwezig is.'[45] En hij vervolgt: 'De ene studie na de andere heeft aangetoond dat, wanneer men het testosteronpeil test wanneer mannetjes voor het eerst in een sociale groep geplaatst worden, dit peil niets voorspelt over wie zich agressief zal gedragen. De latere verandering in gedrag drijft de hormonale veranderingen aan, in plaats van omgekeerd.'[46]

Er gaat een grote verleiding uit van argumenten waarbij een rijk geschakeerde en gecompliceerde serie van gedragingen die wij agressie noemen, toegeschreven wordt aan de toe- en afname van één enkel hormoon, testosteron. Het is verleidelijk omdat het betekent dat, in plaats van ons te moeten bezighouden met complexe zaken als wapencontrole, vervreemding van adolescenten, het opbreken van gezinnen, sociale ontbering en armoede – in een poging om het niveau van geweld in een bepaalde gemeenschap te verminderen –, wij ons zouden kunnen concentreren op de manipulatie van één enkel hormoon of een groep hormonen door middel van chirurgie of farmacologie. Agressie en geweld kunnen van een politiek en sociaal probleem veranderd worden in een biomedische uitdaging. En dan wordt het, politiek gesproken, een stuk gemakkelijker om erover te praten! Stel de helderheid van de onware bewering – dat testosteron dé oorzaak is van agressie – tegenover de complexiteit van de ware bewering – dat testosteron en agressief gedrag met elkaar in verband staan in een wederkerige relatie, waarbij agressief gedrag zou kunnen resulteren in een verhoogd testosteronpeil en flinke toename van het testosteronpeil zou kunnen leiden tot agressiever gedrag. Om van de eerste bewering een kop voor een roddelkrant te maken vereist weinig voorstellingsvermogen; om zoiets van de tweede te maken, vereist vindingrijkheid.

Dan is er nog het probleem van wat wij onder agressie verstaan. Voor Mazur en Booth wordt er van een persoon gezegd dat hij agressief is wanneer hij duidelijk van plan is lichamelijk letsel toe te dienen aan iemand van zijn eigen soort. Zij maken een onderscheid tussen agressie en dominantie. Een persoon wordt geacht zich dominant te gedragen wanneer hij streeft naar het bereiken of handhaven van een hoge status – zoals macht, invloed of waardevolle voorrechten – ten opzichte van iemand van zijn eigen soort.[47] De agressieve correlaten van testosteron worden al benadrukt sinds 1849, toen Berthold de testikels van hanen transplanteerde op kapoenen en merkte dat de kapoenen 'er lustig op los kraaiden, vaak met elkaar en de andere jonge hanen in gevecht raakten en de gebruikelijke reactie vertoonden op hennen'.[48] Mazur en Booth laten zien waarom een dergelijke rechtstreekse verbinding van agressie met testosteron, toepasselijk op veel diersoorten, te simplistisch is voor mensen. Agressief gedrag is duidelijk geen simpel gedrag en het kan heel goed zijn dat wijzigingen in testosteron in verband kunnen worden gebracht met slechts enkele aspecten van vele soorten gedrag.

Wat wordt er bedoeld met dominantie? Mazur en Booth omschrijven het als een actie die gericht is op het verbeteren van de status. De woorden die zij gebruiken om de kernelementen te beschrijven zijn onder meer 'machtig, gebiedend, autoritair, een hoge graad van controle, bazig en overheersend'. De actie waar zij zich op richten is een wedstrijd waarbij een persoon iets bereikt ten koste van een ander. De kern van dominantie is de wens om de meningen of acties van anderen te veranderen en de bereidheid een gedrag te vertonen dat die verandering teweegbrengt. Valerie Grant, een sociaal onderzoekster uit Nieuw-Zeeland, voegt daaraan toe dat de dominante persoon niet bereid is zijn eigen houding of gedrag zomaar (m.a.w. zonder toelichting) te veranderen op instigatie van anderen.[49] Dominantie is soms voordelig voor anderen, zoals wanneer een sterke leider niet alleen zichzelf maar ook zijn volgelingen helpt. Altruïstische helden en heldinnen helpen anderen. Elke daad die tot achting van anderen leidt, kan iemand dominant maken. Vanzelfsprekend hoeven mannen die willen domineren zich niet altijd agressief te gedragen om hun doel te bereiken. Zij kunnen daarin ook slagen door middel van oratorische vaardigheid, manipulatieve vermogens en door eenvoudig met geweld te dreigen. Waar er, zoals we hebben gezien, bewijs voor is dat circulerend testosteron geen agressie veroorzaakt bij de mens – opzettelijke toediening van lichamelijk letsel – lijkt het wel dominant gedrag te stimuleren dat erop gericht is een hoge status te bereiken of behouden.[50] Meestal laten mensen dominantie zien zonder zich te beroepen op agressie. Waarom mannen domineren met het doel letsel toe te brengen is te wijten aan meer dan alleen hun testosteronpeil. Ehrenkranz en zijn collega's hebben aangetoond dat sociaal dominante maar niet-agressieve gevangenen een relatief hoog testosteronpeil hadden, niet beduidend verschillend van het testosteronpeil van agressieve gevangenen, die misschien ook wel dominant waren.[51]

Er is wel gesuggereerd dat het dominantie en niet agressie is die evolutionaire voordelen voor mannen oplevert; het helpt ze om middelen te verkrijgen voor de competitie met andere mannen. Wat dat betreft is het de moeite waard om op te merken dat vrouwen agressieve mannen niet aantrekkelijk vinden, terwijl zij zich wel aange-trokken voelen door mannen die dominant zijn op een niet-agressie-ve manier.[52]

In aanmerking genomen dat vrouwen een zekere hoeveelheid cir-culerend testosteron in hun bloed hebben, zouden wij dan iets kun-nen leren van de uitwerking ervan door vrouwelijk gedrag te bestu-deren? De meer verstokte sociobiologen hebben gesteld dat, aangezien vrouwen steeds meer machtsposities bekleden die voorheen aan man-nen waren voorbehouden, vrouwen steeds meer op mannen zullen gaan lijken (m.a.w. dominanter en agressiever worden). Een vroege studie, waarin ogenschijnlijk wordt aangetoond dat het testosteron-peil bij vrouwen steeg naar gelang hun beroepsstatus toenam, leek dat te schragen;[53] een later onderzoek onder 32 studerende vrouwen, uit-gevoerd in 1995, had echter als uitkomst dat status (wanneer ingeschat door gelijken) niet correleerde met het testosteronpeil.[54] In de latere studie correleerde de inschatting die de vrouwen maakten van hun eigen status echter wel met het testosteronpeil.

Pogingen om testosteron in verband te brengen met agressie bij vrouwen hebben eveneens suggestieve maar inconsistente resultaten gehad. Een studie onder 84 vrouwen die in de gevangenis zaten en 15 studerende vrouwen trof geen algeheel verschil aan in het testoste-rongehalte, maar vrouwen die veroordeeld waren wegens niet-uitge-lokt geweld hadden wel een hoger testosterongehalte.[55] Uit een ander onderzoek onder vrouwelijke gevangenen bleek geen significante rela-tie tussen testosteron en de mate van crimineel geweld waaraan de gedetineerden zich schuldig hadden gemaakt, maar werden de testos-terongehaltes wel gerelateerd aan wat de auteurs 'agressief dominant gedrag' noemden tijdens het verblijf van de vrouwen in de gevange-nis.[56]

Er zijn eveneens pogingen ondernomen om seksueel gedrag bij vrouwen in verband te brengen met testosteron. Vrouwen met een hoog testosteronpeil hebben naar eigen zeggen meer sekspartners en ze beweren minder behoefte te hebben aan betrokkenheid van een man voordat zij seks bedrijven.[57] Wat dominantie bij vrouwen betreft wordt in een serie onderzoeken, uitgevoerd door Valerie Grant in Auckland, Nieuw-Zeeland, gesuggereerd dat vrouwen die een domi-nanter persoonlijkheid hebben dan andere vrouwen, eerder zonen zul-len krijgen en dat ze kwalitatief verschillen in de manier waarop ze met hun pasgeboren zonen omgaan vergeleken met de manier waar-op zij met hun dochters omgaan![58] Dat wil zeggen dat dominante vrouwen eerder zonen zullen krijgen en die vervolgens op een manier zullen opvoeden die er borg voor staat dat zij dominant zullen zijn! Grant suggereert dat vrouwen, en moeders in het bijzonder, een rol spelen in de schakel die testosteron verbindt met mannelijke dominantie: 'Deze door de sekse van hun baby bepaalde verschillen in het gedrag van moeders lijken erop gericht te zijn dat een hogere dominantie wordt doorgegeven via moeders aan zonen in plaats van aan dochters, zodat psychologische sekseverschillen op dit gebied zowel bekrachtigd als voortgezet worden.'[59]

Hoe zit het met andere invloeden van testosteron op mannen en mannelijk gedrag? Er volgde grote opwinding bij de massamedia toen de Amerikaanse Alan Booth en James M. Dabbs onderzoeksresultaten publiceerden die erop duidden dat mannen met een hoog testosteronpeil minder gauw geneigd zijn te trouwen en sneller geneigd om te scheiden.[60] In hun studie hadden mannen die gescheiden waren een verhoogd testosteronpeil voor en na hun scheiding. Het testosteronpeil van mannen die trouwden tijdens de tien jaar die het onderzoek duurde, daalde terwijl zij de overgang maakten van vrijgezel naar echtgenoot, en het testosteronpeil bleef laag onder stabiel getrouwde mannen. Dat verslag leidde tot geweldige speculaties. De sociaal-biologen, enthousiaste aanhangers van de 'mannen zijn promiscue schurken vanwege hun testosteron'-theorie, grepen zich aan het verband vast, ervan uitgaand dat het hoge testosteronpeil de mannen ontrouw maakte en minder geneigd zich te voegen naar de monogamie. Maar er zijn andere, minder simplistische mogelijkheden. Stress kan resulteren in een hoog testosteronpeil. Er is wel gesteld dat voor mannen de huwelijkse staat minder stressvol is dan vrijgezel te zijn. Vrijgezellen hebben meer kans dan hun getrouwde tegenhangers om confrontaties en moeilijkheden tegen te komen, ze zijn onstabieler en onzekerder en ontberen de sociale steun van een echtgenote. Dus moeten zij in het leven dat ze leiden een voorzichtiger, alerter en zelfbeschermender houding innemen.

Dat is precies het soort situatie waarin men zou kunnen verwachten dat het testosteronpeil stijgt. Een echtscheiding, voorafgegaan en gevolgd door vele maanden en soms jaren van bitterheid en gekibbel, zou naar verwachting gepaard kunnen gaan met een aanhoudend hoog testosteronpeil. Mazur en Booth opperen dat mannen die te kampen hebben met een huwelijkscrisis en scheiding een stijgend testosteronniveau zullen ervaren, 'hetgeen op zijn beurt zal leiden tot nog meer confrontaties met de van hen vervreemde echtgenotes.'[61]

Een andere mogelijke verklaring is dat seksuele activiteit het testosteronpeil bij mannen zou kunnen beïnvloeden – dat is zo bij muizen![62] –, hetgeen een hoger testosteronpeil zou verklaren bij vrijgezellen en gescheiden mannen. In het laboratorium vertonen mannetjesmuizen die blootgesteld worden aan nieuwe vrouwtjes, met of zonder lichamelijk contact, een stijging van het testosteronpeil. Na een ejaculatie daalt het testosteronpeil. Het is daarom mogelijk dat het lage testosteronpeil dat aangetroffen wordt bij stabiel getrouwde mannen een gevolg is van een regelmatig seksleven en dat het hoge testosteronpeil bij vrijgezellen het resultaat is van een aanhoudend gefrustreerd seksleven.

Er zijn ook enige technische tegenwerpingen tegen simplistische veronderstellingen. Testosteronmetingen, tegenwoordig veel exacter dankzij de betrekkelijk recente ontwikkelingen in de hormonale radio-immuunassaytechnieken en speekselanalyse, zijn nog steeds verre van perfect. Testosteron wordt niet gestaag maar pulsatief afgescheiden, is duidelijk gevoelig voor factoren als seksuele activiteit, temperatuur, algemene gezondheid, alcohol- en drugsgebruik en is in veel van de aangehaalde studies getest op manieren die niet strikt vergelijkbaar zijn. De stelligheid en felheid waarmee sommige commentatoren het vermogen van testosteron om dit of dat gedrag teweeg te brengen verdedigen, zijn bepaald niet gerechtvaardigd wanneer men de studies waarop dergelijke verklaringen zijn gebaseerd, nauwkeurig bekijkt.

Is de rol van testosteron helderder geworden door het bestuderen van homoseksuelen en transseksuelen? Het antwoord is nee. Er mag dan wel een biologische basis zijn voor homoseksualiteit,[63] maar de kwestie blijft open en verschaft ons weinig hulp bij het bepalen van wat precies de verschillen zijn tussen de hersenen van mannen en die van vrouwen. Mannelijke homoseksuelen zijn genotypisch mannelijk en hebben een y-chromosoom. Tot op heden zijn in onderzoek met mannelijke homoseksuelen geen consistente afwijkingen in testosteronafscheiding, -activiteit of -uitwerking aangetoond. Een aantal op vragenlijsten gebaseerde studies duidt erop dat homoseksuele mannen minder agressief zijn dan heteroseksuele mannen en dichter bij vrouwen staan in hun antwoordenpatroon.[64] In recenter Amerikaans onderzoek beschreven heteroseksuele en homoseksuele mannen zichzelf als agressiever dan hun vrouwelijke tegenhangers.[65] De heteroseksuele mannen waren lichamelijk agressiever dan de homoseksuele mannen, maar verder waren geen van de andere bevindingen van enige betekenis. De bevinding dat mannelijke heteroseksuele oriëntatie geassocieerd wordt met lichamelijke agressie zou erop kunnen duiden dat deze twee kenmerken onder mannen dezelfde bepalende elementen gemeen hebben – dat seks en agressie inderdaad biologisch verwant zijn, en dat vroegtijdige androgeenactie zowel seksuele oriëntatie als lichamelijke agressie masculiniseert. (Hierbij wordt ervan uitgegaan dat de toediening van androgenen in het mannelijke babybrein niet plaatsvindt bij mannelijke baby's die later homo worden, maar dat moet nog worden bevestigd.)

Aan de andere kant is de bevinding consistent met alternatieve socioculturele verklaringen. Bijvoorbeeld: mannen die geconditioneerd zijn om lichamelijk niet-agressief te zijn zouden ook eerder geneigd zijn om homoseksualiteit te ontwikkelen. Wat dit onderzoek wel heeft aangetoond was, dat er geen verschil is tussen homo- en heteromannen in verbale agressie of in persoonlijke wedijver, hetgeen erop lijkt te wijzen dat de seksuele oriëntatie zich onafhankelijk hiervan ontwikkelt. Het is denkbaar dat er biologische factoren in het spel zouden kunnen zijn in het geval van lichamelijke agressie, en sociale factoren in het geval van verbale agressie en wedijver.

Homoseksuele mannen hebben geen intrinsieke spanning betreffende hun mannelijke status. Hun mannelijkheid is minder een staat van crisis, eerder een staat van beleg, in aanmerking genomen dat zoveel heteroseksuele mannen, en heel wat vrouwen, homoseksualiteit beschouwen als een soort beschadigde of verzwakte mannelijke persoonlijkheid. Om deze reden vallen homomannen niet binnen mijn analyse van de precaire staat van mannelijkheid en de potentiële overbodigheid van de fallische macht.

Hoe zit het met transseksualiteit, die conditie waarbij een anatomisch normaal mens met absolute overtuiging gelooft dat hij of zij eigenlijk lid is van het andere geslacht? Dat gevoel gaat meestal vergezeld van een diepe walging van de primaire en secundaire seksuele kenmerken van de betrokkene zelf. Het is een staat waarvan men zou kunnen verwachten dat men verklarende biologische veranderingen aantreft in de sekshormonen of in de hersenen, maar tot op heden ontbreekt daarvoor elk bewijs.[66] Er is opmerkelijk veel onderzoek gedaan naar de hormonale status van transseksuelen, maar uiteindelijk is daar niets uit voortgekomen.[67] Biologische, psychologische en sociale factoren lijken een belangrijke rol te spelen bij de aandrang van de individuele transseksueel. Het geval van Joanna/John illustreert deze complexiteit: als enig meisje toonde zij een duidelijk 'mannelijke' voorkeur vanaf de jeugd en reageerde ze slecht op pogingen haar over te halen om zich te kleden en gedragen 'zoals paste bij haar sekse' en ze was, toen ze eenmaal de adolescente leeftijd bereikte, zeer vastberaden om een man 'te worden':

John begon het leven als Joanna, de jongste in een gezin van vier en het enige meisje. Vanaf het begin gedroeg ze zich, in de woorden van haar moeder, 'als een jongen'. Ze speelde liever met de geweren, treinen en speelgoedautootjes van haar broers dan met de poppen en poppenkleertjes die haar ouders voor hun enige geliefde dochtertje kochten. Ze rende, sprong en zwom en wedijverde met haar drie broers en hun vriendjes. Ze had een afkeer van meisjes en 'meisjesachtige' dingen en stond erop om een T-shirt en spijkerbroek te dragen, wat herhaaldelijk voor problemen zorgde op de kloosterschool waar ze op zat. Met het begin van de puberteit kwamen er ernstige problemen. Joanna werd zeer gestoord, deed herhaaldelijk aan zelfverwonding, viel andere meisjes aan en was thuis gewelddadig. Ze ging naar een aantal verschillende psychiaters en kreeg een heleboel behandelingen, zonder dat ze er veel beter van werd. Op 20-jarige leeftijd is ze uit eigen beweging naar een kliniek voor geslachtsverandering gegaan, volhoudend dat ze, vanaf de tijd dat ze zich van zichzelf bewust was, geloofde dat ze van het mannelijk geslacht was. Ze werd voorlopig gediagnosticeerd als een transseksueel en leefde vervolgens twee jaar lang gekleed als man. Haar gestoorde gedrag stopte en ze kreeg een baan bij een computerbedrijf. Toen ze 22 was veranderde ze haar naam in John, nam testosteron in om haar (zijn) oestrogenen te onderdrukken en om mannelijke secundaire kenmerken te produceren en onderging twee jaar later een bilaterale borstamputatie en baarmoederverwijdering. Vervolgens sloten chirurgen de vagina af en construeerden een kunstmatige penis door middel van huidtransplantaties.

Toen John eens gevraagd werd wat volgens hem het verschil tussen mannen en vrouwen was, was zijn antwoord: 'Een man is actief, zorgt ervoor dat dingen gebeuren en is sterk, een vrouw is passief, reageert op wat er gebeurt en is zwak. Een man maakt iets van zijn leven. Een vrouw laat zich leven. Ik ben er nooit geschikt voor geweest om vrouw te zijn.' Johns antwoord is een welbespraakte weerspiegeling van de stereotypen van mannelijk en vrouwelijk gedrag.

In geen enkel stadium van zijn ontwikkeling vertoonde John hormonale of chromosomale abnormaliteiten. De rol van de omgeving

*bij het ontstaan van zijn gesteldheid kan niet genegeerd worden – hij
is begonnen als enig meisje met drie actieve en energieke broers en
identificeerde zich al snel met hun werk- en speelpatronen. Terwijl
Johns moeder aardig en lief, maar enigszins gereserveerd was, was zijn
vader een dominante, assertieve en uitermate zelfverzekerde man met
wie John een nogal onzekere relatie had. Het was zijn vader en niet
zijn moeder die de beslissing van hun dochter om een geslachtsverandering te ondergaan bijna niet kon accepteren.*

Hoe zit het met andere gedragingen of vermogens die toe te schrijven
zijn aan het bezit van of gebrek aan het Y-chromosoom? Van beide
seksen zijn de kindertijd, adolescentie en volwassenheid diepgaand
bestudeerd met betrekking tot een verscheidenheid aan psychologische en sociale vaardigheden, waaronder vriendelijkheid, beïnvloed-
baarheid, analytisch vermogen, motivatie, eigendunk, verbale, visuele
en ruimtelijke vermogens, uit het hoofd leren en simpele herhalings-
taken, mathematisch vermogen en agressie.[68] Er zijn enkele consistente bevindingen uit voortgekomen, maar geen daarvan is in verband
gebracht met specifieke gebieden van de hersenfunctie of met specifieke effecten van de sekshormonen.

Over het algemeen schijnen vrouwen te beschikken over een betere verbale beheersing, perceptuele snelheid, accuraatheid en geheu-
genvermogen. Ze presteren beter bij testen waarbij woorden gevonden moeten worden die met een specifieke letter beginnen of synoniemen voor woorden, ze zijn beter dan mannen bij het snel identificeren van dingen die bij elkaar horen en bij het uitvoeren van bepaalde taken die precisie vereisen, zoals pinnen in gaten van verschillende
vorm steken op een testbord. Mannen blinken uit in visuele en ruimtelijke activiteiten, bijvoorbeeld bij het snel afmaken van een compu-
tersimulatie van een doolhof, of het manipuleren van driedimensio-
nale objecten. Ze lijken bij bepaalde motorische vaardigheden, zoals
het sturen of onderscheppen van projectielen en mathematisch redeneren, accurater te zijn dan vrouwen. Voorheen werd verondersteld
dat sekseverschillen bij probleemoplossende testen zich niet manifes-
teerden voor de puberteit, maar er is nu enig bewijs voor dat ze in de
kindertijd naar boven komen en Kimuro verwijst naar onderzoek
waarin wordt aangetoond dat drie- en vierjarige jongetjes beter waren
dan meisjes in het mikken op en mentaal roteren van cijfers op een
wijzerplaat, terwijl meisjes in de prepuberteit beter waren in het zich
herinneren van woordenlijsten.[69] Maar, en dit is een substantieel voor-

behoud, dat zijn gemiddelde resultaten. Veel vrouwen presteren evengoed als of zelfs beter dan vele mannen bij testen waarin gemiddeld de mannen excelleren, en omgekeerd. Het is, zoals zoveel dingen in het leven, een kwestie van kansen.

Het is zeer verleidelijk om een aantal van deze verschillen in testresultaten te beschouwen als mogelijke redenen waarom de seksen zoveel problemen hebben met elkaar te begrijpen. Het is bijvoorbeeld verleidelijk om aan te nemen dat een van de redenen waarom mannen hun toevlucht nemen tot lichamelijk geweld is, dat hun verbale vaardigheden niet goed genoeg zijn om met stress en frustratie om te gaan. Maar er is een enorme kloof tussen het vinden van subtiele verschillen in prestaties bij experimentele psychologische testen en het verklaren van complexe psychosociale gedragingen zoals agressie en gewelddadigheid. Er zijn echter twee grotere gebieden van activiteit waar seksegebonden verschillen met grote stelligheid worden geponeerd. Het eerste betreft mathematische vaardigheid, het tweede verschillen in de structuur van de hersenen van mannen en vrouwen.

Mannen en mathematica

Uit veel onderzoek naar wiskundige prestaties is steeds opnieuw een sekseverschil gebleken ten voordele van mannen.[70] In de Verenigde Staten heeft het National Institute of Education in het midden van de jaren zeventig een beurzenprogramma ingesteld om onderzoek te bekostigen naar sekseverschil en wiskundige vaardigheid, wat zeer waardevol onderzoek heeft opgeleverd, maar kennelijk geen enkel verschil heeft gemaakt – mannen bleven op wiskundig terrein beter scoren dan vrouwen. Een uitvoerig overzicht van data van prestatietesten aan het eind van de jaren tachtig in de vs bracht de grootte van deze sekseverschillen onder middelbare-schoolleerlingen en studenten aan het licht. Mannen scoorden aanzienlijk hoger dan vrouwen in de computer- en wetenschapstesten, in alle zes de natuurkundetesten, in alle vier de scheikundetesten, in beide algemene wetenschapstesten en in twaalf van de zestien algemene kwantitatieve testen. Volgens Camilla Benbow van de Universiteit van Iowa State, vanouds een verdedigster van sekseverschillen in wiskundige vaardigheid, wordt het sekseverschil bij wiskunde pas duidelijk tijdens het eerste studiejaar of op de middelbare school.[71] Meisjes zijn goed in berekening, jongens in taken waarbij wiskundig redeneren vereist is, terwijl er geen verschil waar te nemen is in de vaardigheid om geleerde concepten of algoritmen toe te passen. Sekseverschillen in wiskundeprestaties verschijnen zodra de lesstof enigszins abstract begint te worden. In een zeer uitgebreid overzicht van de bewijzen neemt Benbow een verscheidenheid aan sociale en milieugebonden verklaringen in overweging. Misschien hebben vrouwen een lagere dunk van of een negatievere houding tegenover wiskunde dan mannen doen. Misschien vertrouwen zij minder op hun wiskundige vermogen. En hoe zit het met het feit dat mannen en vrouwen wiskunde stereotyperen als een 'mannelijk' vak? En het is toch zeker ook zo dat belangrijke personen in het leven van een opgroeiend kind – ouders, onderwijzers, leeftijdgenoten – verschillende verwachtingen hebben van mannelijke en vrouwelijke prestaties op wiskundig gebied, en mannen meer aanmoedigen dan vrouwen? Er wordt eveneens opgeworpen dat jongens meer wiskunde in hun pakket nemen dan meisjes en dat meisjes van nature minder gemotiveerd zijn dan jongens.

Benbow verwerpt grotendeels de sociale en milieugebonden verklaringen voor de schijnbare mannelijke wiskundige superioriteit. Onder de begaafde studenten die zij met haar collega's heeft bestudeerd, werden geen verschillen aangetroffen in de houding tegenover wiskunde. Ook correleerden houdingen niet met gelijktijdige of latere wiskundige prestaties.[72] Maar toch ondersteunt het bewijsmateriaal van een aantal onderzoeken het argument dat meisjes een negatievere houding hebben tegenover wiskunde en dat deze houding lijkt te correleren met hoe goed of hoe slecht meisjes scoren bij wiskundetoetsen. Ruth Bleier, een felle critica van het argument dat meisjes minder wiskundig talent hebben dan jongens, wijst erop dat wiskundig begaafde jongens 'hun vaardigheid in wiskunde, wetenschap en techniek in het volste vertrouwen kunnen toepassen en ervoor worden beloond, zodat zij sterk gemotiveerd zijn om uit te blinken; maar het is heel goed gedocumenteerd dat over het geheel genomen ouders, mentoren en leraren van oudsher zelfs begaafde meisjes ontmoedigd hebben om serieus verder te gaan in de wiskunde of de wetenschap of, wat even schadelijk is, geen aandacht aan hen hebben geschonken.'[73]

Misschien is het gewoon een kwestie van zelfvertrouwen. Er is tenslotte aangetoond dat zelfvertrouwen negatief correleert met angst voor wiskunde en positief met prestaties in de wiskunde, het belang dat aan wiskunde wordt toegekend en het voornemen om facultatieve wiskundelessen te volgen. Meisjes zijn beslist eerder dan jongens geneigd om een gebrek aan vermogen als verklaring voor een slecht cijfer te geven; ze zijn eveneens eerder geneigd een gebrek aan vermogen als verklaring te geven voor een slecht cijfer, dan een buitengewoon vermogen om een goed cijfer te verklaren. Er is een substantiële overlapping in de verdelingscijfers van meisjes en jongens en onder begaafde meisjes en jongens zijn de prestaties bij wiskundetoetsen eerder overeenkomstig dan afwijkend. En, zoals Bleier zelf herhaaldelijk aangeeft, in dezelfde tijd dat Benbows studie ter bevestiging van de wiskundige superioriteit van mannen gepubliceerd werd, behaalde de elfjarige Ruth Lawrence de hoogste score bij het wiskunde-toelatingsexamen van het St Hugh's College in Oxford, terwijl Nina Morishge na twee jaar studie aan de Johns Hopkins University te Baltimore op achttienjarige leeftijd haar BA en MA in de wiskunde behaalde; zij was de jongste in de 78-jarige geschiedenis van de toekenning die een Rhodes-beurs voor Oxford kreeg.

Mannelijke en vrouwelijke hersenen

Maar als we nu even aannemen dat dergelijke verschillen bestaan, waar zouden die zich dan in de menselijke hersenen bevinden? Het inzicht dat elk van de twee (cerebrale) helften een relatief compleet en onafhankelijk cognitief systeem vertegenwoordigt, met elk zijn eigen karakteristieke stijl van informatieverwerking, is betrekkelijk recent. De belangrijkste onderzoeksresultaten kwamen pas in de jaren '50 en '60 van de twintigste eeuw naar buiten, hoewel het eerste bewijs voor zogenaamde hemisferische specialisatie al werd geleverd door een aantal negentiende-eeuwse artsen, met name Wernicke en Broca. Zij vroegen aandacht voor het feit dat letsel aan de linker hersenhelft leidde tot stoornissen van spraak en taal, terwijl letsel aan de rechter hersenhelft nauwelijks leidde tot stoornissen van spraak en taal. Elke helft lijkt een aparte representatie van de werkelijkheid en van het 'ik' te belichamen. Menselijk gedrag is het gevolg van de complementaire interactie van rechter- en linkerhelft. Bij mensen die rechtshandig zijn, en ook bij de meeste linkshandigen, wordt de linker hersenhelft, die de centra bevat die de spraak en de taal reguleren, gewoonlijk de dominante helft genoemd. De rechter hersenhelft wordt gewoonlijk de niet-dominante helft genoemd.

Er bestaan verschillende rapportages over een belangrijk sekseverschil bij gevallen van spraakverlies, of afasie, als gevolg van letsel aan de linker hersenhelft. Vrouwen vertonen veel minder spraakverlies dan mannen na het ondergaan van vergelijkbaar letsel ten gevolge van een beroerte en andere vormen van hersenbeschadiging.[74] Andere onderzoeksresultaten duiden erop dat mannen eerder geneigd zijn hemisferische lokalisatie van verbale, visuele en ruimtelijke vermogens te vertonen dan vrouwen, hetgeen veronderstelt dat bij vrouwen de gedeelde functie van de twee helften groter is of dat er bij vrouwen een grotere mate van uitwisseling en verbinding bestaat tussen de twee helften, dan bij mannen.[75]

Intrigerende verslagen duiden erop dat sommige hersenstructuren, waarvan men dacht dat die verantwoordelijk waren voor de uitwisseling van informatie tussen de twee hersenhelften, inderdaad verschillen tussen de seksen vertonen. In het bijzonder is de dwarsdoorsnede van het oppervlak van het corpus callosum, dat deel van het brein dat een schakel vormt tussen beide hersenhelften, wat hersengewicht betreft in de vrouwelijke hersenen groter is dan in de mannelijke,[76] terwijl de vorm van het splenium, het achtereinde van het corpus callosum, bij vrouwen ronder en meer bolvormig is. Beide verschillen zijn waargenomen zowel bij foetussen en baby's als bij volwassenen, hetgeen suggereert dat ze het resultaat zijn van genetische of hormonale invloeden.[77]

Maar wat betekenen dergelijke bevindingen? Alle toeters en bellen in aanmerking genomen waarmee de sekseverschillen in lateraliteit en grootte van de hersenen omringd worden, blijkt de omvang van de verschillen opmerkelijk bescheiden te zijn. Stephen Jay Gould heeft opgemerkt dat de in de studie van sekseverschillen gemeten afwijkingen alleen plechtig worden gerapporteerd wanneer zij positief zijn, en meestal zonder verwijzing naar hun betekenis voor de statistieken. Wij worden zelden voorzien van informatie met betrekking tot hoe vaak dergelijke verschillen gevonden worden, want negatieve resultaten (dat wil zeggen onderzoeksresulaten die geen verschillen staven) worden gewoon niet gepubliceerd.[78] Wanneer er verschillen worden gevonden, dan worden die meestal weergegeven zonder verwijzing naar de omvang van het verschil, oftewel de mate waarin het iets betekent. Dat is een van de grootste problemen van de huidige staat van onderzoek naar mannelijke en vrouwelijke vermogens, cognitieve vermogens en verschillende manieren van ermee omgaan. Wanneer er geen verschillen worden gevonden, dan krijgt het onderzoek weinig of geen commentaar en verdwijnt uit het zicht.

Conclusie

De wijdverbreide populaire veronderstelling over het belang van testosteron in aanmerking genomen, is het nogal verbazingwekkend te ontdekken hoe gering de onderzoeksresultaten zijn – zowel in hoeveelheid als in betekenis – die de theorie ondersteunen dat bij een toename van circulerend testosteron de agressie en dominantie bij mannen ook toenemen. Noch is er voldoende onderzoek verricht naar andere hormonen waarvan bekend is dat ze menselijk gedrag, stemming, agressie en dominantie beïnvloeden, hormonen als serotonine en adrenaline. Testosteron domineert het onderzoek en de publieke discussie. De reden is simpel. Serotonine en noradrenaline staan niet in dezelfde mate in verband met de seksen. Testosteron is synoniem geworden voor mannelijkheid en op een prikkelende manier de effecten ervan analyseren houdt een belofte in van een hormonale rechtvaardiging van man/vrouw-verschillen, van de onvermijdelijkheid van het patriarchaat en de onverbeterlijkheid van menselijke agressie. Door zich te concentreren op testosteron, het bij uitstek mannelijke hormoon, schreeuwen onderzoekers de veronderstelde causale rol ervan in agressie en dominantie van de daken, en dat doen ze ter bekrachtiging van een ideologische stellingname.

Vanuit een dergelijk perspectief gezien zijn mannen de marionet van hun hormonen, blindelings gedreven om zich te laten gelden, te wedijveren, te domineren en, zonodig, te doden. Dat is de prijs die voor de beloning moet worden betaald: mannen zullen onvermijdelijk in aantal toenemen in dominerende topposities, en vrouwen, uitgezonderd enkele a-typische 'mannelijke' individuen, niet. En evolutionair is het allemaal vanzelfsprekend, wanneer je E.O. Wilson, de vader van de sociobiologie, moet geloven: 'Mannen worden beloond als ze agressief, wellustig, wispelturig en ongenuanceerd zijn. In theorie is het voor vrouwen voordeliger om bedeesd te zijn, zich in te houden tot zij een man ontdekken die de beste genen heeft. [...] Mensen gehoorzamen trouw aan dat biologisch principe.'[79]

Voor de sociobioloog kunnen verklaringen van menselijk gedrag aangetroffen worden zowel binnen de neurobiologie (of specifieker: binnen de neurale netwerken en receptoren van de hersenen) als binnen de darwiniaanse evolutietheorie. Binnen zo'n schema kan sekseverschil gemakkelijk uitgelegd en tot onherroepelijke waarheid verklaard worden. De assertieve, agressieve, volhardende, vitale, koppige man dient de evolutie het best door op een promiscue manier rond te rennen terwijl hij zoveel vrouwen als hij kan zwanger maakt, met toepassing van een verscheidenheid aan strategieën, die variëren van manipulatie tot pure overmeestering. De vrouw, biologisch geprogrammeerd voor een langduriger en veeleisender investering in de voortplanting van het menselijk ras, zonder het biologische voordeel van promiscuïteit of wispelturigheid, is voorbestemd om op haar hoede, voorzichtig, kritisch en passief te zijn.

De mening dat mannen onverbeterlijk en intrinsiek gewelddadig zijn, is wijdverbreid. Voor Lionel Tiger is een argument niet eens nodig – 'Typische mannelijkheid gaat gepaard met lichamelijke stoerheid, snelheid, het gebruik van geweld' –, terwijl psychotherapeut Anthony Storr bereid is het verband tussen mannelijke dominantie en de mannelijke neiging tot geweld expliciet te maken: 'Het is zeer waarschijnlijk dat de onbetwiste superioriteit van het mannelijk geslacht in intellectuele en creatieve prestaties in verband staat met hun grotere gave voor agressie.'[80] De apocalyptische implicaties van een niet-aflatend, biologisch gestuurd, testosteron-aangedreven mannelijk geweld zijn al uitvoerig beschreven door de etholoog Konrad Lorenz die, op basis van vechtgedrag bij vissen en ganzen, grimmig voorspelde dat 'intraspecifieke agressie bij de man een mate van agressiedrift heeft ontwikkeld waarvoor hij in de tegenwoordige dagelijkse sociale orde geen adequate uitlaatklep meer kan vinden'.[81]

Maar als we de oppervlakkige aantrekkelijkheden van een dergelijk onderscheid buiten beschouwing laten: is het waar? Het eenvoudige antwoord luidt nee. Agressie en geweld bij mannen zijn beide zeer ontvankelijk voor factoren van niet-biologische aard (cultureel, sociaal en psychologisch). Er is een overtuigende hoeveelheid bewijs die steun geeft aan een wederzijdse relatie tussen testosteron en gedrag, en dominant gedrag in het bijzonder, waarbij het één het ander beïnvloedt. Testosteron is niet noodzakelijkerwijs de voornaamste schuldige en oorzaak. De onderzoeksresultaten van Valerie Grant, waaruit is gebleken dat testosteron in verband staat met dominantie in plaats van met agressie en geweld, zijn belangrijk, terwijl de onderzoeksresultaten die aangeven dat dominante vrouwen eerder zonen zouden krijgen en de dominantie doorgeven, de complexiteit van de interactie tussen biologie, geslacht en milieu illustreren.

De boodschap is dat mannen hun agressie kunnen temmen, hun neiging om te domineren kunnen inperken en kanaliseren zonder aan mannelijkheid in te boeten. Ze zijn geen marionetten of producten van hun hormonen. Veel mannen, dat is waar, geloven en worden aangemoedigd te geloven dat hun mannelijkheid in verband staat met hun agressiviteit. Zulke mannen hechten veel belang aan hun vechtlust, hun trots, hun kracht, hun onafhankelijkheid, en laten niet met zich sollen. In hun bereidheid, gereedheid en vermogen om geweld te plegen zien zij de ware essentie van wat het is om een man te zijn. Hun eer als man staat op het spel bij elke uitdaging, bij elke onbeleefdheid. Zulke mannen zijn pas echt mannelijk wanneer ze bereid zijn te vechten als een man. Als zij gelijk hebben dan zal het debat over mannelijkheid en de overleving van de soort zich blijven richten op de behoefte om mannen overbodig te maken. Maar als zij ongelijk hebben, als mannelijkheid en geweld níet synoniem zijn, dan kunnen mannen beginnen hun voorkeur voor agressie opzij te schuiven zonder hun identiteit als man in gevaar te brengen.

En als testosteron niet de oorzaak is van agressie bij de man, zoals ik beweer, maar de agressie aanwakkert die er al is, waarom is die agressie er dan in de eerste plaats? De stelling dat agressie, vanwege het feit dat die bij mannen wijdverbreid voorkomt, daarom biologisch geworteld en een onafscheidelijk onderdeel van het man-zijn moet zijn, dient om mannen (en vrouwen eveneens) te beschermen tegen de echte waarheid over mannelijk geweld. De oorsprong van zoveel mannelijke woede, kwaadheid en geweld ligt in de manier waarop wij ons een beeld vormen van onszelf als man en als vrouw, en de manier waarop wij omgaan met de moeilijkheden en hindernissen in de liefde en haat tussen mensen. Wijt de oorsprong aan de biologie, en we moeten ons wenden tot de farmacologen voor een pil om onze mannelijkheid te neutraliseren, of tot de chirurgen om haar uit te roeien. Maar accepteer dat de oorsprong in de interactie tussen mens en maatschappij ligt, en we moeten ons wenden tot een analyse van beide om te komen tot de oplossingen van onze problemen en het antwoord op de vraag: waar moet het met de man naartoe?

3

Mannen en geweld

Op de vraag of mannen gevangenen en producten zijn van het Y-chromosoom en het vurige hormoon testosteron, past dus een vastberaden negatief antwoord. Maar als de mannelijke neiging tot geweld niet te wijten is aan het Y-chromosoom en testosteron, waar ligt de bron ervan dan wel? Over mannen en geweld valt niet te twisten. Mannen vechten en doden meer dan vrouwen. Dat is zelfs zo welbekend en geaccepteerd in onze maatschappij dat er nauwelijks nog commentaar op gegeven wordt. Regeringsdenktanks, internationale en nationale commissies, plaatselijke taakeenheden en klinische werkgroepen vergaderen en debatteren plechtig over de oorsprong van menselijk geweld en vaak krijgt het duidelijkste kenmerk – dat het een daad is die vrijwel uitsluitend door mannen wordt begaan – weinig aandacht. Ik heb veel van dergelijke conferenties bijgewoond.

Tot mijn schande heb ik zelfs een conferentie helpen organiseren, in samenwerking met het Royal College of Psychiatrists en het Royal College of Physicians in Londen, in 1993, getiteld 'Geweld in de maatschappij'. Vele gerenommeerde deskundigen kwamen hier bijeen om de kwestie van menselijk geweld te analyseren en te bespreken, met speciale nadruk op de oorsprong, de biologie, de sociale complexiteit, de mogelijke wortels ervan in de jeugd, de stand van het onderzoek, de rol van geestelijke gestoordheid, drugs en alcohol, en de benarde toestand van de slachtoffers. Een van de sprekers opende zijn toespraak zelfs met de woorden 'Vrouwen begaan minder overtredingen dan mannen, een kenmerk dat zo markant is dat sommige auteurs het hebben beschreven als het meest significante kenmerk van de gedocumenteerde misdaad.'[1] Dat weerhield de conferentie er niet van om een speciale sessie te wijden aan vrouwen en misdaad. Er werd geen speciale sessie gewijd aan mannen en misdaad.

De omvang van mannelijk geweld

In de meest uiteenlopende culturen is de kans dat een man een andere man doodt 20 keer zo groot als de kans dat een vrouw een andere vrouw doodt, en is de kans dat een man een vrouw doodt zelfs nog groter dan dat een vrouw een man doodt. Wanneer een vrouw wel iemand ombrengt, 'dan doodt zij meestal een man die haar herhaaldelijk heeft aangevallen.'[2]

De tol van mannelijk geweld is verschrikkelijk. Niet alleen is deze mannelijke neiging hardnekkig, maar de ontwikkeling van technologisch nog efficiëntere wapens betekent ook dat de mogelijkheid om steeds grotere aantallen mensen te doden daardoor verhoudingsgewijs stijgt. De Amerikaanse Burgeroorlog wordt over het algemeen beschouwd als het begin van de moderne oorlogvoering, de eerste grote oorlog waarin machinaal vervaardigde wapens een belangrijke rol speelden en waaraan de spoorwegen, de telegraaf en loopgraven te pas kwamen. Hoewel in Crécy en Azincourt de afstand tussen doder en slachtoffer dankzij de grote handboog aanzienlijk was vergroot – van een armlengte tot ruim negentig meter – was het aantal mensen dat met één pijl gedood kon worden niet groter geworden. De komst van het geweer, en later het machinegeweer, vermeerderde het doelwit van één tot tientallen. Toen 12.000 soldaten van de Geconfedereerde Staten hun laatste grote aanval bij Gettysburg uitvoerden, waren er slechts 300 overlevenden; de rest werd neergemaaid door de aanhoudende salvo's uit de vuurwapens van de Verenigde Staten. Sinds die oorlog heeft de wapentechnologie zich vermenigvuldigd: de tank, bommenwerper, onderzeeër, het geweer zonder terugslag, bewapende helikopters, torpedo's, magnetische mijnen, vlammenwerpers, napalm, ontbladeringsmiddelen, gas. Ooit was het hoogst ontwikkelde middel om mee te doden het Japanse zwaard. Het mes was een product van uiterst verfijnde metallurgie, waarbij hard en zacht staal werd toegepast en voorzien van voldoende kracht om verbrijzeling te vermijden; het was een wapen voor de strijd van man tot man.[3] Een millennium later was het dodelijke werktuig een kernbom die uit een vliegtuig met een bemanning van slechts een handjevol mensen werd geworpen, maar op 6 augustus 1945 werden 80.000 mannen, vrouwen en kinderen gedood en nog eens 40.000 op een vreselijke manier verwond.

De impact van de technologie is zo groot geworden dat het schrikbeeld van de vernietiging van de hele wereld niet langer een fantasie is. De mens kan zichzelf tegenwoordig als soort uitroeien. Maar het is niet alleen het vermogen van de mens om te doden dat het schrikbeeld oproept van de een of andere aangeboren biologische neiging, het is ook zijn vermogen om anderen verschrikkelijk te kwellen, schijnbaar onverschillig en zelfs met plezier:

Tijdens het beleg van de enclave Srebrenica in Bosnië, in juli 1995, verloor een vrouw van middelbare leeftijd uit een dorp in de buurt haar vijf zonen. Tegen dr Harvey Weinstein, een Amerikaanse psychiater en medisch specialist bij de vrijwilligersorganisatie Artsen zonder Grenzen, vertelde Nura het volgende verschrikkelijke verhaal. Kort nadat ze het Nederlandse kamp in Potocari waren uitgereden, stopte de bus waarin zij zat bij een controlepost. Een Servische militieman kwam de bus in. Hij was jong en had een hard gezicht. Ze rook de zeer bekende lucht van sigaretten, bedompt zweet en de vage zoetige lucht van alcohol en daardoorheen de verzengende hitte van de stoffige weg. Plotseling trok hij zijn lange mes uit zijn broekriem en stak het omhoog. Hij glimlachte en zijn grote handen waren opgezwollen van de hitte. Toen boog hij zich voorover en haalde in één beweging het mes langs de keel van een baby die in haar moeders armen lag te slapen. Het bloed spatte tegen de ruiten en de achterkant van de stoel. De hele bus schreeuwde. De man riep iets tegen de vrouw en duwde toen met zijn linkerhand haar hoofd omlaag naar het slappe lijfje van het kind. 'Opdrinken, moslimhoer,' schreeuwde hij steeds weer. 'Opdrinken!'[4]

Dit vreselijke en helaas maar al te typerende verhaal van groteske menselijke wreedheid is slechts een van de miljoenen gewelddadige gebeurtenissen die erop duiden dat mensen van nature verderfelijk zijn. Een van de vaders van de sociobiologie – een richting in de de wetenschap die van mening is dat het menselijk gedrag voornamelijk uitgelegd kan worden aan de hand van biologische factoren – drukt het als volgt uit: 'De specifieke vormen van georganiseerd geweld worden niet erfelijk doorgegeven. Geen enkel gen maakt onderscheid tussen de toepassing van hoogtemarteling en paalmarteling, koppensnellen en kannibalisme, een duel tussen twee kampioenen en genocide. In plaats daarvan bestaat er een aangeboren predispositie voor het vervaardigen van de culturele middelen voor agressie, en wel zodanig dat het bewustzijn gescheiden wordt van de rauwe biologische processen die door de genen worden bepaald. Cultuur verleent een specifieke vorm aan agressie.'[5]

Maar menselijk geweld wordt niet verspreid op een manier die erop wijst dat het voornamelijk aangeboren is. Culturele variaties zijn aanzienlijk. Sommige gemeenschappen zijn bovenmatig gewelddadig, andere veel minder. Sommige mannen verkrachten, enkele zelfs herhaaldelijk. Maar dat doen de meeste mannen niet. Kijk naar de moordstatistieken: het cijfer voor Colombia is 15 maal zo hoog als dat voor Costa Rica. Het aantal moorden in Ierland – 7 op de miljoen in 1994 – is ongeveer 7 procent van dat van Finland. In de Verenigde Staten is het moordcijfer, een van de hoogste ter wereld, 20 maal dat van Japan.

Zoals Wilson en anderen hebben aangetoond zijn agressie en geweld tamelijk rekbare begrippen, die onderling verwisselbaar gebruikt kunnen worden, en zo'n variatie kan een uitwerking hebben op hoe zij in de ene cultuur of in de andere worden gemeten en ingeschat. Mijn eigen definitie van geweld komt overeen met wat het Panel on the Understanding and Control of Violent Behavior, opgericht door de National Academy of Sciences in de vs, eronder verstaat: 'Gedragingen van individuele personen die met opzet bedreigend zijn, lichamelijk letsel berokkenen of trachten te berokkenen aan anderen.'[6]

Wanneer wij praten over geweld praten we duidelijk niet alleen over moord. In 1991 vonden er 25.000 moorden plaats in de vs, maar werden daarbovenop nog eens 6,5 miljoen Amerikanen het slachtoffer van een misdaad waarbij geweld werd gebruikt. Het prototype van een misdaad met geweldpleging is zware mishandeling – met een wapen waarbij ernstige maar geen fatale verwondingen worden toegebracht. Bijna 300 van elke 1.000 slachtoffers zijn het gevolg van een dergelijke misdaad. Minder ernstige lichamelijke mishandelingen nemen meer dan 500 van elke 1.000 voor hun rekening, en beroving het grootste gedeelte van de rest. Ongeveer 20 van elke 1.000 zijn het gevolg van gewelddadige verkrachting. De besmettelijkheid van zoveel geweld wordt weerspiegeld in de mate waarin kinderen, die vaak thuis of in hun omgeving getuige zijn van geweld, lijden aan posttraumatische stress-stoornis en een grote kans hebben dat zij op hun beurt steeds gewelddadiger worden als ze opgroeien.

Mannelijk geweld is endemisch. Neem de stad Limerick in Ierland, waarvan de overbevolkte, onhygiënische en van misdaad doordrenkte achterbuurtflats levendig beschreven werden in *De as van mijn moeder*, de memoires van Frank McCourt. De flats hebben in het kader van de sociale woningbouw inmiddels plaatsgemaakt voor moderne huizen, maar de buurten blijven gekenmerkt door lage inkomens, hoge werkloosheid, ontspoorde gezinnen en onverschilligheid voor de omgeving. De media voeren Limerick op als 'Stab City' (Steekstad) vanwege het grote aantal misdaden waarbij er een mes aan te pas komt. In het jaar 1996-'97 werden 100 personen berecht in het Circuit Court in Limerick, een hof dat jurisdictie heeft over de ernstigste misdaden, opmerkelijk genoeg met uitzondering van moord en doodslag. Ruim 50 procent van de gevallen had te maken met ernstige geweldpleging tegen een persoon, met inbegrip van messteken, schieten, ernstig lichamelijk letsel en verkrachting. Verkrachting, waarvan de overgrote meerderheid bedreven werd met kinderen, vormde 20 procent. Schending van eigendom vormde 32 procent en drugsmisdrijven 11 procent. Negentig procent van de geweldplegers was werkloos of had een baan met een heel lage status en een laag inkomen, 84 procent was eerder met de politie in aanraking geweest en meer dan 70 procent was afkomstig uit de sociale woningen die McCourts flats vervangen hadden. Maar de meest indrukwekkende statistiek was de gebruikelijke – 96 procent van de geweldplegers waren mannen. Toen hij deze informatie presenteerde op een gezamenlijke Brits-Ierse conferentie over misdaad, was het commentaar van commissaris Dermot Walsh: 'Ernstige misdaad in Limerick bestaat uit overtredingen jegens personen en eigendommen, begaan door een harde kern van jonge, werkloze, ongetrouwde mannen die in verwaarloosde sociale-woningbouwwoningen wonen. Dat is zonder twijfel een typische beschrijving van de misdaadsituatie in alle Ierse steden.'[7]

Jonge, ongetrouwde, werkloze mannen in verwaarloosde stadsbuurten – het is een typische beschrijving van de misdaadsituatie in de meeste steden in Europa en Noord-Amerika. Waar je ook kijkt begaan mannen meer misdaden dan vrouwen. In Engeland en Wales werd in 1989 een totaal van 396.000 veroordelingen of waarschuwingen opgetekend wegens strafbare overtredingen door mannen, in vergelijking met 76.200 van vrouwen, een verhouding van ongeveer 5 op 1. Het cijfer voor geweldplegingen lag zelfs hoger: 8 op 1. Tegenover elke vrouw die een straf uitzat wegens doodslag of poging tot doodslag stonden 27 mannen, terwijl het cijfer onder degenen die veroordeeld waren voor andere geweldplegingen 53 op 1 was. In Engeland en Wales is bijna de helft van degenen die berecht worden jong – 20 procent is tussen de 11 en de 16 jaar oud. Een op de vier jonge Britse mannen heeft voor zijn eenentwintigste verjaardag wel eens een waarschuwing of straf gekregen voor een overtreding. De gemiddelde leeftijd van een Britse inbreker ligt onder de 18.

En dan is er het geweld dat mannen op vrouwen richten. In ontwikkelingslanden vormt dergelijk geweld slechts ongeveer 5 procent van de totale last van aandoeningen onder vrouwen tussen de 15 en 44; dat komt doordat zwangerschapsziektes en besmettelijke ziektes andere aandoeningen nog altijd overstijgen. Maar in de ontwikkelde landen, met een veel kleiner ziektepercentage, is het proportionele deel dat bestaat uit geweld tegen vrouwen 19 procent, en dat percentage beweegt zich nog steeds in opwaartse lijn. Of ze nou in een ontwikkeld land of in een ontwikkelingsland woont, de vrouw loopt een constant, aanhoudend en op veel plaatsen toenemend risico het slachtoffer te worden van mannelijk geweld. Een groot deel van dat geweld vindt thuis plaats. In Engeland heeft een op de vier vrouwen wel eens melding gemaakt van geweld binnen het huwelijk.[8] Het *World Development Report* uit 1993, dat gegevens bevat uit een groot aantal industrielanden en ontwikkelingslanden, bracht aan het licht dat tussen de 20 en 50 procent van de onderzochte vrouwen door hun partner werd geslagen en in veel van de gevallen systematisch mishandeld.[9] In de Verenigde Staten is mishandeling in huiselijke kring de belangrijkste oorzaak van letsel bij personen in de vruchtbare leeftijd. Tussen de 22 en 35 procent van de vrouwen die een eerste-hulpafdeling bezoeken, doet dat om die reden. Onderzoek in de vs heeft eveneens uitgewezen dat lichamelijk mishandelde vrouwen vier tot vijf maal eerder behoefte hebben aan psychiatrische behandeling dan niet-mishandelde vrouwen, en vijf maal eerder geneigd zijn om zelfmoord te plegen. Zij lopen ook sneller het risico om verslaafd te raken aan alcohol of drugs of te lijden aan chronische pijnen en depressiviteit.

Het risico om mishandeld of in elkaar geslagen te worden is bijzonder groot tijdens de zwangerschap.[10] Tussen de 11 en 41 procent van de aanstaande moeders die deelnamen aan Amerikaanse onderzoeken, maakten melding van een geschiedenis van huiselijk geweld op zeker ogenblik in het verleden, en tussen de 4 en 17 procent maakte melding van geweld binnen het huwelijk tijdens een zwangerschap.[11] Uit verscheidene studies is naar voren gekomen dat veel meer vrouwen die in een eerste-hulppost of polikliniek werden behandeld voor lichamelijk letsel nadat ze thuis waren mishandeld, zwanger zijn, dan dat ze behandeld worden voor letsel opgelopen bij een ongeluk.[12] Het kan zijn dat vrouwen bovendien onderworpen worden aan seksuele mishandeling en verkrachting, waardoor de mogelijkheid dat ze zwanger zijn geworden als gevolg van de verkrachting groot is.[13] In verband hiermee is het de moeite waard om op te merken dat de slachtoffers van mishandeling binnen het huwelijk beduidend vaker hun zwangerschap beschrijven als ongepland en ongewild, dan vrouwen zonder dergelijke ervaringen.[14]

Verkrachting en seksuele mishandeling behoren tot de meest voorkomende en vaak ernstigste vorm van lichamelijke mishandeling van vrouwen door mannen. In een Amerikaanse studie was een achtergrond van verkrachting of mishandeling een factor die beter kon voorspellen hoe vaak een vrouw medische hulp zocht en hoe ernstig haar letsel was, dan de vraag of ze rookte en of ze er andere ongezonde gewoontes op nahield.[15] In een studie van dr Marese Cheasty meldde 1 op de 3 vrouwen die onder behandeling waren bij een Ierse huisarts dat zij ooit seksueel mishandeld waren geweest.[16] Bij deze studie werden bij de definitie van seksuele mishandeling alle vormen ervan inbegrepen, van exhibitionisme tot ongewenste penetratie. Aan het andere eind op de schaal van hevigheid meldde 1 op de 30 vrouwen ooit verkracht te zijn geweest. Dat waren geen vrouwen die voor het onderzoek gerekruteerd waren omdat ze een risicogroep vormden, noch waren zij naar hun dokter gegaan voor hulpverlening na verkrachting of voor posttraumatische therapie. De meesten hadden hun achtergrond van mishandeling nooit aan hun dokter verteld. Zij waren naar de dokter gegaan om de gebruikelijke redenen. Cheastys bevindingen waren dat die vrouwen die ooit ernstig seksueel mishandeld waren geweest, veel meer kans hadden om aan een chronische klinische depressie te lijden dan vrouwen die die ervaring niet hadden gehad.

Haar bevindingen zijn een herhaling van onderzoeksresultaten over de hele wereld. Een onderzoek onder adolescenten in Genève liet zien dat 1 op de 3 meisjes tegenover 1 op de 10 jongens melding had gemaakt van minstens één vorm van seksuele mishandeling.[17] Van de 568 meisjes die meededen aan het onderzoek meldden 32 een vorm van misbruik waarbij sprake was geweest van een of andere vorm van penetratie, tegenover slechts 6 van de 548 jongens. Negentig procent van de geweldplegers was van het mannelijk geslacht en 35 procent was afkomstig uit de leeftijdsgroep van het slachtoffer. In een presentatie voor Ierse psychologen beschrijft Lalor een cultuur van seksuele agressie van tienerjongens tegenover tienermeisjes.[18] Een op de drie derdejaars vrouwelijke studenten die een hogere technische opleiding volgden, meldde een ongewilde seksuele ervaring voor de 16-jarige leeftijd, tegenover 5,6 procent van de 71 mannelijke respondenten. Bij 80 procent van die gevallen was de dader een kennis van het kind. Van de jonge vrouwen die meldden dat ze mishandeld waren, had 35 procent ervaringen met een vriendje dat ze tot seks dwong, ondanks verzoeken om ermee op te houden. Slechts 3 procent van de jongens had een dergelijke ervaring. Uit een onderzoek van het tienertijdschrift *19* bleek dat 22 procent van de jonge Britse meisjes tegen hun wil gedwongen seks had gehad, maar wanneer Britse mannen werd gevraagd of ze ooit een vrouw gedwongen hadden iets te doen wat zij niet wilde, gaf slechts 3 procent dat toe.[19]

In elk ontwikkeld land en in toenemende mate in ontwikkelingslanden wordt geregeld melding gemaakt van lichamelijke mishandeling – inclusief seksuele mishandeling – van kinderen. In de vs zijn de meldingscijfers in zeven jaar verdubbeld: 42 op de 100.000 kinderen worden jaarlijks mishandeld.

Toch geven een heleboel mannen, en een aantal vrouwen, deze beschuldiging van het mannelijk geslacht slechts aarzelend toe en is men erop uit om zichzelf en anderen gerust te stellen dat, ten eerste, mannen zelf het slachtoffer zijn van het meeste door mannen gepleegde geweld (wat waar is) en, ten tweede, dat vrouwen even gewelddadig zijn als mannen (wat niet waar is).

In januari 1999 publiceerde het ministerie van Binnenlandse Zaken in Groot-Brittannië onder aanzienlijke belangstelling van de media een studie onder de titel *Domestic Violence* (Huiselijk geweld).[20] De meeste publiciteit kreeg de conclusie dat steeds meer *mannen* het slachtoffer worden van geweld in huiselijke kring. Degenen die de grootste kans liepen aangevallen te worden, waren mannen van net in de dertig die ongetrouwd waren maar samenwoonden met een vrouw. De studie bracht verslag uit van zo'n 6,6 miljoen geweldplegingen per jaar, gelijk verdeeld onder de seksen. In de berichtgeving die volgde op de publicatie van het onderzoek werd een flink aantal kolommen gewijd aan de opinies van mannen over de toenemende assertiviteit van vrouwen, de steeds nauwer wordende kloof tussen geweld door mannen en door vrouwen, en de gevaren waar mannen thuis mee te maken kregen. Wat een stuk minder aandacht kreeg was het feit dat uit hetzelfde onderzoek naar voren was gekomen dat de heftigheid van het geweld sterk verschilde. Vrouwen raakten twee maal zo gauw gewond en veel vaker gebeurde dat herhaalde malen. Zij waren eveneens meestal niet in een financiële positie die het mogelijk maakte om hun gewelddadige relatie te beëindigen.

Er zijn aanwijzingen dat de toename van aanvallen op mannen door vrouwen een fenomeen van de jaren negentig zou kunnen zijn.

In 1995 rapporteerde iets meer dan 4 procent van de mannen en vrouwen dat zij in het voorafgaande jaar mishandeld waren door hun huidige of voormalige partner. Maar 23 procent van de vrouwen, in vergelijking met 15 procent van de mannen, zei dat zij ooit door een partner waren mishandeld. Óf vrouwen worden agressiever, zoals zoveel mannen graag denken, óf zij slaan steeds vaker terug. Jonge vrouwen tussen de 20 en de 24 jaar oud maakten in het onderzoek melding van de hoogste niveaus van huiselijk geweld; 28 procent zei wel eens mishandeld te zijn geweest door hun partner en 34 procent was bedreigd of mishandeld.

Een met zorg uitgevoerde epidemiologische studie van een gelijktijdig geboren groep 21-jarigen in Nieuw-Zeeland duidt erop dat jongere vrouwen thuis agressiever worden: 37 procent van de vrouwen en 22 procent van de mannen meldden dat zij een agressieve daad hadden begaan.[21] 18,6 procent van de vrouwen begonnen een geweldsdaad tegenover slechts 5,7 procent van de mannen. De mannen die wel zeer agressief werden, waren ook eerder geneigd afwijkend gedrag te vertonen bij een verscheidenheid aan aanverwante sociale en psychiatrische metingen, terwijl de zeer agressieve vrouwen een normale score hadden bij alle andere metingen. Deze gegevens vechten conventionele veronderstellingen aan over geweld in huiselijke kring, maar de resulaten kunnen, volgens psycholoog Charles Snowden, verklaard worden in termen van sociale normen en conventies: 'Mannen wordt tijdens hun opvoeding aangeleerd agressief gedrag tegenover vrouwen te vermijden en ze weten dat ze veel eerder gerechtelijk vervolgd worden als ze zich wel agressief gedragen. Vrouwen hebben deze beperkingen niet en zullen door de maatschappij en de wet minder snel ter verantwoording worden geroepen.'[22]

Maar er is een andere verklaring. Deze tendens in geweld in huiselijke kring, waarbij men ziet dat jonge vrouwen even gewelddadig worden als mannen, zou een weerspiegeling kunnen zijn van veranderingen in het huwelijk en het samenwonen. Het huwelijk, wat de critici ervan ook mogen vinden, lijkt veel veiligheid te bieden voor vrouwen die hun biologische kinderen opvoeden. Uit peilingen in de vs, uitgevoerd in de periode 1970-1987, bleek dat 12,6 op de 1.000 getrouwde vrouwen het slachtoffer worden van geweld, tegenover 43,9 nooit-getrouwde vrouwen en 66,5 gescheiden of apart levende vrouwen.[23] Volgens informatie van het Department of Health and Human Services in de vs stonden tegenover elke getrouwde zwangere vrouw die melding had gemaakt van mishandeling door haar echtgenoot, bijna vier ongetrouwde zwangere vrouwen die meldden dat zij door hun partner waren mishandeld. In feite is samenwonen volgens die gegevens de belangrijkste factor om de kans op mishandeling te voorspellen: sterker dan leeftijd, opleiding, woonomstandigheden, bereikbaarheid van medische hulp of ras.[24] Het is ironisch dat in een tijd waarin het huwelijk – door velen bekritiseerd omdat het het mannelijk geweld zou institutionaliseren en vergemakkelijken – een achteruitgang doormaakt, geweld binnen het huwelijk juist toeneemt en steeds vaker door beide seksen wordt gepleegd. Het groeiend aantal vrouwen en mannen dat huiselijk geweld meldt, weerspiegelt de verzwakking van de banden binnen de huiselijke relaties.

Droog weergeven van statistieken voor geweld binnen het huwelijk met de implicatie dat mannelijk en vrouwelijk geweld hetzelfde zijn, is nogal oneerlijk en bijna zeker misleidend. Toch beweren velen dat geweld bij het huwelijk hoort en dat mensen uit vrije wil gaan samenwonen. In veel onderzoek wordt geen of bijna geen onderscheid gemaakt tussen mannelijk en vrouwelijk agressief gedrag binnen de huiselijke kring. Maar de werkelijke ongelijkwaardigheden tussen de gemiddelde man en vrouw in aanmerking genomen, is zulk onderscheid belangrijk. Een vrouw die gestompt en geslagen wordt door een lichamelijk sterkere, zwaardere en leniger man, ervaart nogal andere lichamelijke en psychologische gevolgen dan een man die een dreun krijgt, die aan z'n haar wordt getrokken of die gekrabd wordt door een vrouw. Ik heb gewerkt in psychiatrische instellingen waar gewelddadige aanvallen door patiënten voorkwamen. Hoewel aanvallers van het mannelijk of vrouwelijk geslacht kunnen zijn, kun je het niveau van bedreiging dat elk vertegenwoordigt niet met elkaar vergelijken in termen van vrees en angst of de kans op ernstig letsel. Een recent Noors overzicht bevestigt dat mannen met een psychiatrische stoornis vijf keer eerder gevaarlijk zijn dan psychiatrisch gestoorde vrouwen.[25] Psychiatrisch gestoorde vrouwen zijn eerder dan mannen geneigd om zichzelf letsel toe te brengen door middel van mutilatie of het innemen van een overdosis.

In de Ierse Republiek was John Waters, verslaggever van de *Irish Times*, een van de meest luidruchtige getuigen van de hoeveelheid geweld van vrouwen jegens mannen. Bij de eerste Europese conferentie over mannelijke slachtoffers van geweld binnen de huiselijke kring, georganiseerd door de vrijwilligersorganisatie AMEN – *abused men*, mishandelde mannen – en gehouden in Dublin in december 1998, stelde Waters dat veel vrouwen net zo gewelddadig zijn als mannen.

Op de conferentie verklaarde Erin Pizzey, in 1971 oprichtster van het eerste blijf-van-mijn-lijf-huis in Groot-Brittannië voor vrouwen en kinderen die het slachtoffer waren van geweld binnen de huiselijke kring, dat van de eerste 100 vrouwen die naar het huis kwamen er 62 net zo gewelddadig bleken te zijn als de man bij wie ze weg waren gegaan, en dat al het internationale onderzoek over het onderwerp erop wijst dat de cijfers voor aanvallen binnen de huiselijke kring tussen mannen en vrouwen ongeveer gelijk zijn. Mevrouw Pizzey had kennelijk het gevoel gekregen dat de beweging die zij had opgericht, in de woorden van Waters, 'gekaapt was door extreme mannenhatende feministen'. In een daaropvolgend artikel maande hij mannen tot actie: 'Als ik één hoop heb voor 1999 dan is het dat dit het jaar zal zijn waarin mannen eindelijk voor zichzelf zullen opkomen. Ik hoop dat mannen, individueel en collectief, beginnen te kijken naar de maatschappij die zij zogenaamd zouden domineren en dat ze zich zullen afvragen waar het bewijs is voor die dominantie in een maatschappij die hen te pas en te onpas demoniseert en denigreert, die hen op een gril van moeders en instituten hun kinderen afpakt en die erop gericht is elke serieuze poging om deze feiten aan het licht te brengen de mond snoert, censureert en belachelijk maakt.'[26]

Waters maakt zich zorgen dat, door die enorme golf van gevoelens, deze mannelijke slachtoffers van gewelddadige relaties merken dat zij niet geloofd worden of dat ze gekleineerd of domweg afgewezen worden. Maar samen met veel andere mannen drukt Waters zijn bezorgdheid uit door die in verband te brengen met twijfels over de argumenten betreffende het algehele misbruik en overheersen van vrouwen door mannen. Een van de betreurenswaardige consequenties van de benadering van groepen als AMEN is de indruk die zij wekken dat er mannen zijn die gewoon niet accepteren dat er een gigantisch probleem bestaat betreffende mannelijk geweld, vergeleken waarbij de hele kwestie van geweld dat door vrouwen wordt begaan, in het niet valt. Natuurlijk kunnen sommige vrouwen vreselijk agressief en gewelddadig zijn tegenover mannen en het is belangrijk om dat feit te onderkennen, maar er is substantieel bewijs voor het gegeven dat het verschil tussen de seksen op alle niveaus van geweldpleging wel degelijk bestaat en geen artefact is. Kort nadat John Waters zijn gepassioneerde uitdaging uitsprak, onthulde het National Network of Women's Refuges in Ierland dat het aantal vrouwen die uit hun huis vluchtten voor gewelddadige mannen, met 35 procent was gestegen tot bijna 5.000 in 1998. En voor het geval dat Ierland als een afwijking wordt opgevat: internationale data boden weinig redenen tot troost. Bij een onderzoek in 1995 van Canadian Violence Against Women werden 12.300 vrouwen telefonisch vragen gesteld en reageerde 63 procent op vragen betreffende hun ervaring met lichamelijk en seksueel geweld vanaf de leeftijd van 16. Negenentwintig procent van degenen die ooit getrouwd waren geweest of hadden samengewoond, meldde geweld te hebben ondergaan van hun huidige of voormalige partner.[27] Een jaar later waren de bevindingen van de Australian Women's Safety Survey dat 2,6 procent van de vrouwen van 18 jaar of ouder, die op dat ogenblik getrouwd waren of samenwoonden met een vaste partner, in het voorgaande jaar lichamelijk mishandeld was door hun partner, terwijl 23 procent van de vrouwen die ooit getrouwd waren geweest of hadden samengewoond, meldde dat ze op een bepaald punt in de relatie mishandeld waren geweest.[28]

In Nederland bleek uit het eerste nationale onderzoek naar mishandeling van vrouwen binnen het huwelijk (gehouden in 1996) dat tegen 22,6 procent van de getrouwde vrouwen door hun partner lichamelijk geweld was gebruikt. In die studie werd een poging gedaan om onderscheid te maken tussen unilateraal geweld (begaan door de man tegenover zijn vrouw) en multilateraal geweld (waarbij de vrouw ook agressief gehandeld had); 20,8 procent had ervaring met unilateraal geweld en binnen die groep gaf één op de vijf toe gebruik te hebben gemaakt van defensief geweld. Dertien procent van de vrouwen was wel eens verwond door een huidige of vroegere partner, de helft van hen was naar een dokter gegaan voor een behandeling.

Een vrouw van in de veertig meldde zich op mijn spreekuur. Ze liep te koop met een blauw oog en een opgezwollen lip en klaagde dat haar man haar had geslagen toen ze had geklaagd dat hij te veel dronk en vaak laat thuiskwam van zijn werk. Toen ik een onderhoud had met de echtgenoot vertelde hij dat hij herhaaldelijk lichamelijk door zijn vrouw mishandeld werd, waarbij hij klappen kreeg, geschopt en aan zijn haar getrokken werd en bij één gelegenheid gebeten was. Aanvankelijk was hij verbijsterd over haar gedrag en bleef volhouden dat hij haar alleen uit vergelding geslagen had en als onderdeel van zijn pogingen om haar te laten ophouden en om zichzelf te verdedigen. Uit behoedzame gesprekken met hun twee tienerkinderen kwam een nog ingewikkelder en treuriger plaatje te voorschijn. Hun vader kwam inderdaad vaak laat en dronken thuis en viel zijn vrouw dan verbaal aan. Voor zijn vrouw was het bijzonder frustrerend, een feit

*dat onmiddellijk bevestigd werd in gesprekken met haar en haar man,
dat hij verbaal veel begaafder was dan zij. Uiteindelijk kon ze zich niet
meer beheersen en ging ze hem te lijf en nam hij wraak door terug te
slaan. Het was beslist waar dat deze man zijn vrouw pas aanviel
nadat zij de eerste klappen had uitgedeeld, en dat is iets wat zou blijken uit elk onderzoek.*

*De relatie tussen moeilijk uit je woorden komen en agressie is intri-
gerend – vaak verklaren mannen hun snelle toevlucht tot lichamelijk
geweld in termen van frustratie omdat ze zich niet op een andere
manier, waaronder verbaal argumenteren en uitleggen, kunnen uitdrukken.*

Er is een werkelijk afschuwelijk probleem van mannelijk geweld jegens
vrouwen; de reactie daarop – wanhopig op zoek gaan naar een gelijke hoeveelheid vrouwelijk geweld jegens mannen – is een tamelijk
voorspelbaar voorbeeld van mannelijke projectie en ontkenning. De
stelling dat vrouwen even gewelddadig kunnen zijn als mannen is
grondig onderzocht, niet in de laatste plaats door Jukes, die erop wijst
dat het onderzoek krioelt van de problemen.[29] Er wordt geen onderscheid gemaakt tussen zelfverdediging en aanval, noch wordt de mate
van heftigheid erbij betrokken. In een belangrijke studie, waaruit vaak
geciteerd wordt door de vrouwen-zijn-net-zo-slecht-als-mannen-
school, werden alle klappen even zwaar meegeteld, zodat een man van
90 kilo die zijn vrouw twee tanden uit haar mond slaat minder zwaar
wordt gewogen dan zijn vrouw van 60 kilo die hem herhaaldelijk
tegen zijn borstkas stompt zonder een spoor achter te laten, omdat zij
meer klappen uitdeelde dan hij.

Geconfronteerd met een catalogus van mannelijk geweld is het
moeilijk niet vol walging en hulpeloosheid te reageren. Don Edgar, die
schrijft vanuit een Australisch perspectief, windt er geen doekjes om.
Over degenen die vrouwen slaan zegt hij: 'Die mannen zijn schoften',
en hij vindt dat zij aan de kaak gesteld en behandeld moeten worden
als beesten.[30] Adam Jukes is het daarmee eens, en benadrukt in *Men
Who Batter Women* dat geweld 'het onaanvaardbare gezicht van mannelijke macht over vrouwen' vertegenwoordigt. Mannelijk geweld is
tegelijkertijd een demonstratie van hoe die macht gefaald heeft en hoe
geweld het laatste middel is dat mannen die vrouwen willen domineren en overheersen, tot hun beschikking hebben.[31]

Ooit mag mannelijk lichamelijk geweld dan een rol hebben
gespeeld bij de bescherming van de soort, bij het afweren van aan-

vallen, als middel om terrein en voedsel te bemachtigen. Nog niet zo heel lang geleden was mannelijk geweld nog een bron van trots en identiteit. Maar in de huidige maatschappij is geweld niet langer nodig noch waard bewonderd te worden; het wordt steeds meer gezien als de vijand van cultuur en beschaving. Toch komt het nog voor en brengt het ons van ons stuk en vernedert het ons op straat en thuis, op schoolpleinen en voetbaltribunes. De grote vraag is: wat gaan we eraan doen? Als mannelijk geweld een essentieel onderdeel is van mannelijkheid, dan is het een uitdaging om de wortels ervan te begrijpen en uit te graven.

De oorsprong van mannelijk geweld

'De mens is de enige soort die een massamoordenaar is,' merkte de befaamde etnoloog Nico Tinbergen op, 'het enige buitenbeentje in zijn eigen gemeenschap. Waarom zou dat zo zijn?'[32] Een verklaring zou kunnen zijn dat agressie een noodzakelijk evolutionair doel diende, dat agressie en het gewelddadige gedrag dat eruit voortkomt instinctief zijn. In 1955 publiceerde Lorenz een verhandeling getiteld 'Over het doden van leden van dezelfde soort' waarin hij verkondigde: 'Ik geloof – en menselijke psychologen, psychoanalytici in het bijzonder, zouden dat moeten testen – dat de beschaafde man van vandaag de dag lijdt aan onvoldoende ontlading van zijn agressieve driften. Het is meer dan waarschijnlijk dat de negatieve effecten van de menselijke agressieve driften, door Sigmund Freud verklaard als de gevolgen van een bijzondere doodswens, eenvoudig voortkomen uit het feit dat in prehistorische tijden intraspecifieke selectie bij de mens een mate van agressiedrift aankweekte, waarvoor hij in de sociale achtergrond van tegenwoordig geen adequate uitlaatklep kan vinden.'[33]

Deze verhandeling bevat de basisveronderstellingen van de biologische basis van mannelijke agressie. Ten eerste wordt aangevoerd dat mannelijke agressie geen stimulans van buitenaf nodig heeft om zich te ontwikkelen, maar zich opbouwt, net als stoom. Ten tweede, dat mannelijke agressie explodeert als er geen uitlaatklep wordt verschaft. Ten derde, dat het geleidelijk aan is ontstaan, en dat het een instinct is – hier verwijst Lorenz naar Freuds theorie van de doodsdrift om zijn beweringen te ondersteunen. Het is belangrijk om helder te zijn over wat Lorenz precies zegt. En dat is, dat zelfs in een maatschappij die gerangschikt is naar degelijke en rechtvaardige principes, waarin wordt toegezien op de behoeftes van mannen en vrouwen, waarin kwesties als eigendom, veiligheid, overleving en groei onderwerp zijn van een rationele en verstandige beoordeling en ontwikkeling, agressie en geweld niet alleen voorkomen maar móéten voorkomen. De sterk hydraulische behoefte van de menselijke agressie om zich uit te drukken, is aangeboren – de mens wordt gedreven door een instinctieve kracht om te vernietigen. 'Het is de spontaneïteit van het instinct dat het zo gevaarlijk maakt.'[34] Lorenz' opvattingen over agressie – voortkomend, moet men niet vergeten, uit de bestudering van Braziliaanse parelmoervissen, Oost-Indische zoetwatervissen, de gevlekte wolf en de grauwe gans – zijn gretig overgenomen door een stel geestdriftige sociaal-darwinisten en sociobiologen die bijna lijken te smullen van het idee dat de mens onverbeterlijk agressief is. De kenmerken die het de mens mogelijk maakten in de vroegste dagen van zijn bestaan als nomadische jager, zijn volgens hen snelheid, moed en het gebruik van geweld.[35] Maar de jager die boer werd en later handelsman, gebruikte beslist zijn geestelijke vermogens in plaats van brute kracht om te overleven en te gedijen. Felicity de Zulueta, die in haar boek *From Pain to Violence* de simplistische opvatting in twijfel trekt dat mannelijke agressie aangeboren is, voert de niet onredelijke tegenwerping aan dat degenen die deze opvatting verkondigen, meestal mannen zijn die vrouwen zien als andere schepsels in termen van hersenprocessen en bepaald inferieur als het gaat om het vermogen groepen te vormen en deel te nemen aan de economische en politieke functies van de maatschappij.[36]

De ideeën van Lorenz zijn enorm invloedrijk geweest. Ze werden onderschreven door en uitgebreid met het werk van andere onderzoekers van diergedrag, met name door Desmond Morris, I. Eibl-Eibesfeldt, toneelschrijver Robert Ardrey, psychiater Anthony Storr en sociobioloog E.O. Wilson.[37] Sommige van hen volgen Lorenz' richtsnoer en ontlenen aan Freuds theorieën over de doodsdrift om hun argumenten te ondersteunen.

In zijn vroege geschriften schonk Freud weinig aandacht aan agressie en gaf hij er de voorkeur aan om de wortels van zijn biologische theorieën over het menselijk gedrag te zoeken in de seksualiteit. De slachtpartij van de Eerste Wereldoorlog (drie van Freuds zonen, Martin, Oliver en Ernst, dienden in het Oostenrijkse leger) en de dood van zijn geliefde dochter Sophie in 1919, tijdens de griepepidemie die meer slachtoffers eiste dan de oorlog zelf, heeft hem mogelijk aangespoord om de kwestie van geweld en dood opnieuw te bestuderen. Met name zijn biograaf Peter Gay denkt sterk in die richting.[38]

Wat de verklaring ook moge zijn, in 1920 publiceerde Freud *Jenseits des Lustprinzips* (*Aan gene zijde van het lustprincipe*), waarin hij een tweedeling maakte tussen twee belangrijke driften: die van Eros of het leven en die van Thanatos of de dood. Hier formuleerde hij zijn basistheorie over de doodsdrift: 'Als wij onvoorwaardelijk en zonder uitzondering aannemen dat al wat leeft om *interne* redenen sterft – opnieuw anorganisch wordt –, dan zijn wij gedwongen om te zeggen dat "*het doel van al wat leeft de dood is*" en, terugkijkend, dat "*levenloze dingen bestonden voor levende dingen*".'[39]

Tien jaar later beschrijft Freud in *Das Unbehagen in der Kultur* (*Het onbehagen in de cultuur*) de oorsprong van zijn nieuwe theorie. 'Uitgaand van speculaties over het ontstaan van het leven en van biologische parallellen,' schreef hij, 'maakte ik de gevolgtrekking dat er naast de drift om levende materie in stand te houden en het in steeds grotere eenheden te verenigen, een andere, tegenstrijdige drift moest bestaan die erop gericht is die eenheden te vernietigen en ze terug te brengen tot hun oorspronkelijke, anorganische staat. Dat wil zeggen dat er behalve Eros een doodsdrift bestond.'[40]

Eros dient om individuele personen, vervolgens families, en vervolgens stammen en naties te verbinden tot één groot verenigd mensdom; Thanatos verzet zich tegen die impuls. De agressiedrift is het derivaat en de voornaamste vertegenwoordiger van de doodsdrift. Freud was het niet eens met degenen die stelden dat mensen zachtaardige schepsels zijn die bemind willen worden en die zich alleen maar verdedigen als ze worden aangevallen. In tegendeel, zo redeneerde hij, de mens is een schepsel met een sterke instinctieve gave voor agressie. Maar hij was verre van zeker van zijn nieuwe theorie en schreef in het voorwoord over dit onderwerp in *Aan gene zijde van het lustprincipe*: 'Wat volgt is speculatie, vaak vergezochte speculatie, die de lezer in overweging zal nemen of zal afkeuren al naar gelang zijn eigen inzicht.'[41]

Vergezocht of niet, de theorie van de doodsdrift raakte een snaar. Freud zelf wijdde de volgende achttien jaar aan de ontwikkeling en bijstelling ervan en raakte steeds meer overtuigd. Voor hem stond de doodsdrift in verband met de seksualiteit in het masochisme, en was ze gericht op de buitenwereld in de vorm van agressie. Hij postuleerde eveneens dat, als de menselijke agressie geen werkelijke obstakels kon vinden in de buitenwereld om haar energie op te botvieren, ze zou kunnen vervallen tot zelfvernietiging: 'Het lijkt er werkelijk op dat het noodzakelijk is dat wij een ander ding of een andere persoon vernietigen om onszelf niet te vernietigen, om ons te beschermen tegen de aandrang tot zelfvernietiging. Wat een treurige openbaring voor de moralist!'[42]

Zoals zoveel wat Freud schreef hebben zijn speculaties, hoe gegrond of vergezocht ook, behoorlijke aantrekkingskracht. Neal Ferguson peinst over de redenen waarom mannen in de Eerste Wereldoorlog gingen vechten en vindt steun bij Freuds theorie voor de mogelijkheid dat velen dat deden omdat zij het wilden.[43] Hij haalt vele voorbeelden aan van soldaten die nogal plezier beleefden aan het doden en verminken, die blijk gaven van een uitgesproken fascinatie voor dood en verwoesting, en van wie sommigen leken te vechten voor hun eigen plezier en amusement. Voor een heleboel anderen was het het grootste avontuur van hun leven: 'Voor degenen die gestimuleerd worden door geweld kon het echt een "lovely war" lijken.'[44]

De grootste tekortkoming van Freuds theorie is de volharding dat twee tendensen – die van het lichaam om af te takelen, degenereren, sterven en tot zijn originele, anorganische staat terug te keren en die van de drift om zichzelf en/of anderen te vernietigen – een en dezelfde zijn. Kan het langzame uitgeput raken van een levend organisme gelijkgesteld worden met vernietigingsdrang? En dan is er nog het feit dat langzame aftakeling en de dood geldt voor elk organisch leven en niet alleen het menselijk leven. Het geldt evenzeer voor vrouwen als voor mannen – en toch is het probleem van geweld, zoals wij hebben gezien, grotendeels een mannelijk probleem. Interessant genoeg nam Freud in zijn brief aan Albert Einstein, getiteld 'Waarom oorlog?', niet het standpunt in dat oorlog *veroorzaakt* wordt door een of ander menselijk destructief instinct. In plaats daarvan hield hij er een veel sterker sociaal-culturele opvatting op na, waarbij hij de oorzaak vond in feitelijke conflicten tussen groepen, die altijd opgelost werden door middel van geweld omdat er geen uitvoerbare internationale wetten bestonden. Aan het eind van die brief vertoonde zijn standpunt zelfs een nog grotere ommekeer. 'Wij pacifisten,' schreef hij aan Einstein, 'zijn constitutionele tegenstanders van oorlog', en hij vroeg zich af of het proces van de beschaving zelf niet een factor zou kunnen zijn die heeft geleid tot 'een in kracht toenemen van het intellect, dat het instinctieve leven begint te regeren, en een internalisering van de agressieve impulsen'.[45]

Ik denk evenwel dat oorlog niet verklaard kan worden door terug te vallen op testosteron (zie hoofdstuk 2). Ook houdt de theorie dat de oorzaak gezocht zou moeten worden in een soort aangeboren hydraulische aandrang om agressie te uiten, bij nader onderzoek geen stand. Wij hebben grote historische, culturele en sociale variaties gezien in oorlog en geweld. Het probleem met de onbuigzame biologische opvatting over agressie is dat wat begint als een theorie zo gemakkelijk uitloopt op een ideologie die mannelijk geweld rechtvaardigt en zelfs goedkeurt als de betreurenswaardige prijs die wij betalen voor de menselijke vooruitgang: kroeggevechten en wrede moorden zijn de prijs voor de Taj Mahal en *Hamlet*. De ideologie in twijfel trekken komt neer op het in twijfel trekken van allerlei vormen van vaste overtuigingen betreffende kwesties als eer, patriottisme en loyaliteit, evenals mannelijkheid.

Erich Fromm, de Amerikaanse psycholoog en sociaal-filosoof, accepteerde dat de mens gewelddadig is, de enige primaat die leden van zijn eigen soort doodt en martelt, zonder enige reden, zij het biologisch of economisch; maar hij geloofde dat dat 'biologisch nonadaptief' was, niet genetisch geprogrammeerd en niet aangeboren.[46] Fromm maakte onderscheid tussen wat hij noemde 'mild-defensieve' en 'boosaardig-destructieve' agressie. De milde vorm, zo redeneerde hij, is een respons op vitale belangen, is genetisch geprogrammeerd, komt algemeen voor bij mens en dier, is niet spontaan, vermenigvuldigt zichzelf niet, maar is reactief en defensief. Het heeft tot doel de bedreiging te verwijderen door haar te vernietigen of door de bron ervan weg te nemen. Fromms concept van de milde agressie benadert Hannah Ahrendts voorbeeld van gerechtvaardigd geweld, namelijk Billy Budd die zichzelf niet kan uiten vanwege zijn gestotter en de man doodslaat die een valse getuigenis tegen hem heeft afgelegd. 'In die zin,' schrijft Ahrendt, 'horen de woede en het geweld dat daarmee soms – niet altijd – gepaard gaat thuis bij de "natuurlijke" *menselijke* emoties.'[47] Biologische non-adaptieve boosaardige agressie, waaronder vernietiging en wreedheid, is geen verdediging tegen een bedreiging, is niet genetisch geprogrammeerd, is kenmerkend voor alleen de mens en is biologisch schadelijk omdat het sociaal ontwrichtend is. 'Boosaardige agressie is, ofschoon geen instinct, een menselijk potentieel, geworteld in de pure condities van het menselijk bestaan.'[48] Een dergelijk onderscheid is nuttig. Het accepteert het bewijs dat de mens afgrijselijk gewelddadig kan zijn, maar suggereert dat de boosaardige kant van de agressie van de mens niet aangeboren is en dus niet onuitwisbaar. Er is nog hoop.

Het onderscheid wordt ondersteund door bewijzen afkomstig uit patronen van menselijke organisatie en gedrag door vele duizenden jaren heen. De factoren die menselijke agressie uitlokken of bespoedigen omvatten het bijeenzijn van een menigte vreemdelingen in aanwezigheid van gewaardeerde en potentieel schaarse hulpbronnen; hechting en samenwerking binnen een groep en een neiging om buitenstaanders tot zondebok te maken; drastische veranderingen in milieucondities die snel plaatsvinden; en groepsloyaliteiten. Er bestaat aanzienlijk bewijs voor dat vele aspecten van agressie aangeleerd kunnen worden. De vroegste context is die van de moeder-babyrelatie. Bij dieren bevat het conflict van het spenen vele componenten van latere agressieve/onderwerpende interacties.

In de afgelopen jaren groeide de belangstelling voor de hechtingstheorie en het licht dat die werpt op het ontstaan van menselijke agressie. De oorsprong van de theorie kan gevonden worden bij de Britse psychoanalyticus Ian Suttie, die het in *The Origins of Love and Hate* niet eens was met Freuds ideeën over de doodsdrift en er in de plaats daarvan voor pleitte dat de meeste gedragsstoornissen in de vroege kindertijd en op latere leeftijd, met inbegrip van ernstig gestoord agressief gedrag, hun oorsprong vinden in een gebrek aan veiligheid en liefde.[49] Deze opvatting werd overgenomen en uitgewerkt door John Bowlby en anderen in de formulering van de hechtingstheorie in al zijn complexiteit, maar Sutties uiteenzetting is verfrissend helder: 'In plaats van een wapentuig van driften – latente of andere – dat het zou brengen tot het op eigen rekening uitproberen van dingen die niet binnen zijn macht liggen of zelfs onwenselijk zijn – wordt [het kind] geboren met een eenvoudige hechting-aan-de-moeder, die de enige bron van voedsel en bescherming is. Zelfbeschermingsdriften zoals die gepast zouden zijn bij een dier dat voor zichzelf moet zorgen, zouden bepaald vernietigend zijn voor de afhankelijke baby, wiens impulsen aangepast móeten worden aan zijn manier van levensonderhoud.'

Zoals professor sir Michael Rutters meesterlijke uitwerking van Bowlbys originele ideeën duidelijk maakt, wordt het in het groei- en ontwikkelingsproces niet alleen door de moeder, maar door beide ouders en de familie bepaald, en door de manier van omgaan met scheiding en de vorming van additionele en uitbreidende verhoudingen met leeftijdgenoten en anderen, dat het opgroeiende individu gevoelens van liefde en haat leert uit te drukken, om te gaan met bezitterigheid en afwijzing, een gevoel van eigenwaarde of inadequaatheid te vormen, en samenwerkingsverbanden aan te gaan of alleen te blijven.[50] Elke gemeenschap verschaft richtlijnen die ze haar jongeren bijbrengt, richtlijnen die in het verleden van nut zijn gebleken en die te maken hebben met manieren om menselijke relaties aan te gaan: omgaan met het gezin en het sociale milieu, voordeel halen uit bepaalde gelegenheden, leren en hanteren van de overlevings- en reproductieprocessen. Zulke richtlijnen of gewoonten worden vroeg in het leven aangeleerd en gevormd door krachtige geïnstitutionaliseerde straffen en beloningen. Een gevoel van waarde komt meestal voort uit een gevoel van tot een gewaardeerde groep te behoren en dat hangt op zijn beurt meestal af van bekwaamheden in het ondernemen van traditionele taken in die gemeenschap en het zich bezighouden met onderling ondersteunende interactie. Onze zeer menselijke vermogens om ons te hechten, om wat Suttie zou noemen 'lief te hebben', staan fundamenteel in verband met ons vermogen tot geweld. Wij zijn bereid ons leven te riskeren en onze vijanden te doden ter verdediging van degenen om wie wij geven.

Zijn wij volwassen mannen dus moordenaars omdat we in onze jeugd niet genoeg liefde hebben gekregen van onze moeders? Mogelijk, maar het is niet waarschijnlijk. Eén enkele biologische factor, de zogenoemde agressiedrift, kan niet in z'n eentje de basis zijn van het mannelijk geweld, noch één enkel hormoon zoals testosteron, noch één enkele psychologische of sociale factor. Maar tijdens onze vroegste relaties als baby en klein kind begint de interactie van genen en omgeving onze persoonlijkheid, onze waarden en ons volwassen gedrag te vormen. Wij zouden doden en doden daadwerkelijk om een verscheidenheid aan redenen. Geweld is het gemakkelijkst uit te voeren wanneer wij het onderwerp van onze woede depersonaliseren. Het is nauwelijks toeval te noemen dat in moderne naties het overgrote deel van lichamelijk geweld gepleegd wordt door mannen met een lage sociale status. Mannen met een hoge status zijn minder gauw geneigd om gewelddadig op te treden omdat de wet en andere sociale instituten hen voorzien van alternatieve middelen om afspraken af te dwingen en concurrenten af te schrikken. Verweven met geweld zijn kwesties als status, macht, controle en emotionele expressie. Wij weten dat geweld eerder voorkomt in gebieden waar het leven kort is, waar de ongelijkheden groot en zichtbaar zijn, waar het vooruitzicht op werk somber is en waar gezinnen uit elkaar zijn gevallen. Slechte vooruitzichten op werk, huwelijk en voortplanting kunnen riskante tactieken als diefstal en gewelddadige confrontaties aantrekkelijker maken.[51]

Ruim tien jaar lang heeft psychiater Robert Jay Lifton voormalige nazi-artsen en overlevenden van een concentratiekamp ondervraagd in een poging om te begrijpen hoe volmaakt beschaafde mannen mas-samoordenaars kunnen worden en de ethiek en idealen van het medische beroep kunnen misbruiken. Hij opperde dat wat de Auschwitz-dokters in staat stelde om te doden een psychologisch principe was dat hij 'verdubbeling' noemt, het verdelen van het ik in twee functionerende eenheden, zodat een gedeeld-ik optreedt als geheel-ik.[52] Lifton stelt vijf kenmerken van deze 'verdubbeling' vast. Ten eerste is er een dialectiek tussen de twee ikken in termen van autonomie en verband. De individuele nazi-arts had zijn Auschwitz-ik nodig om psychologisch te kunnen functioneren in een omgeving die absoluut vreemd en tegengesteld was aan zijn voormalige standaard van ethiek. Tegelijkertijd moest hij zijn voormalige ik behouden om te kunnen blijven functioneren als humane arts, echtgenoot, vader en vriend. Ten tweede is het proces van verdubbeling alomvattend: elk ik heeft een coherentie die het in staat stelt om te functioneren in zijn twee aparte werelden. Ten derde is er een leven-dooddimensie: het ene ik kan overleven in situaties waarin het andere ik of de dubbelganger verpletterd zou worden. Ten vierde is het vermijden van schuldgevoelens een belangrijke functie van de verdubbeling: het tweede ik is degene die het 'vuile werk' opknapt. Tot slot gaat verdubbeling gepaard met zowel een onbewuste dimensie, die grotendeels plaatsvindt buiten het bewuste besef, als met een beduidende verandering in het morele bewustzijn.

Lifton wijst er met klem op dat verdubbeling geen splitsing is, een term met meerdere betekenissen die meestal een zodanige scheiding van een gedeelte van het ik suggereert, dat het afgesplitste deel ophoudt met functioneren of reageren. Dissociatie of splitsing verwijst naar processen als het ontkennen van gevoelens of de botte ontkenning van pijnlijke ervaringen of herinneringen. Maar bij verdubbeling bestaan er, zoals het woord al aangeeft, twee vrijwel apart functionerende personen, bijna verwant aan Robert Louis Stevensons *Dr Jekyll and Mr Hyde* of Oscar Wildes *The Picture of Dorian Gray*. Het personage Versilov in Dostojevski's *De dubbelganger* zegt: 'Ik ben mentaal gespleten en vind dat vreselijk beangstigend. Het is net of je eigen dubbelganger naast je staat.' Lifton zelf maakt een vergelijking met Goethes *Faust*, waarin Faust 'vanbinnen verdeeld is in een hoofd-ik, verantwoordelijk voor wereldse bindingen, met inbegrip van die van de liefde, en een tweede ik dat gekarakteriseerd wordt door overmoed bij de zoektocht naar de bovennatuurlijke kracht van de "hogere voorouderlijke plaatsen".'[53]

Liftons voorbeeld van de Auschwitz-artsen is extreem. Maar kijk eens naar de gemiddelde man. Van jongs af aan wordt hij aangemoedigd om een volledig aspect van zijn eigen ik te ontkennen of toch minstens te relativeren, een aspect dat gevoelens van hulpeloosheid, zwakheid, onmacht, een gevoel van onzekerheid en tweeslachtigheid, gevoeligheid en medeleven omvat. Kleine jongens huilen niet, maar zouden dat wel willen. Volwassen mannen hebben wel gevoelens, maar hebben geleerd die gevoelens te verbergen achter een masker van rondborstige *bonhomie* en angstvallige lolbroekerij. Mannen kunnen veranderd worden in moordende machines door de opzettelijke cultivering van een macho-'dubbelganger', beheerst, gedisciplineerd, nietvoelend, ongevoelig, agressief en kil. De terrorist is tegenwoordig de meest complete verpersoonlijking van de dubbelganger – een man, bijna altijd een man (hoewel er zeldzame maar wel spectaculaire vrouwelijke voorbeelden zijn geweest) – die zowel de ontkenning van de empathie heeft geperfectioneerd als de transformatie van alle menselijke tegenstand in afstandelijke, onpersoonlijke voorwerpen die omwille van het doel moeten worden geëlimineerd.

Mannen nemen hun toevlucht tot geweld wanneer hun macht bedreigd wordt en in gevaar is. Terwijl mannen zo vaak vrouwen hebben gedefinieerd in termen van seksualiteit, erotisch verlangen en voortplanting, en zichzelf zo vaak hebben gedefinieerd als wezens met meerdere gezichten, zijn het ironisch genoeg de mannen die handelen in de schaduw van hun eigen seksualiteit, waar ze bang voor zijn, die ze bewijzen en forceren – 'zaadlozingspolitiek' in de woorden van de feministische activiste Robin Morgan.[54] Vrouwen bedreigen een dergelijke mannelijke standvastigheid. Hun geworteldheid in de werkelijkheden van het leven, de biologie ervan, de niet-aflatende praktische aspecten ervan, dient om twijfel te zaaien over de validiteit, de waarde, het ultieme doel van mannelijke verlangens en ambities. Alles wat de vrouw vertegenwoordigt – geboorte, leven, huiselijkheid, intimiteit, afhankelijkheid – moet worden vernietigd. Morgan haalt een passage aan uit de *Catechismus van een revolutionair*, geschreven in 1869 door Sergej Netsjajev, die de dichotomie tussen de 'mannelijke' pure doelgerichtheid en de 'vrouwelijke' aantasting daarvan perfect verwoordt: 'Alle tedere en verwijfde emoties van verwantschap, vriendschap, liefde, dankbaarheid en zelfs eer moeten in hem worden gesmoord door een kille en doelgerichte passie [...] Dag en nacht moet hij slechts denken aan één ding, hij moet maar één doel hebben – genadeloze vernietiging [...] Er is geen plaats voor romantiek, sentimentaliteit, vervoering of geestdrift.'[55]

Wat mannen in vrouwen haten is dat zij een verpersoonlijkt verwijt vertegenwoordigen jegens de idealisering door de man van dode, onpersoonlijke dingen – de revolutie, de corporatie, de organisatie – en dat ze het persoonlijke en het bezielende veronachtzamen. Nadat zij Che Guevara's opmerking heeft aangehaald dat revolutionaire leiders er vaak niet bij zijn wanneer hun kinderen voor het eerst gaan praten en dat er voor hen geen leven bestaat naast de revolutie, stelt Robin Morgan met enig spottend medelijden 'dat het in welk milieu dan ook, in welke cultuur dan ook zelden voorkomt dat een man aanwezig is wanneer zijn kind de eerste woorden uitbrengt, dat het instituut van 'echtgenote' zelf, door zijn aard en als wettelijke overeenkomst, een opoffering vereist ten bate van het doel van de echtgenoot, dat vriendschappen, woonplaats en levensstijl bepaald worden door zíjn loopbaan, werk, politiek of roeping, of die nou bescheiden is of hooggegrepen. Guevara beschrijft niet alleen de revolutie. Hij beschrijft de instituten van de godsdienst, de handel, de oorlog, de Staat en het gezin. Hij beschrijft het patriarchaat.'[56]

Bij hun gewelddadigheid jegens vrouwen kunnen mannen dat andere ik aanroepen dat vrouwen beschouwt als minderwaardig, minder menselijk, gevaarlijk, ondermijnend, castrerend, als de hoer die hun lichamelijke behoeften aanspreekt, de madonna die een beroep doet op hun medelijden.

Het verklaren van mannelijk geweld jegens vrouwen gaat al gauw over in het blameren van vrouwen. Toen dr Harold Shipman werd veroordeeld voor het doden van 15 bejaarde vrouwelijke patiënten, stond de volgende kop in een van de dagbladen: 'Moederskind verslaafd aan moord.' Omdat Shipman als adolescent getuige was geweest van zijn moeders dood aan kanker, nadat ze herhaaldelijk zwaar gesedeerd was met morfine-injecties, werd er gesuggereerd dat dat hem er op de een of andere manier toe had gedreven om in zijn latere beroepsleven bejaarde vrouwen om te brengen door middel van een morfine-injectie. Shipman is echter slechts een van de meest recente in een lange rij seriemoordenaars van vrouwen. Peter Sutcliffe, Ted Bundy, Albert de Salvo, Richard Speck, John Christie, Neville Heath en Jack the Ripper zijn de beruchtste seriemoordenaars uit de moderne geschiedenis, en al hun slachtoffers waren vrouwen. Dennis Nilsen, die 15 mannen heeft vermoord, en Jeffrey Dahmer, die er ten minste 17 vermoordde, zijn grote uitzonderingen. Seriemoordenaars zijn bijna altijd mannen die het op vrouwen hebben gemunt; alle soorten

en klassen vrouwen – schoolmeisjes, jonge vrouwen, alleenstaande
vrouwen, getrouwde vrouwen, lesbische vrouwen, prostituees, bejaar-
de vrouwen – worden hun slachtoffers. Welke theorie ook die wordt
aangedragen om mannelijk geweld jegens vrouwen te verklaren, moet
zich rekenschap geven van vrouwenhaat in zijn gemeenste en dode-
lijkste vorm.

Voor de meeste mannen is het proces van verdubbeling niet iets wat van nature gebeurt. Het moet ingeprent worden via systematische indoctrinatie. Het verschrikkelijke verhaal van Nura, aan het begin van dit hoofdstuk, illustreert hoe complex elke overdenking van mannelijk geweld is. De moorddadige Servische militieman is zelf een product van een langdurig historisch, cultureel proces waarbij de totstandkoming van twee naast elkaar bestaande ikken betrokken is, een man die ongetwijfeld goed is en aardig en gul jegens zijn gezin, vrienden en buren, en een man ontdaan van medelijden, in staat om 'de ander', de 'vreemdeling', de 'moslim' als minder dan menselijk te zien, als een restant van alles wat corrupt is. Maar hij bevindt zich ook midden in een oorlog waarvan het enige doel is: wijdverspreide, hevige verschrikking in te prenten.

In *Rape Warfare: The Hidden Genocide in Bosnia-Herzegovina and Croatia* stelt Beverly Allen nadrukkelijk dat de Bosnisch-Servische legerofficieren 'gedetailleerd spraken over de meest effectieve manier om terreur te verspreiden in moslimenclaves'.[57] Zij citeert uit een document dat waarschijnlijk eind 1991 geschreven is door de Bosnisch-Servische speciale diensten, waar experts in psychologische oorlogvoering deel van uitmaakten: 'Onze analyse van het gedrag van moslimenclaves laat zien dat het moreel, de wil en strijdlustigheid van hun groepen alleen dan ondermijnd kunnen worden, als wij onze actie richten op het punt waar de religieuze en sociale structuur het zwakst is. Wij doelen op de vrouwen, in het bijzonder de adolescenten en de kinderen. Beslissende interventie bij deze sociale figuren zou verwarring stichten [...] waarna allereerst angst en dan paniek zou ontstaan, hetgeen er waarschijnlijk toe zou leiden dat zij zich terugtrekken uit de gebieden die betrokken zijn bij de oorlogvoering.'

De kille, afstandelijke verwijzing naar vrouwen echoot een verklaring, afgelegd op 22 augustus 1939, toen Adolf Hitler een geheime toespraak hield voor de top van zijn legeradviseurs, waarin hij zijn plannen voor de Duitse schikking met betrekking tot Polen uiteenzette. 'Onze kracht,' verklaarde hij, 'ligt in onze snelheid en in onze wreedheid. Djingiz Khan heeft miljoenen vrouwen en kinderen, bewust en met een licht gemoed, de dood ingejaagd.'[58] Verderop in de toespraak, die naar verluidt door zijn toehoorders, vooral Göring, geestdriftig werd ontvangen, drukte Hitler hen op het hart: 'Wees hard en genadeloos, handel sneller en wreder dan de anderen. De burgers van West-Europa moeten beven van afschuw.'

Mannelijkheid en agressie hoeven niet samen te gaan. Denk opnieuw aan de hogere cijfers betreffende mannelijk geweld in het zuiden van de Verenigde Staten en de code van mannelijk schrikbewind, oftewel het machismo.[59] Binnen een dergelijke machocultuur wordt het eergevoel bepaald doordat uitdagingen of gebrek aan respect niet getolereerd worden en doordat op beledigingen en bedreigingen van het eigendom direct gereageerd wordt met dreiging met of toepassing van geweld. Een dergelijke code ontmoedigt diefstal en slecht gedrag, maar vereist dat er soms geweld wordt toegepast. Dit soort cultuur treft men aan in het hele Middellandse-Zeegebied, in het overgrote deel van de Nieuwe Wereld dat beïnvloed is door de Spaanse cultuur, in delen van Afrika, Centraal-Azië en onder de inheemse Amerikaanse cowboys op de prairies. Zuiderlingen in Amerika geven niet de voorkeur aan geweld, net zomin als andere Amerikanen dat doen, maar in hun cultuur is er wel waardering voor het gebruik van kracht om mensen en eigendommen te beschermen, als antwoord op een belediging en om kinderen tot de orde te roepen.

Nisbett en Cohen zoeken de oorsprong van de cultuur van het eergevoel in de ontwikkeling van de georganiseerde landbouw, in het bijzonder bij de veeteelt. Dieren kunnen gemakkelijk gestolen worden, dus is het van primair belang voor een man die van zijn vee afhankelijk is, om te laten merken dat hij niet iemand is die met zich laat sollen. Het zuiden van de vs, voeren zij aan, is in de zeventiende en achttiende eeuw, toen ordehandhaving nauwelijks bestond, grotendeels gesticht door veehouders uit Schotland en Ierland. Hamburg verschaft daar in een uitstekend overzicht van de gehele notie van menselijke en dierlijke agressie enig ondersteunend bewijs voor. Uit historische bronnen, stelt hij, komt naar voren dat toen mensen eenmaal landbouw hadden ontwikkeld, goederen hadden vergaard en afhankelijk waren geworden van exclusieve gebieden om hun voedsel te verbouwen en hun dieren te laten grazen, 'vijandigheid tussen groepen iets werd dat veel voorkwam'. Hamburg onderkent dat agressief gedrag tussen personen en groepen al heel lang 'een prominente menselijke ervaring is geweest' en ziet het als 'gemakkelijk aangeleerd, geoefend tijdens het spelen, aangemoedigd door gebruiken en al duizenden jaren door de meeste gemeenschappen beloond'.[60]

Lichamelijk misbruik van kinderen vertegenwoordigt de mens op zijn wanhopigst. De vroegste medische beschrijvingen dateren van de laatste decennia van de negentiende eeuw. Een meisje uit New York, Mary Ellen, die in 1874 gevonden werd nadat zij ernstig door haar adoptieouders was mishandeld, wordt meestal beschouwd als het eerste opgetekende geval. Zij werd uit huis weggehaald na een aanklacht, ingediend door de American Society for the Prevention of Cruelty to Animals.[61] Vóór halverwege de negentiende eeuw zijn de bewijzen vaag. Tegen het eind van de twintigste eeuw zijn ze overweldigend. Dat heeft ons er niet van weerhouden onszelf gerust te stellen dat kinderen altijd het slachtoffer zijn geweest van misbruik. Demos citeert een arts en auteur van talloze boeken en artikelen, die overtuigend schrijft dat 'verwaarlozing en misbruik van kinderen sinds mensenheugenis bewezen is. De natuurlijke, dierlijke instincten van het menselijk ras zijn in de loop van de eeuwen niet veranderd'. En een andere deskundige op het gebied van het gedrag van kinderen stelt dat 'de mishandeling van kinderen al vele eeuwen gerechtvaardigd wordt door het geloof dat ernstige lichamelijke straf nodig was om discipline bij te brengen, educatieve ideeën over te brengen, bepaalde goden te behagen of bepaalde geesten uit te drijven'.[62]

Dergelijke speculatie past keurig bij onze liberale opvatting van de geschiedenis dat de slechte oude tijd is vooruitgegaan naar iets oneindig veel beters, maar Demos is openlijk sceptisch en na een uitgebreid overzicht van de juridische en sociale historische bewijzen komt hij tot de conclusie dat er reden genoeg is om aan te nemen dat kindermishandeling in vroeger tijden mínder vaak voorkwam. Zijn redenering is relevant voor elke discussie over de wortels van geweld. De premoderne maatschappij, brengt hij zijn lezers in herinnering, integreerde in vergelijking met vandaag de dag ten volle de levens van de ingezetenen. Het traditionele dorp (hij komt met een voorbeeld uit New England) bood elke persoon en elk gezin een intensiteit van menselijk contact die men zich tegenwoordig maar moeilijk kan voorstellen: 'Het marktplein, de kerk, het hof, het brede spectrum van plaatselijke gewoonten en gebruiken vormden een sterk web van sociale ervaringen, dat weinig mogelijkheden tot ontsnapping of buitensluiting bood. Premoderne gemeenschappen bevatten hun portie nonconformisten, excentriekelingen en misdadigers – maar geen afgezonderden, niet de gebruikelijke "vreemden". Het leven van dag tot dag drukte de tweelingprincipes van onderlinge steun en gemeenschappelijke controle uit. Het is juist in dit opzicht dat de situatie van onze eigen mishandelende ouders tot in het treurige tekortschiet. De ene studie na de andere heeft aangetoond dat zij geen wortels hebben, geen vrienden, dat ze zelfs voor hun naaste buren vrijwel onbekend zijn.'[63]

En wat te denken van geweld gepleegd dóór kinderen? In 1968 was de moord op twee jongens van drie en vier jaar in Newcastle upon Tyne door de elfjarige Mary Bell een *cause célèbre*, een heftige schok voor de gemakkelijke veronderstelling dat kinderen in het algemeen, en meisjes in het bijzonder, niet in staat waren dergelijke afgrijselijke moorden te plegen. Sinds die tijd hebben wij drie decennia doorgemaakt met een gestage toename van geweld begaan door jonge jongens en adolescente jongens in de buitenwijken, in kleine en grote steden in de meeste ontwikkelde maatschappijen, onder meer het doodslaan van de kleuter James Bulger door twee jongens van 10 jaar in Liverpool in februari 1993, het uit een raam op de 14de verdieping laten vallen van de vijfjarige Eric Morse in Chicago door twee jongens van 10 en 11 omdat hij geen snoep voor ze wilde stelen, en talloze tienermoorden in de vs, met als meest opmerkelijke de achteloze schietpartij op twaalf medeleerlingen en een leraar door de 17-jarige Eric Harris en Dylan Klebold op de Columbine High School in Denver. Er is wel eens geopperd dat chronische, ernstige, gewelddadige jeugdcriminaliteit aan het toenemen is en dat waarschijnlijk zal blijven doen.[64]

Verwijzend naar activiteiten van het Federal Bureau of Investigation in 1993, tonen Wilson en Howell aan dat jongeren 13 procent van alle gewelddadige misdaden in de vs hadden gepleegd (moord, verkrachting, overvallen en zware mishandeling). Jongeren waren verantwoordelijk voor 9 procent van alle opgehelderde moorden, 14 procent van de verkrachtingen, 17 procent van overvallen en 13 procent van alle zware mishandelingen. En de overgrote meerderheid van deze jongeren was van het mannelijk geslacht. Niet alleen worden vele moorden en gewelddadige misdaden door jonge mensen gepleegd. Zij worden gepleegd op jonge mensen. Neem het volgende citaat uit een overzicht van geweldpleging door jongeren: '"Mam, zal ik je eens wat zeggen? Ik maak me zorgen. Alle jongens met wie ik ben opgegroeid zijn dood... Wat moet ik nou doen?" De vraag werd gesteld door een dertienjarige jongen uit New Orleans. Zijn moeder realiseerde zich plotseling dat van een groepje zesjarigen, die zeven jaar geleden allemaal tegelijk naar dezelfde school waren gegaan, alleen haar zoon nog leefde. Alle anderen waren op een gewelddadige manier om het leven gekomen.'[65]

Stewart Asquith en zijn collega's bij het Centre for the Child and Society van de Universiteit van Glasgow wijzen erop dat de waarde van veel van het werk dat de aard en reikwijdte van geweldpleging door jongeren in de vs onderzoekt, gelegen is in de nadruk die het legt op de betekenis van sociale omstandigheden 'bij het verschaffen van levenservaringen aan kinderen waardoor zij het risico lopen ernstige overtreders te worden'.[66]

In het aangezicht van het verontrustende fenomeen van geweldpleging door jongeren en kinderen dreigt de sociale en politieke reactie bestraffend en emotioneel te zijn. Denk alleen al aan de oproep van de toenmalige premier John Major in de nasleep van de moord op James Bulger, dat 'wij iets meer moeten veroordelen en iets minder moeten begrijpen'. Toch duidt de ene analyse na de andere van de omstandigheden waaronder jongeren geweld plegen er duidelijk op dat meer begrip de sleutel is tot het doorbreken van de rampzalige cyclus van menselijke geweldpleging. Een recent onderzoek naar de achtergrond van een grote groep kinderen in Engeland en Wales die een moord of een ander ernstig misdrijf (meestal met geweld) hadden gepleegd, toonde aan dat 72 procent zelf in de een of andere vorm mishandeld was geweest en dat 53 procent een groot verlies had geleden (een sterfgeval of verlies van contact met een belangrijk persoon).[67] Degenen die zich, zoals Gitty Sereny en Blake Morrison in Groot-Brittannië, hebben uitgesproken tegen de opvatting dat sommige kinderen van nature misdadigers en aangeboren moordenaars zijn – en voor meer begrip voor de factoren die kinderen brachten tot vernietiging – kregen een nogal vijandige reacties.[68] Het publieke debat dat op een dergelijke misdaad volgt, houdt zich vaak meer bezig met de achterlijke reactie om meer gevangenissen te bouwen en meer jongeren op te sluiten dan met de noodzaak om dergelijk gedrag te begrijpen en te voorkomen, en jonge mensen te helpen wanneer dergelijke preventieve methodes falen.

Toen ik James voor het eerst ontmoette was hij een zwijgzame, norse puber die niet of nauwelijks meewerkte. Hij was doorverwezen voor een beoordeling nadat hij zijn vader met een broodmes had gestoken. Het verhaal dat naar boven kwam onthulde een gezinsachtergrond die getekend was door voortdurende ruzies tussen zijn ouders, waar-

bij zijn vader van tijd tot tijd zijn moeder in elkaar sloeg. De vader van James vernederde regelmatig zijn zoon, die hij aanzag voor zwakkeling en 'papjongen'. Het ontbrak James inderdaad aan zelfvertrouwen en lichamelijk lef, waarvoor hij op school werd gepest. Op de avond van de steekpartij had zijn vader zijn moeder ervan beschuldigd dat zij hem vertroetelde en had haar in de ruzie die erop volgde in het gezicht geslagen. James had toen het mes gepakt en hem neergestoken.

Zijn vader kwam eveneens uit een probleemgezin. Zijn eigen vader was een zeer gewelddadig man die verscheidene gevangenisstraffen had uitgezeten wegens het toedienen van zwaar lichamelijk letsel. Zijn moeder was gestorven aan tbc toen James' vader pas zeven jaar oud was.

Er is een opmerkelijke samenhang binnen het onderzoeksgebied betreffende de oorzaken van zulk gewelddadig gedrag bij jonge mensen, vooral als ze van het mannelijk geslacht zijn. Een onderzoeker die heeft bestudeerd waarom sommige Amerikaanse jongens gewelddadig worden, is dr James Garbarino van de Cornell University. In een wetenschappelijk overzicht ontwart Garbarino de mengeling van psychologische, sociale, existentiële en aangeboren factoren die sommige gestoorde jongens in het geweld stort.[69] En welke zijn de factoren die bovenkomen wanneer gewelddadige jonge mannen kritisch bekeken worden? Die waarvan we het al vermoedden natuurlijk – de afwezigheid van tenminste één liefhebbende, betrouwbare en ondersteunende volwassene, het opgroeien in een door drugs en misdaad geïnfecteerde buurt, de ervaring van lichamelijke of seksuele mishandeling of een ander trauma, en een gebrek aan een of ander filosofisch of religieus systeem dat een betekenis en een doel buiten het ik verschaft. Garbarino is ervan overtuigd dat jonge mensen kwader en gewelddadiger zijn dan ooit. Voor een antwoord op de vraag 'Waarom doen mensen elkaar pijn?' heeft hij de hele wereld afgereisd; hij was in Joegoslavië en Mozambique, Koeweit en Irak, Palestina, Israël en Noord-Ierland. Een kwart eeuw lang heeft hij ontmoetingen gehad met kinderen die zowel vreselijke vernietigingsdaden hadden begaan als er zelf het slachtoffer van waren geweest. Hij heeft hun verhalen aangehoord. Zijn werk en dat van anderen illustreert de ontstellende hypocrisie van een maatschappij die kinderen verantwoordelijk stelt voor hun daden, maar haar eigen verantwoordelijkheid voor het welzijn van kinderen niet accepteert.

Zijn conclusies? Dat agressie en geweldpleging door de jeugd niet verklaard kan worden met een simplistische verwijzing naar aangeboren geweld en intrinsieke slechtheid. Er zijn oplossingen – politieke, psychologische, sociale en morele oplossingen voor de giftigheid van de menselijke agressie – maar het vinden en implementeren ervan heeft nog niet voldoende prioriteit. En, zoals een van de lezers van Garbarino's boek opmerkte: 'Zolang mannen oorlog voeren, zullen jongens geweld plegen.'

Biologie is één factor onder vele factoren. Het kind dat herhaaldelijk stress ondergaat – zoals gebeurt in een gezin dat gekenmerkt wordt door alcoholmisbruik, geweld, scheiding en emotionele afwijzing – is een kind dat impulsieve kwaadheid en agressie ontwikkelt terwijl het opgroeit. Een theorie luidt dat de toenemende stroom stresshormonen het systeem van de hersenen om vecht-of-vluchtreacties te reguleren opnieuw afstelt, zodat zij *constant* in een toestand van overgevoeligheid verkeren. 'De vroege omgeving programmeert het zenuwstelsel om een persoon meer of minder reactief te maken voor stress,' aldus bioloog Michael Meaney van McGill University. 'Als de ouderlijke zorg tekortschiet of niet ondersteunend is, kunnen de hersenen besluiten dat de wereld niet deugt – en die kan zich dan maar beter schrap zetten om de klappen op te vangen.'[70]

Bij andere kinderen kan herhaalde blootstelling aan vernedering, pesten, lichamelijke of emotionele mishandeling de reactiviteit van de hersenen stilleggen. Zij veranderen dan in lege jonge mannen die niet ontvankelijk zijn voor de behoeften en ervaringen van anderen. Hun vermogen om te voelen, te reageren, zich te hechten is vernietigd. Het beetje eigendunk dat ze hebben, is ontleend aan de mate waarop zij vinden dat zij boven regels en controle staan en kunnen leven door middel van hun eigen geweld. De meeste van de voorhanden modellen en documenten over dit soort antisociale en psychopatische individuen hebben betrekking op het mannelijk geslacht, hoewel de toename van beschrijvingen in de media van superheldinnen die moordpartijen en ongeremde gewelddadigheden begaan, zou kunnen leiden tot een groei van het momenteel zeer kleine aandeel van meisjes in de puberleeftijd die men aantreft in de lijst tienermoordenaars. Maar over het algemeen internaliseren meisjes schaamte, vernedering en buitensluiting en keren die tegen zichzelf in de vorm van een depressie, terwijl jonge mannen ze naar buiten toe uiten in woede en paranoia.

Veel aspecten van agressie kunnen aangeleerd worden. Veel andere kunnen worden gesublimeerd, omgebogen worden van lichamelijk geweld naar patronen van gestructureerd en geritualiseerd gedrag. De opkomst van de georganiseerde sport in de achttiende en negentiende eeuw zou wel eens iets te maken kunnen hebben met de behoefte aan een herkenbare uitlaapklep voor ontspanning in de industriële steden als alternatief en ontsnappingsmiddel voor de akelige, niet-aflatende druk van loonarbeid. Maar terwijl in de afgelopen eeuw oorlogvoering steeds vernictigender is geworden, zonder ridderlijkheid en glorie, heeft de sport, in het bijzonder de beroepssport, veel overgenomen van dat voormalige vertoon: de hartstocht, de gedeelde kameraadschap, de mogelijkheden voor persoonlijk heldendom en gezamenlijke vervoering, het tribalisme, het gemeenschappelijke doel, de wil om te winnen en de catastrofe van het verliezen, en dit alles uitgedrukt in een taal van strijd, overwinning en verlies. Wij zijn eraan gewend de overeenkomsten van sport en oorlog te zien wanneer wij naar lichamelijk indrukwekkende teamsporten als Amerikaans football, rugby en ijshockey kijken. Geen sport die er immuun voor is.

In zijn biografie *Born to Win* beschrijft de Australische schipper John Bertrand, die in de race om de America's Cup in 1985 het jacht Australia II naar een enerverende overwinning voerde op het Amerikaanse jacht Liberty, de buitengewone ontmoeting waarbij niet alleen twee bemanningen en twee boten, maar ook twee naties hun krachten maten. De bijdrage van de sportpsycholoog Laurie Hayden bij het motiveren van de Australiërs zodat zij een 0-3 achterstand omzetten in een 4-3 overwinning in de beste-van-zeven races, was daarbij van onschatbare waarde. Bertrand ontdekte Hayden toen hij zag hoe het onbeduidende Carlton, gecoacht door Hayden, tijdens de finale van de Victoria Football League iedereen versloeg. 'Vlak voordat de spelers van Carlton het veld op kwamen,' schreef Bertrand, 'zag je dat sommigen elkaar omhelsden. Met andere woorden: zij trokken samen ten *oorlog...* een kwestie van leven of dood' (cursivering van Bertrand).[71] Zijn opmerkingen vatten volmaakt de vervaging tussen hedendaagse topsport en oorlog samen – een verzameling stoere Australische macho's die elkaar *omhelzen* en vervolgens *ten strijde* trekken op een sportveld. Bertrand echode alleen maar de befaamde opmerking van de legendarische manager van Liverpool, Bill Shankly, die, toen hem werd gevraagd of voetbal een kwestie van leven en dood was, antwoordde: 'O nee. Het is nog veel belangrijker.'

Zowel bij sport als bij oorlog is winnen alles. Winnende sportlui zijn agressief in de competitie. Verliezers zijn dat niet. Als de bewering van Lorenz dat de huidige beschaafde mens lijdt aan 'onvoldoende ontlading van zijn agressiedrift', dan verschaft de moderne topsport met zijn taal van strijd, overwinning, mannelijke banden en militaristische geestdrift een nuttige veiligheidsklep.[72] Sport wordt wel omschreven als een specifiek menselijke vorm van niet-vijandige strijd. Er bestaat geen enkele sport waarbij geen wedstrijden worden gehouden, met inbegrip van vredige activiteiten als skiën, schaatsen en synchroonzwemmen en complexe, zorgvuldig uitgestippelde waagstukken als bergbeklimmen, oceaanraces en poolexpedities.

Volgens ethologen is sportieve activiteit bij mensen meer verwant aan serieuze strijd dan het spel bij dieren. Als de voornaamste functie van sport vandaag de dag niet de mogelijkheid van uitlaatklep voor agressieve gevoelens is, wat is het dan wel? Het is van cruciaal belang dat de moderne jongeman bij het sporten leert hoe hij zijn agressieve gedrag moet reguleren en beheersen. Idealen van ridderlijkheid en eerlijk spel, die bijna van het oorlogstoneel verdwenen zijn, worden nog steeds nagestreefd en gekoesterd op het sportveld. Teamgeest, gedisciplineerde onderwerping aan de regels, acceptatie van de beslissing van een scheidsrechter, elkaar steunen in het aangezicht van gevaar: behalve in de moderne sportarena bestaat nergens meer een situatie waarin al deze deugden en idealen met zulke passie nagestreefd (en bevochten) worden. Maar terwijl oorlog in sociale waarde daalt, is de sport harder, meedogenlozer, woester geworden. De grens tussen winnen ten koste van alles en gewoon winnen is dunner geworden.

Sport blijft natuurlijk niet beperkt tot mannen. Steeds meer vrouwen begeven zich op voormalig uitsluitend mannelijk territorium zoals voetbal, cricket en zelfs sporten met veel lichamelijk contact als rugby. Maar het blijft een feit dat meer mannen dan vrouwen deelnemen aan sportactiviteiten, met uitzondering van bingo, dansen en paardrijden.[73] Het is waar dat een handjevol sportactiviteiten relatief vrij zijn van de geur en het geluid van oorlog en vriendschap. Volgens John Updike vormen golfspelers, astronauten en zuidpoolreizigers een uitzondering; in zijn lyrische vertoog over de geneugten van het golfspel voert hij aan dat golf, net als ontdekkingsreizen, 'gebaseerd is op een gemeenschappelijke ervaring van transcendentie; dik of dun, uitvaller of sukkel, we zijn met z'n allen ergens geweest waar niet-golfers nooit komen'.[74]

Updike herinnert ons eraan dat het niet bij elke sport gaat om wedijver tussen twee mannen. Achter de rituelen en de formaliteiten, de preoccupatie met uitmuntendheid en obsessie met de statistieken in een spel als golf schuilt ook wel een element van competitie, maar dat is een competitie waarbij de vijand niet de mens is maar de natuur, de natuur in de vorm van de anatomie van de perfecte slag, het veeleisende ontwerp van een baan, de mentale kracht van de speler en de onvoorspelbare variëteit van de elementen. Op de golfbaan komt het, net zo goed als in de woeste poolgebieden, aan op een strijd van de mens tegen zichzelf, een strijd die mannelijke agressie jegens anderen transformeert in een odyssee van zelfbeheersing en zelfontdekking.

De verschillende manieren waarop jonge mannen en vrouwen met stress omgaan voert ons terug naar de vraag: waarom zijn mannen zo gewelddadig? Terwijl de simplistische, verleidelijke en reductionistische verklaring van mannelijk geweld inhoudt dat het een biologische noodzakelijkheid is, het pure kenmerk van mannelijkheid en de sleutel tot menselijke groei en vooruitgang, duidt het bewijsmateriaal op iets heel anders. De ene studie na de andere bevestigt dat de aard van het menselijk geweld door vele factoren wordt bepaald. Vanzelfsprekend komen er biologische factoren aan te pas, omdat de mens nou eenmaal een biologisch wezen is.

Maar terwijl de onderzoeksresultaten zich opstapelen, wordt de nadruk steeds meer gelegd op de rol van sociale factoren zoals deprivatie, ongelijkwaardigheid, onrechtvaardigheid, overbevolking, armoede en culturele opvattingen. Een toenemend aantal onderzoeken belicht de rol van psychologische factoren, in het bijzonder de relatie tussen ouders en kind en de integriteit van het gezin. Intussen worden in politieke debatten, bij de sociale planning en in alledaagse gesprekken de ernstige implicaties van geweld maar al te vaak genegeerd. Veel factoren die zich vroeg in het het leven aandienen beïnvloeden de ontwikkeling van agressieve kinderen – laag inkomen, ouders die streng en inconsequent zijn, ontwrichting van het gezin, slecht toezicht, verlies van een ouder.[75] Factoren die extra gewicht in de schaal leggen zijn onder meer spijbelen, sterke impulsiviteit en weinig concentratie. Er is een significante continuïteit van jeugdagressie naar volwassen geweldpleging. Kinderen die door onderwijzers als agressief worden beoordeeld worden later, als jonge volwassenen, vaak veroordeeld wegens geweldpleging.[76]

Gewelddadige personen komen vaak uit probleemgezinnen. Vaak zijn zij zelf het slachtoffer geweest van lichamelijke mishandeling, ouders die aan een drugs- of alcoholverslaving leden of een misdaad hadden begaan, of kwamen uit een onharmonieus gezin dat uit elkaar viel. Kindermishandelaars hadden vaak ouders die kil, afwijzend en ruw waren, die ouderlijke liefde en strengheid toepasten op een inconsequente en onvoorspelbare manier.[77]

In het artikel 'Causes of Violence' (Oorzaken van geweld) wees de Amerikaanse forensisch psychiater John Monahan op de gebruikelijke, modieuze verdachten die zich in de kluwen van oorzaken bevonden: testosteron, hersenletsel, slechte voeding, misdaad, armoede, werkloosheid en jeugdigheid. Maar hij eindigde met te zeggen dat als het met het onderzoek naar geweldpleging net zo was gesteld als met de aandelen op Wall Street, hij zijn geld zou zetten op psychologie, of preciezer nog 'op de ontwikkelingsprocessen die wij allen doormaken, de meesten van ons min of meer met succes, maar sommigen met grote moeite. Ik bedoel vooral het gezin – de filter waardoor de meeste sociologische factoren, zoals werkloze ouders, en veel van de biologische factoren, zoals slechte voeding, hun uitwerking hebben op een opgroeiend kind.'[78]

Binnen het gezin komen kinderen veel van de geslachtsstereotypering tegen die ze assimileren; dat zal in hoge mate bepalen hoe zij over zichzelf en anderen denken. Als we kijken naar de kenmerken en houdingen die nodig zijn voor geweldpleging en ze vergelijken met de kenmerken en houdingen die beschouwd worden als typisch mannelijk, wordt de schakel tussen geweld en mannelijkheid duidelijker, want ze worden in feite door velen, mannen zowel als vrouwen, gezien als een en hetzelfde. De stereotiepe macho wordt geportretteerd als agressief, rationeel, regelend, concurrerend, terughoudend, zwijgzaam, analytisch, eenduidig, onafhankelijk, dominant, onkwetsbaar. Tegenstrijdigheid, onzekerheid en tweeslachtigheid zijn hem een gruwel.[79]

Pas in de afgelopen vijftig jaar is op dergelijke stereotyperingen zware kritiek uitgeoefend. Als man heb ik een model geërfd van de seksen waarin mannelijkheid gelijkgesteld wordt aan psychologische en fysieke kracht en gezondheid, vrouwelijkheid aan psychologische en fysieke zwakheid en ziekte. De woorden zelf die wij gebruiken om man en vrouw te beschrijven zijn bezoedeld door opvattingen over macht en onmacht, dominantie en onderwerping, gezondheid en ziekte. Aan het begin van een nieuwe eeuw wordt de mannelijke status door uiteenlopende commentatoren geschetst als equivalent van een afwijkende status, een pathologie. De kenmerken waardoor wij onszelf ooit zagen als de mannen die wij denken te zijn en zouden willen zijn – logisch, gedisciplineerd, beheerst, rationeel, agressief – worden nu beschouwd als de stigmata van het abnormale. De kenmerken waarmee ooit vrouwen bestempeld werden als zwak en infe-rieur – emotioneel, spontaan, intuïtief, expressief, medelevend, empathisch – worden steeds meer gezien als tekenen van rijpheid en gezondheid.

4

Het verval van het Y-chromosoom

Een man zijn betekende een eeuw geleden in het openbare leven een leider en thuis een patriarch te zijn. Van het mannelijk geslacht zijn was synoniem voor gezond en volwassen zijn. De stereotype van de succesvolle man hield niet alleen een aaneenschakeling in van positieve, viriele attributen – kracht, macht, autoriteit, doortastendheid, rationaliteit, kalmte, discipline, vindingrijkheid – maar bestond naast een groepje contrasterende attributen – broosheid, zwakte, kwetsbaarheid, emotionaliteit, onbezonnenheid, afhankelijkheid, zenuwachtigheid: de stereotype van de vrouw. De hedendaagse man draagt ideeën over het man-zijn met zich mee die in de loop van verscheidene eeuwen zijn ontstaan en tot bloei kwamen in de negentiende eeuw, een eeuw van ongeëvenaarde mannelijke prestaties op het gebied van de wetenschap, technologie, biologie, medicijnen, ontdekkingsreizen en kolonisatie. Wanneer wij spreken van het erfgoed van de mens, verwijzen wij niet alleen naar de genen – het biologische lot van het man-zijn – maar ook naar de sociale verwachtingen, de culturele noties van wat het betekent om van het mannelijk geslacht te zijn. Een van de dingen die het nog geen honderd jaar geleden betekende, was sterk, agressief en, zonodig, gewelddadig te zijn.

Tegenwoordig heeft het voor een brute man weinig zin of doel om met zijn bruutheid de tempel af te breken. Maar in het verleden waren mannen meer dan bruut. Mannen voerden het bevel. Tegenwoordig zijn mannen in een shock. Het is waar dat ze nog steeds de bolwerken van de macht domineren, de directiekamers en ministerraden in de ontwikkelde wereld en in de derde wereld, ze monopoliseren nog steeds de wetsontwerpen en het effectueren van het beleid, ze zitten nog steeds schrijlings op de effectenbeurs en het banksysteem, maar net als de achttiende-eeuwse koningen en aristocratie kunnen ze, als ze goed luisteren, horen hoe de karren met gevangenen over de avenues aan komen hotsen en hoe de menigte schreeuwt dat hun tijd voorbij is. Mannen kunnen zich blijven omschrijven in termen van wat zij doen, maar dat is bedriegerij, een truc die ze steeds maar met zichzelf blijven uithalen. Als het op werken aankomt, dan kunnen vrouwen het ook. Daar is niets uniek mannelijks aan. Karakteriseerde werk vroeger de mannelijkheid, tegenwoordig geldt dat niet meer. Er heeft een revolutie plaatsgevonden.

Het hoogtepunt van mannelijke prestaties en patriarchale status was de negentiende eeuw. Dat was eveneens de tijd waarin de grens tussen de omschrijving van mannelijkheid en vrouwelijkheid volstrekt ondubbelzinnig was. Een sleutelwoord bij het stereotyperen van vrouwen was *delicaat*. Dat betekende gauw opgewonden, fijngevoelig, verfijnd, ziekelijk, op een bepaalde manier 'zenuwachtig'. Het woord combineerde het hoog-Victoriaanse ideaal van vrouwelijke schoonheid – gratie en zwoelheid, bleekheid en kwetsbaarheid – met verfijning. Deze verfijnde vrouwelijke geest, merkte Jean Strouse op, de biografe van Alice James – zuster van de filosoof William en de romanschrijver Henry – 'bewoonde een koortsachtig rijk van scherpe waarneming en subtiele weerklank die het lichamelijke ver overstegen'.[1]

De artsen uit die tijd waren van mening dat de helft of meer van alle vrouwen leed aan een of andere psychologische stoornis of 'nervositeit'.[2] Edward Clark van de Harvard Medical School was zo pessimistisch dat hij tot de slotsom kwam dat vrouwen spoedig niet meer tot voortplanting in staat zouden zijn.[3] Maar het was niet zozeer dat zij vrouwen waren die ziek waren als wel dat zij ziek waren omdat zij vrouw waren. En de artsen wisten bijna zeker waar het aan lag – aan het voortplantingssysteem van de vrouw. 'Daarin ligt de oorzaak en de genezing van veel van haar lichamelijke kwalen,' verklaarde William Dewees, hoogleraar verloskunde aan de Universiteit van Pennsylvania, in zijn standaardwerk over vrouwenziekten, waarin hij uitlegde dat een vrouw twee maal zo vaak ziek was als een man omdat zij een baarmoeder had die een opperheerschappij uitoefende over haar lichamelijke en morele toestand.[4] William Byford, hoogleraar gynaecologie aan de Universiteit van Chicago, ging nog verder en verklaarde in 1864 in een monografie over het onderwerp: 'Het is bijna jammer dat een vrouw een baarmoeder heeft.'[5]

Gezien het feit dat zwangerschap en bevalling in termen van perinatale en kraam- en zwangerschapssterfte nog een vreselijke tol eisten, was het misschien begrijpelijk dat artsen in de negentiende eeuw zo gepreoccupeerd waren met het voortplantingssysteem. Nog geen een op de drie vrouwen bereikte de menopauze vanwege het hoge sterftecijfer dat samenhing met herhaalde zwangerschappen.[6] Zelfs in de jaren twintig van de twintigste eeuw stierf 1 vrouw op de 200 geboortes.[7] (Op dit ogenblik is het kraamsterftecijfer in het Verenigd Koninkrijk één vrouw op de 33.000 geboortes.) Maar het was niet in de eerste plaats de slechte gezondheid waarnaar de artsen verwezen als zij het over de baarmoeder hadden. Zij bekommerden zich om de essentie van de vrouw zelf en dus impliciet om de essentie van de man. Het vrouwelijk geslacht, zoals een arts het uitlegde in 1827, 'is veel gevoeliger en ontvankelijker dan het mannelijk geslacht en uitermate vatbaar voor die kwellende aandoeningen die bij gebrek aan een beter woord worden aangeduid als zenuwziektes en die voornamelijk bestaan uit pijnlijke aandoeningen van hoofd, hart en zijde, eigenlijk van bijna alle lichaamsdelen'.[8]

De vrouw dankte haar fragiliteit niet alleen aan de baarmoeder, maar ook aan de nauwe en veronderstelde relatie tussen eierstokken, baarmoeder en zenuwstelsel. Dat vormde de logische basis van wat men het 'reflex-irritatie'-model van ziekteoorzaken noemde, dat in die tijd erg populair was. Men meende dat elke onevenwichtigheid, uitputting, infectie of andere stoornis van het voortplantingssysteem pathologische reacties veroorzaakte in andere delen van het lichaam. Artsen stelden zich het lichaam voor als een gesloten systeem dat slechts een beperkte hoeveelheid energie bevatte. Energie die verbruikt werd in een bepaald gebied, zoals een bloeding van de baarmoeder, zou daardoor niet beschikbaar zijn in een ander gebied, zoals de hersenen. De jonge vrouw die haar vitale energie in intellectuele activiteiten stopte, zou vitale kracht onttrekken aan het bereiken van het ware vrouw-zijn en zwak, nerveus, ziekelijk en mogelijk onvruchtbaar worden. De hersenen en het voortplantingssysteem konden, tenminste bij vrouwen, niet tegelijkertijd efficiënt functioneren.

Dergelijke opvattingen versterkten de notie van mannelijkheid en maakten tot op zekere hoogte zichzelf waar. In de tweede helft van de negentiende eeuw, toen een klein aantal vrouwen zich deed gelden in de wetenschap, begonnen artsen alarm te slaan. 'Je huivert als je eraan denkt,' schreef er een, 'welke conclusies die vrouwelijke bacteriologen of histologen trekken in een periode wanneer hun hele systeem, zowel lichamelijk als geestelijk, om zo te zeggen "overstuur" is, om nog maar te zwijgen over de vreselijke fouten die een vrouwelijke chirurg onder dergelijke omstandigheden zou kunnen maken.'[9]

Bij de afwijzing van John Stuart Mills voorstel tot het stemrecht voor vrouwen in 1867 plaatste de *Lancet* de kanttekening dat de plaats van de vrouw in het huishouden is omdat de fysieke aard van de vrouw 'een betrekkelijke delicaatheid tentoonspreidt, een geringere ontwikkeling in de vorming van structuur en organen; er is minder kracht en energie en minder fitheid aanwezig om de obstakels in de omgang met de wereld tegemoet te treden'.[10]

En zo ging het maar door. Er bestaat nauwelijks een absoluter uitspraak vanuit de onbarmhartig reductionistische opvatting over vrouwelijkheid dan die van een andere vooraanstaande Amerikaanse arts, de voorzitter van de American Gynaecological Society, George Engelmann. In een rede uit 1900 verkondigde hij: 'Menig jong leven wordt gehavend en voor altijd beschadigd in de brandingsgolven van de puberteit. Als die onaangetast overgestoken kunnen worden, zonder te pletter te slaan op de rots van de bevalling, dan kan men nog vastlopen op de steeds weerkerende ondiepe zandbanken van de menstruatie, en ten slotte op de klippen van de menopauze, voordat bescherming wordt gevonden in de kalme wateren van de haven, buiten het bereik van seksuele stormen.'[11]

Kortom, vrouwen werden pas gezond verklaard wanneer het niet langer seksuele wezens waren. Toch stak deze mechanistische en vernederende opvatting over vrouwen zo'n tachtig jaar later de kop weer op toen de feministische revolutie op gang kwam. Het punt was premenstruele spanning. Gecompliceerde gevoelens, gedragingen en symptomen werden, op grond van bar weinig bewijs, toegeschreven aan variaties in de hormonen die voorkwamen tijdens de menstruatiecyclus. Ironisch genoeg betrof een van de beweringen het onderwijs. Op grond van een aantal studies van twijfelachtige wetenschappelijke kwaliteit beweerde dr Katarina Dalton, een van de geduchtste voorstanders van het concept van het premenstrueel syndroom, dat meisjes die examen moesten doen tijdens de premenstruele fase van hun cyclus, slecht presteerden.[12] In latere, beter in elkaar zittende studies werden die bevindingen niet gestaafd, maar er ontstond indertijd een enorme opwinding over. De artsen van een eeuw geleden zouden het hebben begrepen. Zij hadden al heel lang beweerd dat de voortplantingsfuncties gewoon onverenigbaar waren met het onderwijs.[13] Henry Maudsley, een van de invloedrijkste Britse psychiaters uit die tijd, merkte in 1874 met betrekking tot menstruatie en de uitwerkingen ervan op de hersenen op: 'Als de natuur aan de ene kant verbruikt, moet ze aan de andere kant bezuinigen.'[14]

Er waren vanzelfsprekend ook artsen die ertegen waarschuwden om al te snel aan te nemen dat de vrouw zwak was en er waren, natuurlijk, vele duizenden vrouwen die lichamelijk veeleisend en slopend werk verrichtten in de fabrieken en op de boerderijen zonder dat iemand zich vreselijke zorgen maakte over de staat van hun interne organen of de uitwerking op hun hersenen! Vrouwen uit de midden-klasse en hogere klasse werden echter bevestigd in hun onderge-schiktheid omdat ze als geslacht altijd in een nadelige positie leken te verkeren, 'of het nu kwam door een bevalling of doordat ze abortus hadden gepleegd of doordat ze hun gezondheid hadden geschaad door een illegale abortus te bewerkstelligen, of doordat ze leden aan "hysterie", die op zich vaak een sociale ontbering weerspiegelde'.[15]

Deze orthodoxe visie op vrouwen had bijzonder veel invloed. Onderwijsinstellingen maakten zich zorgen over vrouwelijke leerlin-gen. In 1877 lichtte het bestuur van de Universiteit van Wisconsin zijn bezorgdheid toe aan de hand van expliciete verwijzing naar medische argumenten en wees erop dat 'op vastgestelde tijden de natuur veel vergt van de energie van de vrouw' en dat er van tijd tot tijd 'grote voor-zichtigheid betracht moest worden zodat er geen kwetsuren opgelopen werden'.[16] In welke richting vrouwen zich ook bewogen, ze zaten vast. Als je een vrouw was, dan stond dat gelijk met een staat van uitgestel-de of latente ziekte. En als je je verzette tegen de status van het vrouw-zijn, dan was je ook ziek. Het contrast met de mannelijke staat kon niet groter zijn. Waar vrouwen kwetsbaar waren, waren mannen sterk.

Terwijl vrouwen energie moesten sparen ten behoeve van de voort-planting, konden mannen de hunne botvieren met vitaliteit en ple-zier. Dit contrast wordt in 1879 treffend samengevat in een toespraak voor de New York Odontological Society, gegeven door een orthope-disch chirurg, dr Charles Fayette Taylor. 'Vrouwen,' verklaarde hij, 'zijn als klasse wezens emotioneel, als geslacht worden ze gekenmerkt door minder onafhankelijk denken; of dat nou een gevolg is van een zwak-ker redeneringsvermogen of omdat het intellect met grote regelmaat onderdrukt wordt door de simpele gevoelens, behoeft geen discussie. Terwijl onderwijs bij mannen het effect heeft dat ze beheerst, even-wichtig, doortastend, berekenend worden en elk probleem doorden-ken, waarbij het intellect de overheersende kracht is, lijkt de zoge-noemde "hogere opleiding" voor vrouwen op hen een tegengesteld effect te hebben.'[17]

Mannen kwamen tot bedaren door de opleiding die ze genoten, terwijl vrouwen erdoor werden opgehitst. Onderwijs veranderde meisjes in 'één bonk zenuwen'. Wat de visie van Charles Fayette Taylor zo bijzonder maakt, is dat hij de eerste van vele dokters was die Alice James behandelden, die inderdaad van tijd tot tijd 'één bonk zenuwen' was. Aan het eind van de jaren '60 van de negentiende eeuw studeerde William James medicijnen, en las Henry James literatuur en schreef kritieken in zijn vormende jaren als romanschrijver. Alice James vocht in de schaduw van haar twee geduchte broers om haar eigen plaats te veroveren. Zou zij haar studie kunnen voortzetten en intellectueel tot bloei komen of moest ze accepteren dat ze niet hetzelfde in elkaar zat als mannen? Haar verstand op een productieve manier gebruiken zou gepaard gaan met wedijveren met haar intellectueel intimiderende broers en een confrontatie met haar vader, Henry James Sr, die er uitgesproken ideeën op na hield over wat een jonge vrouw behoorde te doen. In 1853, toen zijn enige dochter Alice vijf jaar oud was, had hij een artikel geschreven in *Putnam's Monthly*, waarin hij de twee geslachten met elkaar vergeleek en waarin hij verkondigde dat volgens een 'absoluut decreet van de natuur' de vrouw ondergeschikt is aan de man 'in passie, in intellect en in lichamelijke kracht'.[18]

Als ze haar studie niet zou voortzetten, zou dat betekenen dat ze net zo'n rol zou accepteren als die van de onbaatzuchtige, moeiteloos goede maar tamelijk saaie vrouwen in de familie – haar moeder en haar tante – en zich verlagen tot hun intellectuele niveau (Alice had een redelijk hoge dunk van haar eigen intellectuele vermogen).[19] Maar Alice hoefde haar conflict niet op te lossen want de ziekte kwam tussenbeide. Op 18-jarige leeftijd kreeg zij een geheimzinnige malaise, die werd aangezien voor 'neurasthenie', en werd ze voor 'behandeling' naar dr Taylor gestuurd. De term neurasthenie was nog niet uitgevonden; twee jaar later paste George M. Beard, arts in New York, hem toe op een breed scala van onverklaarde zenuwsymptomen die steeds vaker voorkwamen. Beard stelde meer dan vijftig van dergelijke symptomen te boek, waaronder flauwvallen, onregelmatige menstruatie, hoofdpijn, spierkrampen, zenuwpijn, slapeloosheid, slapheid, gebrek aan eetlust, braken en prikkelbaarheid.[20] Ook hij was van mening dat het zenuwstelsel een soort bankrekening was waar een beperkte hoeveelheid energie op stond – als je er te veel van opnam, volgde uitputting en bleef er onvoldoende saldo over om de gewone bezigheden van het leven te laten plaatsvinden. (Hedendaagse commentatoren als professor Simon Wessely van het King's College-ziekenhuis te Londen valt het op dat er overeenkomsten zijn tussen Beards neurasthenie en de hedendaagse diagnose van chronisch moeheidssyndroom, ook wel bekend als ME.)[21] Wat het ook geweest is, de therapeutische oefeningen van dr Taylor werkten niet, noch de vele andere therapieën die voorgesteld werden door de talloze andere artsen die Alice de volgende 25 jaar zou raadplegen.

In 1891 merkte sir Andrew Clark een voelbare knobbel in een van haar borsten op, niet de oorsprong van haar levenslange ziekte, maar genoeg om haar te doen juichen dat er eindelijk iets was gevonden. 'Sinds het begin van mijn ziekte,' schreef ze op 31 mei 1891 in haar dagboek, 'heb ik verlangd naar een of andere tastbare aandoening, ongeacht welk vanouds vreselijke etiket erop zou horen, maar ik werd steeds weer teruggeworpen om alleen door te strompelen met een monsterlijke massa subjectieve gevoelens, waarvoor die sympathieke figuur, "de medicus", niets beters kon verzinnen dan dat ik er persoonlijk verantwoordelijk voor was, waarna hij zijn handen vol beleefde zelfgenoegzaamheid onder mijn neus in onschuld waste.'[22]

De grimmige diagnose van sir Andrew Clark had het effect 'ons uit het vormeloze vage op te tillen en ons neer te zetten in het hart van het bevestigende concrete'.[23] Ze wist dat ze aan de kanker zou sterven.

Alice James was in zekere zin het slachtoffer van een tijdperk waarin het leven van vrouwen ernstig belemmerd werd door een stereotype waardoor zij in een miasma van kwetsbaarheid, malaise, zwakheid en ziekte vast kwamen te zitten. De heersende culturele normen vereisten dat vrouwen onbaatzuchtig waren en zich onafgebroken inzetten voor anderen, 'hulpverlenende engelen', zoals het in die tijd heette. Maar Alice James, een buitengewoon intelligente en opmerkzame vrouw, slaagde erin zich níét in te zetten. Ze was heel sterk met zichzelf bezig en ondermijnend dominant tegenover familieleden en vrienden. Haar ziekte, met andere woorden, leek met de culturele normen te spotten en kan achteraf gezien beschouwd worden als een vorm van sociaal protest.

Ondanks het feit dat mannen geloven in de inherente superioriteit van hun gezondheid, zijn veel mannen even hypochondrisch, oftewel uitzonderlijk bezorgd over hun gezondheid, als vrouwen. Een boer van 60 jaar werd in het ziekenhuis opgenomen met klachten over buikpijn en diarree. Hij was doodsbang dat hij darmkanker had, nadat hij op internet over de symptomen had gelezen. Hij werd aan een volledig onderzoek onderworpen maar er werd geen enkel teken van kanker gevonden en hij kreeg te horen dat hij lichamelijk heel gezond was. Hij bleef echter heel bezorgd, las alles over darmkanker en bleef zich laten onderzoeken. Uiteindelijk werd hij doorverwezen naar een psychiater. Na zorgvuldig onderzoek kwam aan het licht dat enkele maanden voordat de symptomen waren begonnen, zijn eigen vader na een lang gevecht tegen longkanker gestorven was. Rond dezelfde tijd was zijn vrouw erg geschrokken toen bij een borstonderzoek een knobbel was gevonden (die later goedaardig bleek te zijn). Aanvankelijk hield hij vol dat verdriet na zijn vaders dood en angst over de mogelijke kanker van zijn vrouw het soort zaken waren die een sterke man onderging zonder hypochondrische angst te ontwikkelen. Hij kon maar niet begrijpen hoe gevoelens, waarvan hij vond dat ze weinig om het lijf hadden en die van vage, efemere aard waren, konden veroorzaken wat hij 'echte' lichamelijke symptomen bleef noemen. De oorzaak van zijn diarree, buikpijn en opgeblazen gevoel moest daarom wel darmkanker zijn. Geleidelijk aan begon hij te accepteren dat er een belangrijk verband bestond tussen de gebeurtenissen in zijn leven en het ontstaan van zijn hypochondrie – en dat hij als man niet zwak was of tekortschoot omdat hij als gevolg van dergelijke gebeurtenissen ziek werd.

Het zou een vergissing zijn zich te verbeelden dat dergelijke ideeën tegelijk met de suffragettes en het stemrecht voor vrouwen uitgestorven waren. De stereotypering van mannelijkheid en vrouwelijkheid die een eeuw geleden floreerden in de medische wereld, hebben tot aan vandaag hun weerslag. Maar nu begint het wiel te draaien. Waar vroeger vrouwelijkheid gelijkstond aan pathologie, is dat tegenwoordig mannelijkheid. Mannen hebben een uiteenlopende reeks ernstige ziektes die veel minder publieke en politieke aandacht hebben gekregen, om redenen waarover veel mannen nu twisten. Neem het voorbeeld van borstkanker en prostaatkanker. In Groot-Brittannië sterven jaarlijks ongeveer 14.000 vrouwen aan borstkanker; 10.000 mannen sterven aan prostaatkanker. In 1998 werd ruim 4 miljoen pond aan onderzoeksfondsen besteed aan borstkanker. In hetzelfde jaar kreeg prostaatkanker maar 137.000 pond los. Deze discrepantie heeft er bij veel mannen toe geleid dat zij vrouwen er de schuld van geven dat zij het budget voor de gezondheidszorg en de behandelingsprogramma's uit balans brengen, een verbijsterende en onlogische verklaring als men het overwicht van mannen in aanmerking neemt bij de voornaamste onderzoekscomités en beursverlenende instanties in de wereld van het kankeronderzoek. Het voormalige Britse parlementslid Julian Critchley ontdekte bij toeval dat hij aan prostaatkanker leed. Hij weet de onwetendheid van mannen (vermoedelijk sprak hij voor zichzelf) inzake de ziekte aan het feit dat, zoals hij zei, 'wij zonder te protesteren hebben laten gebeuren dat we het slachtoffer zijn geworden van een feministisch triomfalisme dat in onze maatschappij woekert'.[24]

Woedende vrouwelijke journalisten reageerden door aan te voeren dat specifieke mannenproblemen zonder de acties van de feministen nauwelijks begrepen en onderzocht zouden zijn geweest. Critchley heeft het mis, maar de feministische critici missen het punt eveneens. Vrouwen mogen de schuld niet krijgen van het verwaarlozen van mannelijke ziektes, en er is van de kant van het medische establishment nooit enige neiging geweest om onderzoek naar vrouwelijke aandoeningen uit de weg te gaan dan wel de diagnose of behandeling te verwaarlozen. Eerder is het tegenovergestelde het geval. Medici zijn nog altijd even gefascineerd door vrouwenziektes als in de tijd van Alice James. Er worden talloze workshops, conferenties, seminars, tijdschriften, monografieeën, onderzoeksverslagen, denktanks en werkgroepen gewijd aan vrouwenziektes (gynaecologie). De overgrote meerderheid van de gynaecologen en verloskundigen is mannelijk, en mannen blijven geïntrigeerd door het vrouwelijk lichaam en wat ermee gebeurt. De onderzoeksinteresse in borstkanker heeft weinig te maken met het feminisme. Mannen zijn gefascineerd door vrouwenborsten, en daar zijn artsen geen uitzondering op. En terwijl de door mannen gedomineerde geneeskunde vertrouwd is en goed kan omgaan met vrouwen en ziekte, geldt dat beslist niet voor de ziektestatus van mannen. Mannen vinden het veel moeilijker om over ziekte te praten, om te vertellen hoe slecht zij zich voelen, om toe te geven dat ze hulp nodig hebben. Mannelijke artsen zijn niet veel beter dan hun niet-medische mannelijke vrienden.

Toen Clare Moynihan, senior onderzoeksmedewerker aan het Royal Marsden-ziekenhuis in Londen, een ziekenhuis dat zich heeft gespecialiseerd in de behandeling van kanker, een proef begon om de effectiviteit te bepalen van voorlichting aan mannen met testikelkanker, kwam slechts een klein percentage van de mannen opdagen.[25] Veel van hen leden aan angst, depressie of beide sinds ze tussen de één en vijf jaar daarvoor behandeld waren. Geen van hen had echter hulp gezocht, wat Moynihan zag als teken 'dat het voor mannen van cruciaal belang was om zich groot te houden en te zwijgen over hun emotionele leven'. Als zij wat ruimte en tijd kregen om te praten (en een medelevende vrouw hadden die naar hen luisterde), begonnen de mannen langzaam, zij het heel moeizaam de kanten van zichzelf bloot te geven die ze naar eigen zeggen nooit eerder hadden blootgegeven. 'Een paar mannen vertelden hoe zij zich angstig en verdrietig hadden teruggetrokken, soms met een knuffeldier, meestal in het geheim. Maar het begrip "zelfbeheersing" werd duidelijk gedemonstreerd en een stereotiepe mannelijke identiteit aanhoudelijk opgevoerd in het aangezicht van ziekte wanneer de mannen beschreven hoe ze huilden ("jankten") als ze alleen waren, ver van hun familie vandaan en vaak in hun auto, waar ze zich "besloten en veilig" voelden.[26]

Moynihan beschrijft vervolgens hoe mannelijke artsen het onderwerp angst bij mannelijke patiënten benaderen. Mannelijke klinische medici trachtten de angst te verminderen door sport- en legermetaforen te gebruiken, bijvoorbeeld door te verwijzen naar onvruchtbaarheid (een gevolg van de behandeling) als 'met losse flodders schieten', het verlies van een testikel na een operatie als 'een vliegtuig dat een veilige landing maakt op één motor' of 'één cilinder is net zo goed als twee'. Dat soort taal, beweerde zij, 'versterkt de manier waarop veel mannen hun lichaam beschouwen als een machine, die controleerbaar en onder controle is'.

Maar het is natuurlijk zo dat mannen niet in de eerste plaats denken aan mannenlichamen, maar aan vrouwenlichamen. Het Britse Institute for Cancer Research richtte een bewustmakingscampagne op mannen met een afbeelding van vrouwenborsten, met de tekst: 'Geen wonder dat kanker bij mannen verwaarloosd wordt. Dit is het enige waar jullie ooit aan denken.'

De meeste mannen zijn zo beheerst, zo gesloten en ontoeschietelijk, dat ze uitermate voorzichtig te werk gaan bij het invullen van rapporten en vragenlijsten, zodat deze als gevolg daarvan moeilijk te interpreteren zijn. De resultaten van veel zelf-ingevulde beoordelingsformulieren zijn twijfelachtig omdat mannen, vooral degenen die zichzelf presenteren als 'zeer mannelijk', hun symptomen in hoge mate onderwaarderen.[27] Motieven en gevoelens worden verhuld wanneer mannen verslag uitbrengen van emoties waarvan ze vinden dat zij ze volgens de stereotiepe verwachtingen van mannelijkheid hadden moeten hebben. Moynihan wijst erop dat wanneer mannen gevraagd wordt hun eigen karaktertrekken een cijfer te geven aan de hand van vragen als 'Hoe wenselijk is het dat een man assertief/meegaand is?', de verwachtingen die in dergelijke vragenlijsten zijn ingebouwd beperkte en statische antwoorden opleveren, 'waardoor de mythe over wat het betekent om een man te zijn en de bewijzen dat mannen zich op een bepaalde manier gedragen, alleen maar in stand gehouden worden'.[28] Toen onderzoekers mannen en vrouwen vroegen om hun eigen 'mannelijke' en 'vrouwelijke' trekken te noteren, kwamen zij er hogelijk verbaasd achter dat de vrouwen en mannen die een hoge 'vrouwelijkheidsscore' hadden, eerder gebruik maakten van medische dienstverlening[29] en een grotere praktische interesse toonden inzake hun gezondheid[30] – met de implicatie dat het de niet-aangepaste, stereotiepe machoman is die het grootste risico loopt als het aankomt op het toegeven van een slechte gezondheid en daarvoor hulp in te roepen.

Een nationaal onderzoek onder klinieken voor gezinsplanning, uitgevoerd door de Britse Family Planning Association, heeft aangetoond dat jonge mannen veel minder snel gebruik maken van seksuele gezondheidszorg dan jonge vrouwen.[31] Een van de consequenties daarvan is dat jonge mannen geen voorbehoedmiddelen gebruiken en niet veilig vrijen. Minder dan 10 procent van de mannelijke studenten aan de universiteiten gebruikt een condoom, terwijl jongens aanhoudelijk over het hoofd worden gezien bij de controverses en discussies over het bestrijden van tienerzwangerschappen.[32] Steeds opnieuw blijven jongens en mannen zich gedragen alsof gezondheid en ziekte, voorbehoedmiddelen en verantwoord ouderschap vrouwenkwesties zijn – en wanneer zich problemen voordoen zijn ze geneigd vrouwen de schuld te geven.

De aanname dat mannelijkheid en gezondheid de natuurlijke tegenpolen zijn van vrouwelijkheid en ziekte is zelf weer gebaseerd op een andere veronderstelling, namelijk dat testosteron bevorderlijk is voor de gezondheid. Mannen, zei Alice James' dokter, zijn 'beheerst, doortastend, berekenend en denken elk probleem door', en veel mannen scharen zich daar maar al te graag achter en zijn hun testosteron er dankbaar voor. En als man geloven zij: hoe meer je van dat spul hebt, hoe beter. Maar het bewijs is dubieus. Mannelijkheid staat niet gelijk aan gezondheid en wat we over testosteron te weten komen, stelt het vermogen van de man om elk probleem door te denken zwaar op de proef.

Testosteron en de gezondheid

In de negentiende eeuw sprak het misschien vanzelf dat mannen gezonder waren dan vrouwen. Zij leefden langer. Een man aan het begin van de eenentwintigste eeuw heeft dat voordeel niet. In alle ontwikkelde landen leven vrouwen langer dan mannen, ongeveer 10 procent langer, tussen de vijf en de zeven jaar. In Groot-Brittannië zijn de sterftecijfers voor mannen van elke leeftijd hoger dan die van vrouwen, het duidelijkste en meest onmiskenbare bewijs dat mannen in termen van sterfelijkheid een slechtere gezondheid genieten dan vrouwen.[33] En het maakt niet uit welke veranderingen er hebben plaatsgevonden in diagnose en behandeling, de kloof blijft bestaan. Terwijl de cijfers voor kanker en circulatiestoornissen, een van de voornaamste doodsoorzaken bij mannen, dalen, compenseren andere doodsoorzaken bij mannen, zoals zelfmoord en HIV-gerelateerde aandoeningen, de verbeteringen meer dan genoeg. In termen van gezondheid zijn mannen het zwakkere geslacht.

In onderontwikkelde landen blijven het baren van kinderen en de daarmee samenhangende complicaties en behoeftes een tragische tol eisen. In India is het cijfer voor kraambedsterfte 1 op de 170, in Sri Lanka 1 op de 1500, bij Afrikaanse moeders in Zuid-Afrika 1 op de 400.[34] Maar ondanks dergelijke schrikbarende cijfers is de levensverwachting van mannen en vrouwen alleen in India en Bangladesh gelijk, namelijk de lage leeftijd van 60 jaar. Nepal lijkt uniek te zijn. Nepalese mannen leven langer dan vrouwen; maar het is een heel bescheiden verschil – van mannen is de levensverwachting 54,3 jaar en die van vrouwen 53,3 jaar.[35]

De interesse voor testosteron en mannelijke gezondheid heeft zich tamelijk langzaam ontwikkeld – in tegenstelling tot het enthousiasme van onderzoekers voor het bestuderen van de vrouwelijke hormonen in de hoop een verband te kunnen aantonen – met verschillende voorbeelden, echte of verzonnen – met vrouwelijke pathologie en psychopathologie. Dertig jaar geleden raakten artsen, endocrinologen in het bijzonder, zeer opgewonden over een nieuw speeltje, de radio-immuunassay-techniek, die hen in staat stelde met een opmerkelijke nauwkeurigheidsgraad hormonen te meten. Zij slaagden er echter hoegenaamd niet in een verband aan te tonen tussen oestrogeen, progesteron en hun metabolieten, en vrouwelijke sterfelijkheid, al deden ze hun best om het te proberen.

Nu zijn het de mannelijke geslachtshormonen, de androgenen, en in het bijzonder testosteron, die geleidelijk aan onderkend worden als de oorzaak van een verscheidenheid aan nadelen voor de mannelijke gezondheid. Aanvankelijk waren onderzoekers en klinische medici ervan uitgegaan dat, aangezien een afnemend testosteronpeil in het bloed van een man leek te leiden tot verlies van spiermassa en een afname van seksuele kracht en activiteit bij ouder wordende mannen, testosteron een soort mannelijke levenskracht was. Zou het toedienen van testosteron de man en zijn geslachtsklieren weer op gang brengen? Tegen het midden van de jaren '90 waren testosterontherapieën in de mode – in 1996 verscheen een enthousiast omslagartikel in *Newsweek* over de vooruitzichten op de lange termijn voor de gezondheid van mannen, nu artsen testosteronsuppleties voorschreven voor mannen van middelbare leeftijd en bejaarden, die hen in staat stelden zich capabeler, virieler en hoopvoller over hun leven te voelen. Maar terwijl het onderzoek werd geïntensifeerd, bleek het plaatje veel minder optimistisch uit te vallen en veel gecompliceerder te zijn.

Ten eerste lijkt het erop dat het testosteronpeil in verband staat met wat 'gezondheidsrisicogedrag' heet.[36] Een hoger testosteronpeil wordt aangetroffen bij werklozen,[37] niet-getrouwde mannen (die aantoonbaar minder gezond blijken te zijn dan getrouwde mannen),[38] bij promiscue mannen die een veel groter risico lopen een overdraagbare geslachtsziekte op te lopen, en bij degenen die veel drugs en alcohol gebruiken.[39] Bij hun steekproef onder 4.400 Amerikaanse mannen ontdekten Alan Booth en zijn collega's dat een hoger testosteronpeil de kans verhoogde van risicogedrag jegens de gezondheid en dat het zeker in verband stond met geslachtsziektes en letsels. Dramatischer nog is de bevinding dat iets te veel van het goede kan zijn. Het is gebleken dat de grootste gezondheidsvoordelen toekomen aan mannen wier testosteronpeil hoog noch laag is, maar net onder het gemiddelde ligt. Mannen die een hoog, maar niet uitzonderlijk hoog peil hebben, lijden minder aan depressie, verkoudheid, hoge bloeddruk, hartaanval en corpulentie. Daarentegen vertonen mannen met een zéér hoog testosteronpeil niet alleen gedrag met een groter gezondheidsrisico, ze halen meestal ook minder voordeel uit de eigenschappen van testosteron die bevorderlijk zijn voor de gezondheid. Booth en zijn collega's schatten dat een op de tien mannen binnen deze categorie valt.

Mannen, huwelijk en gezondheid

In hoofdstuk 2 hebben we gezien dat er bewijs is voor een verband tussen een hoog testosteronpeil en een mislukt huwelijk, ofschoon het nog steeds onduidelijk is wat de oorzaak is van wat. Veel duidelijker is het schokeffect dat een mislukt huwelijk en een echtscheiding hebben op de mannelijke gezondheid.

Het eerste wat onomwonden gezegd mag worden over het huwelijk is, dat het goed is voor mannen. Uit een veelgeprezen onderzoek onder een groep mannen die een hartaanval hadden gehad en in

Baltimore (Maryland) in een ziekenhuis waren opgenomen, kwam naar voren dat getrouwde mannen een grotere kans op overleven hadden dan ongetrouwde mannen.[40] Zelfs wanneer rekening werd gehouden met factoren die erom bekend staan dat ze een risico betekenen voor de gezondheid, zoals roken, drinken, ouderdom, zwaarlijvigheid en eerdere hartaandoeningen, waren het steeds de getrouwde mannen die een grotere overlevingskans hadden. In de tien jaar die erop volgden bleven de getrouwde mannen een veel grotere overlevingskans hebben. Uit een andere Amerikaanse studie bleek dat de kans dat gescheiden mannen aan een beroerte zouden sterven, twee maal zo groot was.[41] Gescheiden vrouwen in dezelfde leeftijdsgroep liepen een veel kleiner risico. Gelijksoortige resultaten zijn bekendgemaakt na een meer recente analyse in Finland van alle sterfgevallen aan een hartkwaal over een periode van drie jaar.[42]

Waarom is ongetrouwd-zijn zo riskant voor mannen? De ongetrouwden bestaan uit drie verschillende groepen – mannen die nooit getrouwd zijn geweest, mannen die gescheiden zijn, en mannen die weduwnaar zijn. Weduwnaar-zijn is een bijzonder grote risicofactor voor een vroegtijdige dood. De Britse psychiater Colin Murray Parkes bestudeerde 4.000 weduwnaren van 55 jaar en ouder over een periode van negen jaar. Het sterftecijfer onder deze getroffen mannen lag 40 procent hoger dan verwacht en tweederde van de gevallen was toe te schrijven aan een hartaandoening ten gevolge van verminderde bloedtoevoer: zij stierven letterlijk aan een gebroken hart.[43] Mannen die hertrouwen nadat hun eerste vrouw is gestorven, hebben een grotere overlevingskans dan degenen die alleen blijven. Mannen die nooit trouwen zijn statistisch gezien een uitzonderlijke groep – in aanmerking genomen dat in de meeste gemeenschappen 90 procent van de mannen een huwelijk aangaat. Het Baltimore-onderzoek deed verslag van een hoger sterftecijfer bij hartkwalen, een bevinding die eveneens te voorschijn kwam uit een onderzoek dat tien jaar liep onder Nederlandse mannen van middelbare leeftijd uit alle lagen van de bevolking als onderdeel van een screening-programma voor hart- en vaatziektes.[44]

Maar waar ligt het precies aan dat ongehuwd-zijn of gescheiden-zijn zo slecht is voor mannen? Er zijn drie verklaringen voor aangedragen. Er is gesuggereerd dat gezonde mannen eerder geneigd zijn om te trouwen dan ongezonde. Aan de andere kant kan het zijn dat het huwelijk lichamelijke en psychologische voordelen inhoudt die mannen tegen ziekte en dood beschermen. Of misschien moedigt het huwelijk mannen aan een gezondere levensstijl aan te nemen. Er zijn onderzoeksresultaten die alle drie de visies ondersteunen. Om een voorbeeld te geven: in een studie die aan het begin van de jaren '90 werd uitgevoerd, gericht op de toekomst van mannen en vrouwen tussen de 21 en 24, bevatte de groep die op 24-jarige leeftijd nog niet was getrouwd een groter aantal probleemdrinkers dan de groep van 21-jarigen.[45] De veronderstelling in deze studie was dat het huwelijk uitgesteld werd door degenen die een alcoholprobleem hadden. Een andere conclusie werd ondersteund door de resultaten van een analyse van twaalf studies die waren samengevoegd, en waarin werd aangetoond dat nooit-getrouwd-zijn of alleenstaand-blijven samenging met een toenemende alcoholconsumptie, terwijl trouwen gepaard ging aan een afname van alcoholconsumptie.[46] Een gedetailleerd Zweeds onderzoek heeft eveneens aangetoond dat stijgende rook- en drankcijfers deels verklaren waarom het sterftecijfer van mannen van middelbare leeftijd in Zweden twee maal zo hoog is bij de gescheiden als bij de getrouwde bevolking.[47]

Kankeronderzoek heeft soortgelijke resultaten opgeleverd. Verschillende Britse studies hebben aangetoond dat mensen die gescheiden zijn een aanzienlijk hoger risico lopen om kanker te krijgen dan welke andere statusgroep ook, en dat het vooral geldt voor gescheiden mannen.[48] Bij onderzoek van een representatieve steekproef uit een bestand van 27.779 kankergevallen werd een significant sterke relatie gevonden tussen de huwelijkse staat en het overleven van kanker.[49] Getrouwd-zijn hangt samen met een toename van vijf jaar overleven, wat vergelijkbaar is met een tien jaar jongere leeftijdscategorie. Zelfs na het controleren van de ernst van de kanker op het tijdstip van de diagnose (getrouwde mensen worden meestal eerder gediagnosticeerd, wellicht dankzij de bezorgdheid van de partner), hebben getrouwde mensen een betere overlevingskans dan ongetrouwde mensen, onder wie degenen die gescheiden zijn de laagste overlevingskans lijken te hebben, met een risico van 1,27 in vergelijking met de getrouwde bevolking (1,00).

Het huwelijk maakt mannen niet alleen gezonder, maar ook gelukkiger. Het is aangetoond dat gehuwd-zijn een goede geestelijke gezondheid voorspelt, en daarop meer invloed heeft dan leeftijd, ras of de achtergrond van de kindertijd. Getrouwd-zijn wordt door mannen geassocieerd met hogere scores in de mate van bevrediging in het huiselijk leven in het bijzonder en het leven in het algemeen, met geestelijke gezondheid en met geluk.[50] Maar, zoals David Jewell aangeeft, de tevredenheid over de huwelijkse staat gaat bij mannen – in tegenstelling tot de algemene opvatting – niet ten koste van de gezondheid en het geluk van vrouwen.[51] Uit een aantal studies uit de vs en Europa komen lagere sterftecijfers en cijfers voor psychologische nood te voorschijn bij getrouwde mensen in vergelijking met alleenstaande mannen en vrouwen. Er is echter één interessant verschil: wat voor het geluk van vrouwen belangrijk schijnt te zijn, is hoe goed en emotioneel bevredigend hun huwelijk is, terwijl dat voor mannen alleen het getrouwd-zijn zelf is. Vrouwen lijken zich meer bezig te houden met de *kwaliteit* van hun huwelijksleven. Mannen lijken tevreden te zijn met het getrouwd-zijn op zich.

Zelfmoord

Zelfmoord komt tussen de twee en de vijf keer vaker voor bij mannen dan bij vrouwen in Europa, Noord-Amerika, Afrika en Latijns-Amerika. Deze genderverhouding is minder geprononceerd in Azië: 1,7:1 in Japan en 1,3:1 in India en Hong Kong. In Groot-Brittannië komen ongeveer 6.000 zelfmoorden per jaar voor: elke 85 minuten één. De cijfers voor zelfmoord onder mannen in alle leeftijdsgroepen en in de meeste landen zijn de afgelopen 30 jaar aanzienlijk gestegen, en wel het meest dramatisch in de leeftijdsgroep van 15 tot 24 jaar. In veel delen van de wereld is zelfmoord bij jonge mannen, na dood door een ongeluk, tegenwoordig de meest voorkomende doodsoorzaak.[52] De verhouding van zelfmoord op jeugdige tot die op oudere leeftijd varieert bij mannen eveneens van de ene maatschappij tot de andere, maar over het algemeen neemt de verhouding met de leeftijd toe.[53] De afgelopen jaren is het sterftecijfer door zelfmoord onder jonge mannen dat van oudere mannen gaan overstijgen.

In de meeste Europese landen zijn ongeveer driekwart van de mensen die zichzelf van het leven beroven, mannen. Een even opmerkelijke ontdekking is dat het zelfmoordcijfer onder vrouwen – veel lager dan dat onder mannen – stabiel blijft. Kan dit zijn omdat de mannelijke stereotypering een grote waarde hecht aan emotionele zelfbeheersing, terughoudendheid, stoïcisme, onafhankelijkheid en onkwetsbaarheid? Wanneer vrouwen in emotionele nood of in een crisis verkeren, slaan ze veel eerder alarm dan mannen – hulpkreten (zogenoemde parasuïcidale handelingen of letsel dat ze zichzelf opzettelijk toebrengen) komen veel vaker voor bij vrouwen dan bij mannen. Vrouwen schreeuwen het uit. Mannen halen uit. Zelfmoord onder mannen hangt sterk samen met depressie,[54] overmatig alcoholgebruik[55] en drugsgebruik.[56] Het verband met overmatig alcoholgebruik bij jonge mannen is belangrijk, maar de aard van dat verband moet nog uitgezocht worden.[57]

Zelfmoord is een zeer agressieve handeling, ook al is dat niet de bedoeling – het motief achter veel zelfmoorden is de nabestaanden een hoop moeite en zorg te besparen, niet te bezorgen. Maar de intensiteit van de pijn die degenen die achterblijven voelen, het schuldgevoel en de tegenbeschuldiging en het zelfonderzoek zijn verschrikkelijk. Een tijd lang was de theorie populair dat suïcide en homicide omgekeerd met elkaar in verhouding stonden, dat moorddadige agressie naar buiten of naar binnen kon slaan. Tegenwoordig gelooft men dat, ofschoon ze aan elkaar gerelateerd zijn, het niet een of/of-verhouding is. Hebert Hendin, algemeen directeur van de American Suicide Foundation en hoogleraar psychiatrie aan het New York Medical College schrijft: 'Zelfmoord en geweld vertonen veel overeenkomsten, zelfs al zijn ze niet in hetzelfde individu aanwezig. Hopeloosheid en wanhoop behoren bij beide. Dat geldt ook voor problemen met het verwerken van frustratie en verlies, en met het effectief uiten van agressie. Het is noodzakelijk om geweld te begrijpen om zelfmoord ten volle te kunnen begrijpen, en noodzakelijk om zelfmoord te begrijpen om geweld ten volle te kunnen begrijpen. Het is even belangrijk om de suïcidale intentie te zien die achter homicide schuil kan gaan, als de homicidale intentie die verborgen kan zijn achter zelfmoord. Zelfmoord kan toegepast worden om homicidale neigingen te onderdrukken, die het individu dreigen te overweldigen op een manier die veel beangstigender is dan de dood. Suïcidale intentie kan eveneens een homicide ontketenen en toestaan die anders niet zou hebben plaatsgevonden.'[58]

Die visie wordt ondersteund door een onderzoek onder jonge mannen, dat uitgevoerd werd door de vrijwillige-hulpdienst de Samaritans in Groot-Brittannië.[59] Meer dan één op de drie suïcidale jonge mannen zeiden dat ze eerder 'iets aan stukken zouden slaan' dan over hun gevoelens praten, velen gaven toe dat ze op ruzie uit waren, terwijl 70 procent zei dat zij zelf het slachtoffer waren geweest van geweld door een volwassene, en 50 procent was in aanraking geweest met de politie. Suïcidale jonge mannen geloofden veel eerder dat hun vader wilde dat ze hun eigen strijd aangingen. Ze vervielen in veel grotere mate tot drugs, alcohol en sigaretten dan hun niet-gedeprimeerde en niet-suïcidale tegenhangers. Velen vertelden dat ze zonder vader waren opgegroeid, en bij jonge mannen met depressies en zelfmoordneigingen kwam het vaak voor dat ze een stiefvader hadden gehad. Een dubbelleven werd beschreven 'waarin een façade of schulp een innerlijke beroering verhulde tot "de verdediging instort en alles uit elkaar valt". Verwachtingen van het milieu waarin zij verkeerden, zowel van leeftijdgenoten als van oudere mannen, zorgden voor extra druk. De algemene overtuiging was dat hulp zoeken je in een kwetsbare of zwakke positie bracht.'[60]

Toen Sean, een 21-jarige technicus, voor de eerste keer bij mij kwam, had hij een zelfmoordpoging overleefd waarbij hij een grote dosis paracetamol had geslikt en in de auto van zijn vader een meer in was gereden. Een voorbijganger had gezien dat de auto van de weg raakte, hem gered en naar een ziekenhuis gebracht, waar hij met succes gereanimeerd was. Sean ontkende dat hij gedeprimeerd was, maar gaf toe dat het slecht ging met zijn werk; hij voelde zich een hopeloze mislukkeling en vergeleek zichzelf met vrienden die het allemaal veel beter aanpakten. Hij zag er weinig heil in om verder te leven. Toen hem gevraagd werd waarom hij geen hulp had gezocht, zei Sean dat hij er niets voor voelde om anderen met zijn problemen lastig te vallen, dat een beetje man zijn eigen problemen oploste en dat hij verder niet wist wat anderen voor hem zouden kunnen doen.

Sean had twee heel duidelijke opvattingen over hulp zoeken. Het had weinig nut en sterke mensen moesten hun problemen oplossen zonder anderen ermee lastig te vallen. Hij had in het verleden nog nooit iemand in vertrouwen genomen – zijn ouders niet, zijn broers of zusters niet, zijn vrienden niet. Het was dus geen wonder dat al deze mensen zijn onafhankelijkheid aanzagen voor kracht. Toen hij had geprobeerd zichzelf van het leven te beroven, vroeg iedereen zich af: 'Wie had gedacht dat Sean zoiets zou doen? Hij kwam altijd zo sterk over.'

Het probleem met zelfmoord is dat het tegelijk een verkondiging is dat het leven niet onder controle gehouden kan worden, en een demonstratie van ultieme controle. De persoon die besluit dat de dood te prefereren is boven het leven kan raad en hulp hebben gezocht voordat hij die beslissing nam. Veel van de mannen echter die zelfmoord plegen zoeken nooit hulp, in elk geval niet openlijk. Het is alsof veel mannen liever sterven dan toegeven dat ze hulp nodig hebben en liever de ultieme persoonlijke beslissing nemen – die van de zelfver-nietiging – dan toegeven dat ze zichzelf niet onder controle hebben. Hopeloosheid en wanhoop komen veel voor, zowel bij het doden van anderen als bij zelfdoding, voert Herbert Hendin aan. De meeste man-nen die zich hopeloos en wanhopig voelen, vinden het moeilijk om toe te geven dat ze een probleem hebben. Zelfs als ze zichzelf ertoe dwingen om hulp te zoeken, dan nog vinden ze het moeilijk zich van hun last te ontdoen en hun hart uit te storten om de hulpverlener in staat te stellen hulp te bieden.

Sociale steun

Mannen vinden het niet alleen moeilijk om hun gevoelens te uiten, zich open te stellen, om hulp te vragen. Ze zijn psychologisch en sociaal meer geïsoleerd. Ze hebben minder intieme persoonlijke steun dan vrouwen en wanneer ze zich wél openstellen heeft dat gebrek aan een emotioneel netwerk belangrijke en meetbare implicaties voor de gezondheid. Het is echter verbazingwekkend dat er weinig gezaghebbende studies bestaan over de relatie tussen mannelijke vriendschap (en het gebrek eraan) en gezondheid.[61] In hun onderzoek naar volwassen Amerikaanse mannen trokken Daniel Levinson en zijn collega's de conclusie dat vriendschap grotendeels opviel door afwezigheid.[62] Ze gingen nog ver-der en ontdekten dat 'Amerikaanse mannen zelden een intieme vriend-schap met een man of een vrouw hebben'. Ik denk niet dat deze con-clusie alleen geldt voor Amerikaanse mannen. Over het algemeen heb-ben mannen vele vriendschappelijke en sociale relaties met andere man-nen en ook met vrouwen, maar de meeste mannen hebben geen intie-me vriendschap van het soort dat ze zich met voldoening herinneren uit hun jeugd. Veel mannen hebben een kortstondige, oppervlakkige relatie met een vrouw gehad, waaraan bijna altijd een mate van seksu-ele intimiteit te pas kwam, maar de meeste mannen hebben nog nooit een intieme, niet-seksuele vriendschap met een vrouw gehad. Er zijn aanwijzingen dat homoseksuele mannen wellicht meer goede, intieme vrienden hebben dan heteroseksuele mannen.[63] Dat komt misschien doordat ze een groter scala aan persoonlijke contacten of een grotere behoefte hebben aan een 'uitgebreide familie' van vrienden. Hetero-seksuele mannen en vrouwen hebben vaker relaties van allerlei soorten binnen de familiekring en dat zou kunnen verklaren dat ze een gerin-ger aantal intieme vrienden hebben.

Een van de meest substantiële, consistente en veronachtzaamde bevindingen in de hele medische wetenschap is, dat de aanwezigheid van intieme en ondersteunende familieleden en vrienden ons behoedt voor en beschermt tegen het toeslaan van ziekte. Wat de Amerikaanse arts Dean Ornish 'de genezende kracht van intimiteit' heeft genoemd, is bevorderlijker voor de gezondheid dan stoppen met roken, niet te dik worden, gezond eten en lichamelijke oefening bij elkaar.[64]

Sociale steun heeft te maken met de achting, betrokkenheid, hulp en genegenheid die verschaft worden door het steunnetwerk van een individuele persoon, dat meestal bestaat uit familie, vrienden en collega's. Wanneer er een gebrek is aan sociale steun, treedt een versterking op in het effect dat biologische factoren kunnen hebben op ziekte en sociale stressfactoren als armoede, slechte woonsituatie en werkloosheid. Het wetenschappelijk bewijs is even overtuigend als het bewijs dat roken longkanker kan veroorzaken, maar wordt in de medische en politieke reacties op ziekte grotendeels genegeerd. Dat is niet nieuw. Ruim 40 jaar geleden begonnen onderzoekers aan het California Department of Health Services met een onderzoek onder ongeveer 7.000 personen uit Alameda County in de buurt van San Francisco. Gedurende een vervolgperiode van negen jaar bleek dat personen die weinig sociale steun hadden – die geïsoleerd waren, geen lid van een club of gemeenschap waren, wier contact met familie en vrienden nauwelijks ontwikkeld was, moeizaam verliep of niet bestond – twee tot drie maal meer kans hadden te overlijden.[65] Deze resultaten waren niet gerelateerd aan leeftijd, etnische groepering, tabaks- en alcoholgebruik, overeten, lichamelijke oefening of het gebruikmaken van de gezondheidszorg. Ook was het geslacht geen factor – vrouwen met weinig sociale steun liepen dezelfde kans om te sterven als mannen. Maar mannen hebben natuurlijk een slechter steunnetwerk. In een andere klassieke studie, dit keer onder 13.000 mensen in Noord-Karelië in Finland, liepen mannen die sociaal geïsoleerd waren een twee tot drie keer zo grote kans om te sterven als degenen die een groter gevoel van sociale verbondenheid hadden en deel uitmaakten van een familie en een gemeenschap. Ook hier bleven de resultaten hetzelfde, zelfs als er op andere, vertekenende factoren voor hart- en vaatziekten als cholesterolgehalte, bloeddruk en roken werd gecontroleerd.[66]

De resultaten in Alameda County toonden aan dat personen die er een ongezonde levensstijl op nahielden, die te zwaarlijvig waren, een hoge bloeddruk hadden, rookten en een hoog cholesterolgehalte hadden, in feite langer leefden dan degenen die een gezondere levensstijl maar een slecht sociaal netwerk hadden. Degenen die een gezonde levensstijl én een goed ontwikkeld sociaal steunnetwerk hadden, leefden het langst. Bij een ander onderzoek werden 2.800 Nederlandse mannen en vrouwen tussen de 55 en 85 jaar oud bestudeerd om de mate van eenzaamheid te bepalen en de mate waarin mensen van zichzelf vonden dat ze emotionele steun kregen of niet.[67] Degenen die vonden dat ze omringd waren door een liefdevolle vriendenkring 'zagen de kans dat ze doodgingen met de helft verminderen' in vergelijking met degenen die vonden dat ze emotioneel geïsoleerd waren. Voor degenen die de meeste zelf-toegegeven gevoelens van eenzaamheid hadden, gold zelfs bijna een verdubbeling van het sterftecijfer vergeleken met dat van degenen die het gevoel hadden dat ze emotioneel en sociaal verbonden waren met anderen.

Misschien wel de meest fascinerende studie op dit gebied werd verricht door Thomas Oxman en zijn collega's aan de University of Texas Medical School.[68] Zij onderzochten de relatie van sociale ondersteuning en godsdienstig geloof met het sterftecijfer van mannen en vrouwen die er vrijwillig voor hadden gekozen een open-hartoperatie te ondergaan. Ze stelden twee hoofdvragen. De eerste had betrekking op regelmatige deelname aan georganiseerde sociale evenementen. De tweede was gericht op de kracht en troost die geput wordt uit religieus of spiritueel geloof – ongeacht welk geloof. Ze ontdekten dat degenen die weinig deelnamen aan georganiseerde sociale groepen een vier maal zo groot risico liepen zes maanden na de operatie te sterven als degenen die sociale steun kregen en gaven. Degenen die geen troost en kracht putten uit hun religie, liepen drie maal eerder de kans zes maanden na de operatie te sterven dan degenen die heel gelovig waren. Degenen die noch sociale noch spirituele steun genoten, liepen zeven keer meer kans om zes maanden na de operatie te overlijden.

Dit is slechts een handjevol studies uit een grote en steeds toenemende hoeveelheid. Ze zijn op indrukwekkende wijze samengevat door Ornish, die concludeert dat 'sociale steun, banden, gemeenschap en verwante ideeën allemaal te maken hebben met een gemeenschappelijk thema. Als je het gevoel hebt dat er iemand is die van je houdt en om je geeft, als je je gekoesterd en ondersteund voelt en als je intiem bent met iemand, dan is de kans groter dat je gelukkig en gezond bent. Dan is de kans dat je ziek wordt veel geringer en als je wel ziek wordt, dan heb je een grotere kans dat je het overleeft.'[69]

Maar hoe zit het met de verbintenissen tussen mannen die in de kroeg, op het sportveld, in clubs en op de werkvloer gesloten worden? Hoe zit het met de genegenheid en kameraadschappelijkheid die veel jonge mannen delen, het 'toffe jongens onder elkaar'-gevoel, dat mengsel van drinken, stoeien, seksuele branieschopperij en sociaal wangedrag waar jonge mannen zich in uitleven en waarin ze vriendschap en genegenheid vinden? Het probleem is dat intimiteit, het laten vallen van emotionele maskers en het uiten van de meest persoonlijke gevoelens en gedachten schadelijk is voor dergelijke verbintenissen. Het toffe-jongensgevoel heeft onder andere als eigenschap dat intieme gevoelens op uitdagende wijze worden beschouwd als iets dat in beginsel vrouwelijk is, en dat dat geprojecteerd wordt op vrouwen, met alle ermee samenhangende en verafschuwde connotaties van zwakheid en afhankelijkheid. Een groot deel van wat doorgaat voor verbintenissen tussen mannen kan beter beschreven worden als een proces van gemeenschappelijke initiatie, een rite de passage waarbij jongens en adolescente mannen, apart en in een groep, langzaam een overgang naar het man-zijn bewerkstelligen. Een man maken van een kleine jongen vergt, in de toepasselijke woorden van Norman Mailer, het winnen van kleine veldslagen. Vanuit een dergelijk perspectief is mannelijkheid niet iets waarmee je geboren wordt, maar iets wat je behaalt door te overwinnen en te presteren.

Het man-zijn is problematisch, een beslissende drempel die jongens over moeten door middel van testen en beproevingen. Die worden in elke maatschappij anders gedefinieerd maar zijn, volgens de Amerikaanse antropoloog David Gilmore, te vinden op alle niveaus van socioculturele ontwikkeling, 'zowel onder krijgsvolkeren als onder volkeren die nog nooit uit woede hebben gedood'.[70] Alle mannen, jong, van middelbare leeftijd en oud, zelfs al bevinden ze zich in langdurige relaties van genegenheid en kameraadschap, zijn in een dergelijke strijd gewikkeld op elk terrein van hun leven – als echtgenoot, kostwinner, vader, minnaar, krijger. Wat de mannen betreft die de toets niet doorstaan, de slappe mannen, de zwakkelingen: die worden bespot en beschimpt en als voorbeeld voorgehouden om aan te zetten tot naleving van het ideaal van de beproefde man die de testen heeft doorstaan. Door Gilmore herinneren we ons de kracht van het idee van het man-zijn, bereikt door beproeving en met als voorbeeld de 'viriliteitsschool' van de Amerikaanse literatuur, waarbij inbegrepen beroemdheden als Ernest Hemingway, Jack London, William Faulkner, John Dos Passos en Robert Stone. Norman Mailer is de meest uitgesproken vertegenwoordiger van die school. In zijn *Armies of the Night* staat het definitieve statement van het man-zijn als een Heilige Graal die in bezit genomen kan worden na een lange en veeleisende beproeving: 'Niemand was een geboren man; je verdiende je mannelijkheid als je goed genoeg, brutaal genoeg was.'[71] Mailers rauwe, vechtlustige concept van masculiniteit is niet beperkt tot de Amerikaanse cultuur, maar is in aangepaste of uitgebreide vorm ook in vele andere culturen te vinden.[72]

Veel van de mannen die ik in de loop der jaren heb geïnterviewd – mannen als regisseur Jonathan Miller, acteur Stephen Fry, psychiater R.D. Laing, violist Nigel Kennedy, romanschrijver Anthony Burgess en bergbeklimmer Chris Bonington – beschreven hun jeugd en puberteit spontaan als een tijd van beproeving waarin hun kracht en vermogen om gevoelens te ontkennen (angst, pijn, verdriet en verlies) hun status als man bepaalden. De Britse kostschool, met zijn riten van lichamelijk geweld en intimidatie door oudere leerlingen, werd beschouwd als een natuurlijke plaats voor de ontwikkeling van onafhankelijkheid en de beheersing van emoties bij jonge jongens, eigenschappen die kenmerkend zijn voor de volwassen man. Vaders waren eerder heel beheerst in hun emoties, gereserveerd, het waren tamelijk afstandelijke individuen die op onpersoonlijke en cerebrale manier met hun kinderen communiceerden. Een dergelijk waardesysteem was met de hogere stand en middenstand in het Britse leven verweven en heeft ertoe bijgedragen dat er een concept van mannelijkheid ontstond dat werd gekenmerkt door onafhankelijkheid, beheersing van de emoties en een diepe argwaan jegens intimiteit.

Veel mannen verwaarlozen persoonlijke relaties en vinden intimiteit eng. En de meedogenloze druk op het werk eist een aanzienlijke en ondermijnende tol van het vermogen om een rijk sociaal netwerk te cultiveren en onderhouden, een netwerk dat gekarakteriseerd wordt door emotionele intimiteit en wederzijdse steun. Mijn eigen ervaring als echtgenoot, vader en dokter bevestigt dat, evenals mijn ervaring in de samenwerking met vaklieden en zakenlieden die hun handen vol hebben aan het verwerken van de eisen die hun werk en privéleven stellen. Van oudsher hebben werkende mannen het moeilijk gevonden om tijd en energie te besteden aan vrienden en familie; ook vrouwen ervaren de terreur van de werkvloer. Er is terecht veel ophef gemaakt over het rollenconflict dat vrouwen ervaren die verscheurd worden door de tegenstrijdige eisen van hun openbare leven en hun privéleven. Helaas is er minder aandacht besteed aan het vergelijkbare dilemma voor mannen – grotendeels omdat mannen het nooit onder woorden hebben gebracht, noch de behoefte voelen om er iets aan te doen. Mannen lijken er tevreden mee te zijn dat ze een substantieel deel van hun leven besteden aan het streven naar de hoogste positie in hun beroep, blind voor wat de prijs is in termen van gezondheid en een gelukkig leven.

Wanneer ze de top hebben bereikt in het beroep dat ze gekozen hebben, vinden veel mannen het tegenvallen of houden ze het niet lang vol omdat ze het niet aankunnen, omdat ze bekritiseerd of beconcurreerd worden door jongere mannen, aan stress of aan verveling lijden, of gewoon ontslagen worden. Steeds meer mannen van middelbare leeftijd zijn het slachtoffer van wat eufemistisch 'op de tocht zitten' wordt genoemd; in 1996 verklaarde de Joseph Rowntree Foundation dat in Engeland een op de vier mannen ouder dan 55 jaar, en bijna de helft van de mannen van 60 jaar en ouder geen baan meer hebben. Bezuinigingen, gedwongen VUT-regelingen en de wens om vroeg met pensioen te gaan snijden mensen af van het werk.

Deze verandering is dramatisch. Dertig jaar geleden was meer dan 95 procent van de mannen tussen de 55 en 59 en meer dan 90 procent van de mannen tussen de 60 en 64 nog steeds economisch actief, terwijl een op de vier werkte tot zijn vijfenzestigste. Uit de cijfers die voorhanden zijn valt moeilijk te onderscheiden tussen degenen die vrijwillig met vervroegd pensioen zijn gegaan en degenen die gedwongen ontslag kregen, omdat veel mannen het risico niet willen lopen dat ze gezichtsverlies lijden door toe te geven dat ze ontslagen of afgevloeid zijn, en het in plaats daarvan hebben gebracht alsof ze met vervroegd pensioen zouden zijn gegaan. Werkgevers en de banenmarkt discrimineren ten gunste van jongere mensen en vrouwen in plaats van mannen.

De psychologische problemen van mannen van in de vijftig die hun baan plotseling kwijtraken, zijn enorm. Deze mannen zijn van een generatie wier mannelijke identiteit verbonden was met hun werk. Een heleboel mannen hebben hun hele leven aan bedrijven en ondernemingen gegeven, beginnend in hun tienerjaren op een lage positie en eindigend op de pensioengerechtigde leeftijd op een positie met status en anciënniteit. Een man was wat hij deed. Maar als een man niets doet, of als dat wat hem voorheen definieerde weggenomen wordt, dan is hij, hoe je het ook wendt of keert, geen man meer. Hij is dood. Klinisch gesproken kom ik veel van dit soort mannen tegen. Ze plegen geen zelfmoord. Ze verkommeren heel langzaam. Hun echtgenotes kijken niet-begrijpend toe, want tijdens de loopbaan van hun man hebben deze vrouwen (die inmiddels zelf ook in de vijftig zijn) hobby's ontwikkeld, vriendschappen gecultiveerd, zich beziggehouden met vrijwilligerswerk in de gemeenschap en een veelzijdige en intrinsiek sterke identiteit gecreëerd. Het zal nog moeten blijken of een jongere generatie vrouwen, die zich met succes met de mannen meten op de werkvloer en die hun eigen identiteit en eigenwaarde voornamelijk op het werk ervaren, aan een dergelijk verlies van eigendunk zullen lijden wanneer zij afgevloeid worden. In de tussentijd hebben de meeste oudere getrouwde vrouwen die gewerkt hebben een bijna totale identificatie met hun baan vermeden en er een hechte vriendenkring, een handvol hobby's en interesses op na gehouden.

George is een 60-jarige directeur die, kort nadat hij gepensioneerd werd door het bedrijf waar hij als 15-jarige was begonnen als boodschappenjongen, bij mij terechtkwam. Zijn klachten waren depressiviteit, geheugenstoornis en nergens zin in hebben. Hij bleef elke ochtend in bed liggen, had zich vrijwel geheel afgezonderd, zag zijn golfvrienden steeds minder vaak en ging er alleen 's avonds uit om in zijn eentje in zijn stamcafé iets te drinken. Zijn vrouw, die bijna hun hele huwelijksleven thuis was gebleven om de kinderen op te voeden, was intussen actief geworden in een aantal vrijwilligersorganisaties, speelde tweemaal in de week bridge en bezichtigde huizen van architectonisch belang met de leden van een vereniging waarvan zij penningmeester was. Zij vond de psychologische en sociale terugval van haar man zorgwekkend en belastend. Na verschillende sessies ontpopte George zich als een gedeprimeerd en verbitterd man. Hij was gedeprimeerd door zijn gebrek aan inzet, dat hij weet aan het feit dat hij in zijn tijd bij het bedrijf nooit enige interesse of hobby buiten zijn werk had ontwikkeld. 'Mijn werk was alles voor me,' vertelde hij mij. 'Ik vond het heerlijk om naar mijn werk te gaan. Ik had een hekel aan vakanties. Ik heb geen moment nagedacht over pensioen of een leven zonder werk.' Ook had hij nooit zijn dag hoeven plannen: als hij op het werk kwam, dan lag er een agenda op zijn bureau waarin de gebeurtenissen en activiteiten genoteerd waren. Toen het bedrijf door een ander werd overgenomen raakte hij zijn baan kwijt, maar hij kreeg wel een aanzienlijk bedrag oftewel een 'gouden handdruk', zodat hij geen financiële zorgen had. Het geld verschafte hem echter weinig troost. Hij voelde zich juist ver-

raden, teleurgesteld in een bedrijf waaraan hij voor zijn gevoel (met enig recht) zijn hele leven had opgeofferd. Ook voelde hij zich enigszins verraden door zijn vrouw en kinderen. Hij had verwacht dat ze er zouden zijn wanneer hij ze nodig had en dat ze steun en aanmoediging zouden bieden. In plaats daarvan hadden ze het druk met hun eigen leven. 'Ik heb mijn leven voor ze opgeofferd. Het minste wat ze zouden kunnen doen is hetzelfde voor mij doen nu ik ze nodig heb.' Pogingen om hem te laten inzien waarom zijn totale overgave aan zijn werk in de eerste jaren van zijn huwelijk, toen zijn kinderen opgroeiden, ertoe had geleid dat zijn vrouw en kinderen hun eigen interesses en levens ontwikkelden, werden door hem weggewuifd. Pogingen om hem over te halen zijn leidinggevende vaardigheden in te zetten in deeltijd- of vrijwilligerswerk en betrokken te raken bij de interesses en hobby's van zijn vrouw en vrienden, hadden beperkt succes. Hij bleef 's ochtends moeilijk uit bed komen; zoals hij zelf zei: 'Ik heb nog nooit mijn dag hoeven indelen, hij viel gewoon op zijn plaats.'

Mannen, vrouwen en werk

Als professor Hendin gelijk heeft en de zelfmoordcijfers voor mannen niet alleen aangeven dat mannen steeds depressiever worden maar wellicht ook steeds kwader, waar worden ze dan zo depressief van en kwaad over? Zoals zoveel agressie zou dit heel goed de neerslag kunnen zijn van, en wordt het in elk geval verergerd door territorium-invasie, dat wil zeggen vrouwen die steeds meer territorium van mannen in beslag nemen door een baan te nemen.

Laten we even stilstaan bij de omvang van deze transformatie in de ontwikkelde wereld. In Groot-Brittannië was in 1997 driekwart van de vrouwen tussen de 25 en 44 jaar economisch actief, in vergelijking met iets meer dan de helft in 1971. Terwijl naar verhouding het aantal economisch actieve vrouwen is toegenomen, is het aantal economisch actieve mannen naar verhouding afgenomen. In 1971 was 98 procent van de mannen tussen de 45 en 54 jaar economisch actief; in 1997 was dat afgenomen tot 91 procent. Dat lijkt misschien niet zo'n grote terugval, maar de trend is veelbetekenend. Naar schatting zal in 2011 58 procent van alle vrouwen economisch actief zijn in vergelijking met 70 procent van alle mannen.[73] (De reden voor de veel lagere cijfers is dat in 2011 naar verhouding een veel groter aantal mannen en vrouwen met pensioen zullen gaan.)

In een van de machinekamers van de moderne maatschappij, de geldwereld, is de verandering frappant. Bestond in 1972 slechts 1 procent van de leden van het Britse Institute of Bankers uit vrouwen, in 1989 was dit percentage gestegen tot 29 procent. Vandaag de dag is 40 procent van het personeel in het bankwezen, het financieel beheer en de verzekeringsbedrijven van het vrouwelijk geslacht. Critici zullen met het argument komen dat in 1988 slechts 3 procent van de managers en bestuursleden uit vrouwen bestond, maar de basis was klein. Iedereen kan de voortekenen heel duidelijk zien. In datzelfde jaar 1988 bestond 57 procent van de pas afgestudeerden die het bankwezen en financieel beheer ingingen, uit vrouwen. Zelfs al bestaat er zoiets als een glazen plafond dat vrouwen verhindert het percentage topbanen te bereiken waar ze recht op hebben, dan nog stijgt het aantal vrouwen dat voor een dergelijke baan in aanmerking komt, onmiskenbaar met het jaar.

Laten we naar een ander mannelijk bolwerk kijken: de civiele dienst. Bijna de helft van alle werknemers met een volle baan in de niet-industriële civiele dienst bestaat uit vrouwen, maar in 1988 werd slechts 5 procent van de banen in de top drie van civiele rangen door vrouwen bezet. Dus wat hebben mannen te vrezen? Dezelfde aanhoudende trend als bij het bankwezen: de vrouwen rukken op. In 1988 bestond 35 procent van de ambitieuze stagiaires in de ambtenarij uit vrouwen, vergeleken met 28 procent in 1986.

En hoe zit het binnen de twee respectabele conservatieve beroepen, rechten en medicijnen? Dertig jaar geleden was slechts 30 procent van de medicijnenstudenten van het vrouwelijke geslacht. In 1988 was dat cijfer gestegen tot 47 procent. In 1998 was het, volgens de meest recente cijfers van het Higher Education Statistics Agency (HESA), 53 procent.[74] In 1989 werd een vrouw gekozen als voorzitter van het Royal College of Physicians, voor de eerste keer in de 471 jaar van zijn bestaan. Een op de zeven consulterend geneesheren en een op de vijf huisartsen is vrouw. In Ierland is de situatie nog gunstiger voor vrouwen: 25 procent van de consulterend geneesheren en een op de drie huisartsen is vrouw.

Met betrekking tot de juridische beroepen lijkt het erop dat mannen in het Verenigd Koninkrijk minder reden tot bezorgdheid hebben. In 1986 bestond slechts 15 procent van de personen met een praktijkbevoegdheid uit vrouwen, was maar 7 procent van de partners van advocaten van het vrouwelijk geslacht en slechts 4 procent van de rechters van het Hoge Gerechtshof (een totaal van 3 op de 75).

Maar er doet zich dezelfde trend voor. Sinds 1991 zijn er in het vak meer vrouwen bijgekomen dan mannen. Weer is de situatie voor vrouwen hoopvoller in Ierland – in 1996 was een op de drie advocaten en procureurs vrouwelijk, terwijl in de periode 1994-'98 meer dan de helft van de procureurs die zich lieten inschrijven bij de Ierse Law Society uit vrouwen bestond. Het aantal Ierse advocaten van het vrouwelijk geslacht is in de afgelopen 30 jaar bijna verzesvoudigd, van 5 procent in 1968 tot 29 procent in 1997/'98. In de advertentiewereld is eenzelfde trend waarneembaar. In 1960 bedroeg het aantal vrouwen dat in die branche werkzaam was, 38 procent. In 1989 was dat aantal gestegen tot 47 procent. De stijging vond plaats in de professionele rangen van agentschappen. In 1960 bijvoorbeeld was ruim tweederde van de vrouwen met een baan werkzaam in secretariële, geestelijke of administratieve functies; in 1989 was slechts de helft van de vrouwen werkzaam in die banen, de andere helft had gekozen voor een beroep. Men zegt wel dat de voornaamste reden dat vrouwen ondervertegenwoordigd zijn in de top van de reclamewereld, is dat er vijftien tot twintig jaar geleden, toen de huidige lichting topmanagers begon, heel weinig vrouwelijke rekruten waren. Twintig jaar geleden was slechts 19 procent van de afgestudeerden die een professioneel beroep gingen uitoefenen, van het vrouwelijk geslacht. Vijftien jaar geleden was dat cijfer gestegen tot 23 procent. Tegenwoordig is het 45 procent. Marilyn Baxter, planningdirecteur bij Saatchi & Saatchi en schrijfster van een belangrijk rapport over arbeidskrachten en personeelswerving, beweert dat sollicitatiecommissies steeds meer geneigd zijn te denken dat vrouwen de beste kandidaten vormen bij selectiegesprekken met afgestudeerden: 'Afgestudeerde vrouwen komen veel bevalliger, spreekvaardiger, volwassener en met meer zelfvertrouwen over dan de mannelijke kandidaten, die vaak onhandig en incoherent zijn. De vrouwen presenteren zichzelf veel beter.'[75]

Deze gestage opwaartse trend van werkende vrouwen is nogal ondergewaardeerd geweest in de context van de moeilijkheden die vrouwen ondervinden bij het innemen van sommige van de hoogste en machtigste posities binnen de arbeidswereld. Al hebben vrouwen enorm veel vooruitgang geboekt, de mannen hebben nog steeds de meeste machtsposities in handen en vertonen weinig neiging om een stap opzij te doen. Een dergelijke situatie wordt geïllustreerd door een beroepssector als het onderwijs, waarin al in 1987 vrouwen de meerderheid in lesgevende functies hadden – 60 procent –, maar slechts 41 procent van de hoofdonderwijzers was van het vrouwelijk geslacht. Op middelbare scholen blijven het de mannen die een grotere kans hebben om de hogere aanstellingen in te pikken. Op universiteiten is de ongelijkheid tussen de geslachten zelfs nog opmerkelijker: in 1986 bestond slechts 36 procent van het wetenschappelijk personeel en 3 procent van de hoogleraren uit vrouwen.

In 1999 onderzocht Joyce O'Connor, voorzitter van het National College of Ireland, de mate waarin vrouwen in de arbeidsmarkt waren doorgedrongen tijdens de recente fenomenale groei van de Ierse economie, evenals de hindernissen bij hun toekomstige vooruitgang. In haar verhandeling, een heldere samenvatting van de huidige situatie, noemt O'Connor drie hoofdveranderingen in relatie tot de rol van Ierse vrouwen in de beroepsbevolking.[76] Ten eerste heeft er een massale stijging plaatsgevonden van het aantal vrouwen dat buitenshuis werkt – van 275.600 in 1971 tot 488.000 in 1996. In dezelfde periode veranderde het aantal werkende mannen nauwelijks. Ten tweede is er een stijging geweest in het aantal getrouwde vrouwen en moeders dat is gaan werken. In 1971 bestond slechts 14 procent van de werkende bevolking uit getrouwde vrouwen. In 1996 was de helft van de vrouwelijke werkende bevolking getrouwd; een op de vijf van de totale werkende bevolking was een getrouwde vrouw. Ten derde was het aantal echtparen waarvan beide partners buitenshuis werkten even groot als het aantal paren waarvan alleen de man werkte. Niet alleen zijn er meer Ierse vrouwen met betaald werk, ook zijn er meer werkzaam in leidinggevende, professionele en technische ondernemingen, zijn er meer die een eigen bedrijf hebben en blijft het verschil tussen het gemiddelde salaris van mannelijke en vrouwelijke industriearbeiders kleiner worden. In 1971 bedroeg het gemiddelde weekloon van vrouwen net iets minder dan de helft van dat van mannen; in 1997 had het uurloon van vrouwen meer dan 75 procent van dat van mannen bereikt.[77]

Het overbruggen van de kloof tussen wat vrouwen en wat mannen verdienen voor hetzelfde werk, laat echter op zich wachten. In de journalistiek, de radio- en televisiewereld, de podiumkunsten, de universiteiten, de zakenwereld en de industrie blijven zich spectaculaire voorbeelden voordoen van schaamteloze salarisdiscriminatie. Een typisch mediavoorbeeld is de populaire Britse tv-serie *Men Behaving Badly*. De twee vrouwelijke hoofdrolspelers, Caroline Quentin en Leslie Ash, kwamen erachter dat ze per serie 25.000 pond minder kregen dat hun mannelijke tegenspelers Martin Clunes en Neil Morrissey. Sue MacGregor, een van de drie presentatoren van het nieuwsprogramma op de radio *Today*, stond ervan te kijken toen ze vernam dat haar salaris van 100.000 pond 20.000 pond minder was dan dat van haar twee mannelijke collega's John Humphrys en James Naughtie.[78] Een overzicht in *The Independent* van november 1999 bracht aan het licht dat mannelijke academici op bijna alle universiteiten en HBO-opleidingen in het Verenigd Koninkrijk meer verdienden dan vrouwen, met als uitzondering het Glasgow College of Art en het King Alfred's College Winchester.[79] Onder de ernstigste overtreders bevond zich de London Business School, waar het gemiddelde salarisverschil ten gunste van mannen iets minder was dan 20.000 pond per jaar, en St. George's Hospital Medical School, waar het verschil 16.000 pond was. Het probleem op de London Business School werd nog eens ver-ergerd door het feit dat er ten tijde van het onderzoek geen enkele vrouwelijke hoogleraar werkzaam was. Medische opleidingen en universiteiten met een medische faculteit vertonen aanzienlijke verschillen tussen het salaris van mannen en vrouwen omdat dergelijke instellingen vanouds bolwerken zijn geweest van mannelijke overheersing en voorrechten, en vrouwen er nu pas in de meerderheid zijn als eerstejaars studenten. Het zal tijd kosten eer zij tot invloedrijke posities zijn doorgedrongen – dat wordt althans beweerd. In de Verenigde Staten bekleden vrouwen ongeveer 40 procent van alle leidinggevende functies, maar toch hebben slechts weinig vrouwelijke managers een topfunctie bereikt in de voornaamste Amerikaanse bedrijven. Deze banen worden in beslag genomen door mannen en een groot aantal organisaties lijkt er de voorkeur aan te geven mannen aan te nemen voor of te promoveren tot die functies. In 1990 toonde een studie van de Fortune 500- en Service 500-bedrijven in de VS aan dat vrouwen slechts ongeveer 3 procent van de senior managers voor hun rekening namen en iets minder dan 6 procent van de bedrijfsdirec-teuren. In dit tempo van vooruitgang zullen vrouwen er naar schat-ting dertig jaar over doen om gelijkheid te bereiken.[80]

Op dat gebied hoeven mannen zich dus weinig zorgen te maken! Wat zou het als er meer vrouwen in Ierland, het Verenigd Koninkrijk, Europa en Noord-Amerika zich bij de werkende bevolking voegen? Waarom zouden mannen zich zorgen maken, de bekwaamheid in aanmerking genomen waarmee zij zich blijven vastklampen aan de banen die ertoe doen, de topbanen die het best betaald worden? Er zijn verscheidene verklaringen gegeven om het zogenoemde glazen-plafondeffect uit te leggen. Er is wel geopperd dat vrouwen andere en minder effectieve carrièrepaden bewandelen,[81] dat mannelijke chefs niet kunnen omgaan met werknemers die niet passen in de traditionele sekserollen,[82] dat vrouwen er een andere stijl van leiding geven op na houden,[83] en dat vrouwen belemmerd worden door verplichtingen tegenover hun gezin.[84]

In 1995 werd in een overzicht van vrouwen aan de top van leidinggevende posities in de Verenigde Staten verslag uitgebracht over een beoordeling van 18 variabelen, waarvan bekend was dat ze een belangrijke rol spelen in de ontwikkeling van een loopbaan, zoals de bereidheid om in een andere plaats te gaan wonen, communicatieve vaardigheden, het vermogen om gezin en werk te combineren enzovoort.[85] De studie bevestigde wat velen vermoedden, namelijk dat na alle praatjes over de ontwikkeling van een nieuwe, meer op het huishouden gerichte man en het delen van de huishoudelijke taken, zakenvrouwen – ambitieus of niet – van mening zijn dat zij meer betrokken zijn bij hun kinderen en het huishouden dan zakenlieden. Dat heeft een duidelijke impact op de beroepsmobiliteit: mannen lijken veel eerder bereid om uit een vertrouwde omgeving weg te gaan wanneer dat vereist is voor hun carrière. Over het algemeen willen vrouwen hun wortels laten waar ze zijn en hun sociale netwerk vasthouden. De auteurs van de Amerikaanse studie vatten het dilemma van huisgezin versus carrière als volgt samen: 'Wat organisaties hier precies aan kunnen doen is niet duidelijk. Aan sommige belangen wordt tegemoetgekomen door crèches en ouderschapsverlof, maar dat is eerder een symptoombestrijding dan een oplossing voor het probleem. Kinderopvang en verlof helpen vrouwen bij kinderoppasproblemen, wat de zaak werkelijk in evenwicht brengt, maar ze zijn niet een echte hulp bij het in evenwicht brengen van de aanspraken door gezin en loopbaan. Organisaties zullen heel goed moeten nadenken over de verwachtingen die ze hebben van leidinggevend personeel. Vrouwen zullen ook moeten worstelen met dezelfde vraag: "Wat ben je bereid te doen of op te geven om de top te behalen".'

Natuurlijk is deze vraag niet alleen voor vrouwen bedoeld. Ook mannen moeten zich afvragen welke prijs ze bereid zijn te betalen – elke dag te betalen. En zowel mannen als vrouwen moeten meer aandacht schenken aan het feit dat de vraag niet alleen slaat op werk buitenshuis, maar ook op werk binnenshuis. Vrouwen, en sommige mannen, eisen steeds meer een vrouwvriendelijke werkomgeving waarin de behoeften van huis en gezin weerspiegeld worden, en een betere kinderopvang om tegemoet te komen aan de behoeften van werkende ouders met kinderen.[86]

Maar hierbij wordt voorbijgegaan aan een cruciaal punt dat besloten ligt in de term die aan het begin van deze discussie werd gebezigd: 'economisch actief'. We hebben het over vrouwen die 'werken' en vrouwen die niet 'werken'. Waarom gebruiken we dit soort discriminerende taal eigenlijk? Praktisch alle volwassen vrouwen werken. Het is alleen zo dat een zeer groot deel van hen, in sommige landen het merendeel, er niet voor betaald wordt! In de bewoordingen van het *Human Development Report* uit 1999 van de Verenigde Naties is het gezin vandaag de dag 'een kleine welvaartsstaat'.[87] Vrouwen investeren in veel hogere mate dan mannen tijd en energie in kinderen; vrouwen betalen de meeste onkosten van het huishouden en de kinderverzorging terwijl andere leden van de familie, met inbegrip van de mannen, er de meeste voordelen van hebben. Wat ouders thuis doen is minder makkelijk te verhandelen buiten het gezin dan de investeringen in een loopbaan. En wat zij thuis doen wordt niet vergoed. Het resultaat, zoals duidelijk blijkt uit het rapport van de VN, is dat gezinnen over de hele wereld een gebrek hebben aan 'macht om te onderhandelen', en dat een van de consequenties daarvan is dat wat in het algemeen (door overheid en bedrijven) wordt besteed aan kinderen maar heel bescheiden is in vergelijking met wat hun ouders aan ze besteden. Zelfs bejaarden, toch niet een groep die overgesubsidieerd wordt, ontvangen veel meer dan kinderen, om de eenvoudige reden dat bejaarden stemrecht en daardoor meer zeggenschap hebben. Ouders die tijd, energie en liefde investeren in de volgende generatie burgers, worden daar niet rechtstreeks voor betaald. Hun inzet wordt voortdurend geëist, geloofd en geprezen, maar niet economisch beloond.

Ouders bestaan natuurlijk uit zowel mannen als vrouwen, maar in de gehele ontwikkelde wereld is het plaatje hetzelfde: mannen brengen meer tijd door met betaald werk, vrouwen, met inbegrip van vrouwen die buitenshuis werken, brengen meer tijd door met onbetaald werk. In Oostenrijk brengen mannen gemiddeld 70 procent van hun tijd door met betaald werk, 30 procent met onbetaald werk. In Italië en Spanje brengen vrouwen zeven maal zoveel uren met onbetaald werk in het huishouden door als mannen.

De situatie is zelfs nog erger in ontwikkelingslanden. Bangladesh is een typisch voorbeeld. Daar heeft een van de grootste stijgingen plaatsgevonden in het aandeel van vrouwen op de arbeidsmarkt: van 5 procent in 1965 tot 42 procent in 1995. Maar vrouwen werken nog steeds vele uren voor niets. Een overzicht van mannen en vrouwen in de steden die handenarbeid verrichten toont aan dat de vrouwen gemiddeld 31 uur per week onbetaald werk verrichten: koken, voor de kinderen zorgen, brandstof, voedsel en water halen. Mannen werken 14 uur onbetaald, met inbegrip van activiteiten als reparaties in huis.

Het kan zijn dat sommige mannen troost putten uit het feit dat vrouwen nog een lange weg te gaan hebben. Vrouwen zelf zijn zeer kritisch over wat zij beschouwen als een mediahype over ambitieuze vrouwen en 'het handjevol bedrijfsleiders en directeuren die steeds opnieuw als voorbeeld dienen als bewijs voor de vooruitgang die vrouwen hebben geboekt',[88] in aanmerking genomen dat de doorsnee werkende vrouw in de hele wereld, en in het bijzonder in ontwikkelingslanden, nog steeds is opgezadeld met de last van het huishouden en werk in de gemeenschap en daar bijna niets voor terugkrijgt. Naar schatting bestaat, boven op de 23 triljoen dollar aan geregistreerde output, huishoudelijk werk en werk in de gemeenschap uit nog eens 16 triljoen dollar, waarvan 11 triljoen dollar bijgedragen wordt door vrouwen.[89] In de meeste landen verrichten vrouwen meer werk dan mannen; in Japan 7 procent meer, in Oostenrijk 11 procent meer en Italië 28 procent meer. Vrouwen in ontwikkelingslanden dragen meestal een nog groter aandeel van de werklast: in landelijke gebieden 20 procent meer, op het platteland in Kenia 35 procent meer. Met deze cijfers komt de schatting van de VN uit 1993 dat het een millennium zou kunnen duren om economische gelijkheid tussen de seksen te bereiken, redelijk over. Mijn idee is dat mannen zich zorgen maken dat vrouwen hun wereld binnendringen, om de voor de hand liggende en veelbesproken reden dat hun macht verdund en hun superioriteit uitgedaagd wordt. Maar er is nog een andere reden, die minder aandacht heeft gekregen en daardoor minder besproken is. Mannen maken zich zorgen omdat ze zo lang hebben geloofd dat intimiteit en netwerken uit hun werk voortkwamen.

Natuurlijk halen mensen veel uit hun werk, maar meestal is het contract dat zij hebben gesloten met hun werkgever, hun collega's en hun werkomgeving niet een contract voor intimiteit of emotionele investering, en ook niet een van wederzijdse genegenheid en respect. Dat is nog nooit zo duidelijk geweest als in de jaren '80 en '90, een periode van gedreven, ondernemend, concurrerend en meedogenloos kapitalisme. Een heleboel mannen zijn zich er evenwel niet van bewust in welke mate hun werkkring in gebreke blijft en zijn doodsbenauwd voor een leven waarin werk een minder overheersende rol zou spelen.

Maar de situatie is aan het veranderen. In een provocerend onderzoek naar de tijdseisen en prioriteiten die het werk stelt, voert Arlie

Hochschild bewijzen aan die erop neerkomen dat in elk geval in de Verenigde Staten een steeds groter aantal werkende vrouwen en hun partners niet zozeer aan het lobbyen zijn voor meer werk en betere regelingen voor het huishouden om meer te kunnen werken, maar juist voor meer tijd in het huishouden.[90]

Aisling Sykes was 39 toen ze in 1988 ontslagen werd als vice-voorzitter van de J.P. Morgan-bank in Londen. Ze had de bank gevraagd om flexibeler werktijden zodat ze meer tijd kon besteden aan haar kinderen, die toen vijf, vier, twee jaar en acht maanden oud waren. De bank weigerde en ontsloeg haar. Ze klaagde de bank aan wegens oneerlijk ontslag. Ze beweerde dat haar baas het hebben van kinderen vergeleek met een keuze van levensstijl, net als schaken; de rechtbank wees haar claim af dat de weigering van de bank neerkwam op indirecte seksuele discriminatie. In plaats daarvan bepaalde zij dat de bank het recht had om aan een werknemer die zo goed betaald werd en hooggeplaatst was als mevrouw Sykes bepaalde eisen te stellen. Daar was zij het niet mee eens en ze merkte elders op dat de uitkomst neerkwam op de erkenning dat het is toegestaan vrouwen te discrimineren op de werkvloer 'zolang je ze maar genoeg betaalt'.[91] Ze had het gevoel dat, omdat ze zich kon veroorloven om voor kinderopvang te zorgen, de bank van mening was dat ze geen andere verplichtingen had jegens haar kinderen.

Als vice-voorzitter werkte Aisling Sykes van negen uur 's morgens tot kwart over zes 's middags en thuis weer vanaf half acht. Van haar werd ook verwacht dat ze nachtelijke telefoontjes met Tokio verzorgde, en ze werkte de meeste avonden tot twaalf uur. Ze was bereid om het te doen – 'Ik had de telefoon op de ene en mijn nieuwe baby op de andere arm' – maar volgens haar geloofde de bank niet dat ze werkte als ze 's morgens niet aan haar bureau zat. Mevrouw Sykes gaf toe dat haar manier van werken was veranderd door haar kinderen. 'Een bank is een heel dynamische plaats, met veel competitie. Voordat ik kinderen kreeg was ik één van de jongens, maar daarna had ik geen tijd meer om te lunchen of een borrel te drinken, zodat ik aan de verkeerde kant van de kantoorpolitiek terechtkwam. Ik werd beschouwd als onruststoker omdat ik mijn werk op een andere manier wilde uitvoeren.' Nadat ze geprobeerd had het moederschap te combineren met een ambitieuze baan, moest Sykes toegeven dat ze gefaald had, en dat een vrouw moest kiezen tussen geen kinderen krijgen of bereid zijn de baan ten koste van wat dan ook op de eerste plaats te laten komen, zelfs al betekende dat twee of drie oppassen tegelijk om haar kinderen op te vangen.

Haar verhaal over het bekleden van een toppositie en tegelijkertijd proberen een moeder te zijn voor haar kleine kinderen is een duidelijke illustratie van de moeilijkheid, sommigen zouden zeggen de onmogelijkheid, om die twee te combineren. Als een moeder bereid was haar kinderen alleen in het weekend te zien – zoals dat bij veel mannen het geval is – dan zou het kunnen. Maar is dit de enige manier? En moeten mannen zomaar accepteren dat ze, terwijl ze steeds meer uren moeten werken, hun kinderen alleen in het weekend kunnen zien? Hoe meedogenloos en onveranderbaar zouden de eisen van het werk moeten zijn? De komst van vrouwen aan de top illustreert alleen maar hoe gezinsonvriendelijk de wereld van de moderne werkomgeving geworden is.

Dit soort kwesties werd verscherpt door de komst van de baby van Tony en Cherie Blair. Nadat hij het belang van het vaderschap in het gezinsleven had benadrukt, moest de premier plotseling verantwoorden waarom hij bij de geboorte van zijn zoon geen ouderschapsverlof kon opnemen. Om het allemaal nog erger te maken had Cherie Blair in de maanden voorafgaand aan de geboorte in het openbaar campagne gevoerd voor vaderschapsverlof, waarbij zij goedkeurend het voorbeeld aanhaalde van de premier van Finland die dat tweemaal had gedaan, en ging ze tegen het regeringsbeleid in door te zeggen dat vaderschapsverlof betaald zou moeten worden.

Ondanks de tendens bij sommige mediacommentatoren om de kwestie te trivialiseren in termen van schone luiers en zuigflessen, zal de kwestie van het evenwicht tussen werk en gezin niet zomaar verdwijnen. Betaald vaderschapsverlof, verlengd moederschapsverlof, rechten voor alle ouders op flexibele werktijden, de bescherming van privétijd en -ruimte zijn kwesties waar andere landen, met name Zweden, Noorwegen en Denemarken, rekening mee zijn gaan houden en positief op zijn gaan reageren, zonder dat de bodem uit hun economische wereld valt. Hoe Groot-Brittannië de botsende eisen van huishouden en werk in overeenstemming gaat brengen in de post-Blair-babywereld, zal bepalen of het de regering-Blair ernst is met haar wens om het gezinsleven te beschermen en verbeteren.

Samen tijd doorbrengen is een absoluut belangrijke voorwaarde voor het opbouwen van een persoonlijke, intieme en steunende relatie. Toch gaan vrijwel alle trends in het hart van het moderne kapitalisme in tegenovergestelde richting. Voor degenen die werken is er minder tijd voor alles, behalve voor werk. Mannen die de werkvloer hebben gedomineerd en er hun identiteit hebben gevonden, zijn meer dan ooit gebonden; maar ze kunnen niet langer meer blind blijven voor de prijs die ze ervoor betalen, in lichamelijke, geestelijke en persoonlijke termen. De komst van steeds grotere aantallen vrouwen op de arbeidsmarkt kan de mannelijke bezorgdheid, depressies en wrok versterken, en lijkt dat inderdaad ook te doen. Maar er bestaat een andere mogelijkheid. Mannen zouden zich kunnen aansluiten bij vrouwen om een waardesysteem nieuw leven in te blazen en weer te doen gelden, waarin het persoonlijke, het intieme en het sociale voorrang hebben boven het streven naar macht en het genereren van rijkdom.

Het kan zijn dat mannen eerder bereid zouden zijn om dat te doen als ze zich realiseerden dat verreweg de grootste bijdrage aan het menselijk geluk bestaat uit een bevredigend huwelijks- en gezinsleven: een veel grotere bijdrage dan een baan of geld. In twee omvangrijke studies over de kwaliteit van het leven in de Verenigde Staten was het de kwaliteit van de persoonlijke relaties – gevoelens over kinderen, echtgenoot en huwelijk – die gestaag een grotere bijdrage leverde aan een bevredigend gevoel over het leven, dan wat wel 'de geld-index' wordt genoemd (gevoelens over het inkomen, de levensstandaard, spaarrekening en investeringen).[92] In zijn commentaar op deze uitkomst merkt een politicoloog aan de Yale University, Robert E. Lane, op dat de voornaamste bronnen van menselijk plezier niet via de markt lopen. Hij stelt vervolgens dat de voornaamste bronnen van welzijn in moderne maatschappijen vriendschappen en een goed gezinsleven zijn en dat, als een persoon eenmaal het armoedepeil te boven is, een hoger inkomen bijna niets bijdraagt aan zijn of haar geluk. Lane vindt een cultuurverandering wenselijk, een transformatie waarin regeringen en politieke strategen zich minder richten op het najagen van het doel van de markt – steeds meer monetaire groei, productiviteit, consumentisme – en meer op het formuleren van een strategie 'om levenskaders te creëren, steigers die de microwerelden van de ervaring zodanig ondersteunen dat ze deze kleine werelden beschermen, werelden waarin mensen, zelfs al vergissen zij zich, kunnen opgroeien zonder trauma's, onderricht kunnen zoeken en vinden, verstandig kunnen trouwen, van hun roeping kunnen genieten, vrienden kunnen vinden en koesteren, respect in hun omgeving kunnen vinden, een aangenaam gemeenschapsleven kunnen leiden (in gemeenschappen die door de regering gesteund en beschermd worden) en in vrede hun dromen na kunnen jagen'.[93]

Bij een dergelijke transformatie is er een rol voor mannen weggelegd, maar of we die gaan spelen zullen we nog moeten zien. We kunnen maar beter gauw de balans tussen werk en privéleven afstellen. Want er zijn andere trends in de opbouw van privé- en gezinsleven, in het hart van de ontwikkeling van het menselijk leven, die de bijdrage van de man aan het gezin door middel van het zweet op zijn voorhoofd nog minder ter zake maken. Volgens sommige profeten van de menselijke conditie zullen mannen, als zij zich niet op een serieuze herwaardering en wederopbouw storten, als sociale wezens totaal onbelangrijk worden. Vrouwen kunnen op de werkvloer buiten hen. En wat belangrijker is: zij kunnen buiten hen in bed.

5

Het tijdperk van de Amazone

'Het zou de dageraad van het tijdperk van de Amazone kunnen zijn,' verklaarde Steve Farrar, wetenschappelijk correspondent van *The Sunday Times*, in een artikel over de ontwikkeling van een genetische techniek die twee vrouwen in staat zou stellen om een kind te krijgen zonder dat er een man aan te pas kwam.[1]

Amerikaanse onderzoekers zijn nog maar twee jaar verwijderd van het creëren van een gezonde muis die al zijn chromosomen krijgt uit de vrouwelijke lijn. Het team, onder leiding van dr Rudolf Jaenisch aan het Massachusetts Institute of Technology, heeft als doelstelling dieren in staat te stellen jongen voort te brengen uit een onbevrucht ei (wat bij amfibieën en reptielen wel op natuurlijke manier kan plaatsvinden, maar bij zoogdieren niet). Er is een probleem vanwege de unieke manier waarop het DNA van zoogdieren functioneert, waarbij sommige genen die van vitaal belang zijn en die geërfd worden van een van de ouders, chemisch beperkt worden, terwijl die van het andere geslacht normaal kunnen werken. Eerdere pogingen om dit probleem op te lossen resulteerden in wanstaltig abnormale nakomelingen. Het Massachusetts-team gelooft nu dat het mogelijk wordt om alle chemische beperkingen weg te nemen zonder dat dat schadelijke effecten heeft. Het DNA van één behandeld ei zou dan ingeplant kunnen worden in de nucleus van een ander, met toepassing van de nucleaire transfermethodes die bij het klonen worden gebruikt om een levensvatbaar embryo te creëren dat klaar is voor implantatie. Hoewel dr Jaenisch beide sets chromosomen van één enkele muismoeder neemt, is het even gemakkelijk of moeilijk om ze van twee verschillende vrouwtjes te nemen. In *The Sunday Times* werd hij geciteerd: 'Als parthenogenese werkt, dan werkt het gebruik van twee eitjes ook – er is geen belangrijk verschil.' Maar er komt meer bij kijken. Wat de medische technologie, bedreven door mannen, aan het creëren is, is een situatie waarbij wij, als het aankomt op de voortplanting van de soort, het geheel zonder mannen zullen kunnen doen. We kunnen het Y-chromosoom wel vergeten.

De weg naar reproductieve overbodigheid

Volgens sommigen dateert het begin van de seksuele revolutie van het moment dat een effectief voorbehoedmiddel, de pil, gelanceerd werd. Tot die tijd hadden mensen, vooral vrouwen, slechts gedeeltelijk controle over de meest zwaarwegende beslissing van hun leven, de beslissing om een nieuw leven te creëren. Geboortebeperking was het onderwerp van een groot openbaar debat, vooral in de Verenigde Staten. Door de medische wereld werd het meestal verworpen.[2] Mannelijke instituties – de wet, de medische wereld, de politiek, de kerk – hebben het hele concept van geboorteregulering met grote tegenzin geaccepteerd. Vanaf het prille begin waren de verkrijgbare methodes gericht op het beperken van de vrouwelijke voortplanting, een situatie die (condooms en vasectomie daargelaten) vandaag de dag nog steeds hetzelfde is. Abortus was een veel toegepaste methode van gezinsbeperking. De Board of Health in Michigan schatte in 1898 dat eenderde van alle zwangerschappen in die staat eindigde met een abortus.[3] Tegen de jaren '80 van de negentiende eeuw waarschuwden Engelse artsen de vrouwen in Engeland om de Amerikaanse vrouwen niet na te doen. In de discussies over geboortebeperking in Amerika werden de rol en de motieven benadrukt van de middenklasse, die vooral wenste dat er minder kinderen geboren werden om een redelijke levensstandaard en educatie te kunnen bieden aan degenen die al geboren waren in de steeds meer verstedelijkte, industriële en bureaucratische maatschappij. In Groot-Brittannië heerste de angst dat deelname van vrouwen aan het openbare leven een daling van het geboortecijfer zou veroorzaken en daardoor het internationale aanzien van het land zou ondermijnen.[4] De mening dat de Britten zich moesten blijven voortplanten om een voorraad goede, vurige soldaten voor het Britse rijk veilig te stellen, heerste tot diep in de twintigste eeuw.

Het was een begrijpelijke angst. Tegen het eind van de negentiende eeuw, toen de industrialisatie en urbanisatie in Groot-Brittannië al gevestigd waren, begonnen mensen succes te boeken in de poging hun vruchtbaarheid in te tomen. Brian Harrison heeft aangetoond dat geboortebeperking integraal bij de emancipatie van vrouwen hoorde; het stelde hen in staat om in veel grotere mate deel te nemen aan het openbare leven en het bevrijdde hen ook, zodat ze een veel minder angstig seksueel leven konden leiden.[5] Tot die tijd waren vrouwen echt de gevangene van hun eigen voortplantingssysteem geweest. Dankzij de medische vooruitgang werden zij er de baas over. Tussen 1921 en

1931 traden mensen al later in het huwelijk, leefden zij langer en hadden ze kleinere gezinnen.[6] Maar de verkrijgbare methodes – het pessarium, het spiraaltje, zaaddodende pasta, crèmes, mousse en tubectomie – waren cosmetisch onaantrekkelijk of onbetrouwbaar of erg drastisch. Het orale voorbehoedmiddel, voor het eerst ontwikkeld door Gregory Pincus aan het begin van de jaren '50, werd toegejuicht als een doorbraak in de bevrijding van vrouwen, hoewel er sindsdien twijfels zijn gerezen of alle gevolgen wel gunstig zijn geweest.[7] De pil stelde vrouwen in staat om een zwangerschap uit te stellen of tegen te gaan om welke reden dan ook, in het bijzonder om ze in staat te stellen openbare functies en carrières te bekleden. In die zin heeft hij bijgedragen aan de ondergang van het patriarchaat.

In het algemeen hebben mannen, en dan vooral jonge mannen, een flinke onverschilligheid getoond en doen ze dat nog steeds, tegenover de noodzaak om geboortebeperking uit te oefenen. De twee voornaamste methodes van geboortebeperking – vasectomie en condooms – zijn bij de meerderheid van de mannen niet geliefd. Het cijfer voor toepassing van vasectomie is laag, vooral onder jonge mannen, en met het condoom is het niet beter gesteld. Een Amerikaans onderzoek onder seksueel actieve studenten heeft aangetoond dat slechts 10 procent altijd een condoom gebruikt.[8] Aan beide zijden van de Atlantische Oceaan worden jonge mannen regelmatig over het hoofd gezien in discussies over de vraag hoe tienerzwangerschappen het best aangepakt kunnen worden, terwijl gegevens over seksueel overdraagbare ziektes in de Verenigde Staten aantonen dat er onder mannen die seks bedrijven met mannen een toename is in het onveilig vrijen.[9]

De onverschilligheid van mannen tegenover geboortebeperking wordt weerspiegeld in de miljoenen vrouwen die elk jaar ongewild zwanger worden. Hoewel veel van dergelijke zwangerschappen voldragen worden, worden andere vroegtijdig beëindigd door een abortus. In tegenstelling tot wat algemeen wordt aangenomen zijn de meeste vrouwen die abortus plegen getrouwd, of ze hebben een vaste relatie en hebben al verscheidene kinderen.[10] Ze passen abortus toe om hun gezin in te perken of meer afstand tussen de geboorte van hun kinderen te creëren. Velen maken gebruik van abortus vanwege een gebrek aan moderne voorbehoedmiddelen, of vanwege het falen van contraceptie. Veel getrouwde vrouwen in ontwikkelingslanden hebben bijvoorbeeld geen toegang tot de anticonceptie die zij nodig hebben en nemen hun toevlucht tot abortus, met grote risico's voor hun gezondheid en veiligheid.[11] De situatie is zelfs nog erger voor ongetrouwde vrouwen, vooral voor adolescenten, die zelden toegang hebben tot informatie over geboortebeperking en professionele voorlichting, en die vaak worden buitengesloten bij het verschaffen van anticonceptiemiddelen. Maar zelfs in ontwikkelde landen betalen vrouwen de prijs voor niet-ingeperkte voortplanting. Een onderzoek in de Verenigde Staten onder bijna 10.000 vrouwen die een abortus hadden gehad, bracht aan het licht dat meer dan de helft een anticonceptiemethode had toegepast in de maand dat ze zwanger waren geworden; het aantal zwangerschappen dat te wijten was aan het falen van een condoom was 32 procent.[12]

Speciaal in stedelijke gebieden bestaat een toenemend aantal van degenen die abortus plegen uit ongetrouwde tieners; soms vormen zij de meerderheid van degenen die een abortus willen. Hoewel er een overvloed aan studies bestaat met betrekking tot de effecten van abortus op de lichamelijke en geestelijke gezondheid van een vrouw, is er een opvallende schaarste aan studies die de mannelijke betrokkenheid in overweging nemen bij ongewilde zwangerschap en abortus, en er is vrijwel niets over de reacties van mannen op beide.[13] Hoewel mannen door de overwegend mannelijke instituties als de wetgeving, de geneeskunde en de kerk, de verkrijgbaarheid voor vrouwen van contraceptie en abortus hebben gemanipuleerd, gereguleerd en gecontroleerd, hebben ze een minimale rol gespeeld in de preventie van ongewilde zwangerschap en de persoonlijke inperking van de vruchtbaarheid. Nu de methodes van voortplantingscontrole steeds technischer en effectiever worden, staan vrouwen klaar om de rol van de man in zijn geheel uit te bannen.

In-vitrobevruchting

Hoewel de rol van de pil van cruciaal belang is geweest voor vrouwen die ongewenste zwangerschappen wilden vermijden, is het feit dat hij ertoe heeft geleid dat de aandacht werd gevestigd op de kwestie van óf en wanneer een kind te krijgen, aantoonbaar van nog groter en langduriger belang. Andere methodes om een zwangerschap te vergemakkelijken versterken eveneens de controle van vrouwen over hun voortplanting. Rond dezelfde tijd dat onderzoekers volop bezig waren het vrouwelijk hormoonsysteem uit elkaar te halen om een synthetisch hormoon te kunnen maken dat zou verhinderen dat het eitje uit de baarmoeder wordt vrijgelaten, waren andere onderzoekers even enthousiast bezig om tegenstribbelende eierstokken op de een of andere manier over te halen, te stimuleren of ze los te schudden, om tot eitjesproductie te komen bij onvruchtbare vrouwen. In 1978 ontwikkelden Patrick Steptoe, een gynaecoloog, en R.G. Edwards, een embryoloog, de procedure die bekend is geworden als in vitro preembryotransfer (IVF-ET) en er begon een ware revolutie. De procedure stelt vrouwen die moeite hebben met zwanger worden in staat dat wel te worden. Een aantal oöcyten (onbevruchte eicellen), zo gezond en rijp mogelijk, wordt uit de eierstokken gehaald met behulp van een naald die gestuurd wordt door ultrageluid. Voorafgaand aan de verwijdering van de eitjes ondergaat de vrouw ongeveer twee weken lang een intensieve voorbereiding waaraan hormonale therapie te pas komt met zogenoemde vruchtbaarheidsdrugs, hormonen die de eierstokken stimuleren tot activiteit zodat de eitjes tot hun maximum potentie groeien. Onder plaatselijke verdoving worden de rijpe, gezonde eitjes in beeld gebracht door middel van ultrageluid en wordt een naald ingebracht; vervolgens wordt een aantal (meestal meer dan één) oöcyten verwijderd. Wanneer de eitjes klaar zijn om bevrucht te worden, wordt sperma toegevoegd. De bevruchte eitjes ontwikkelen zich tot pre-embryo's en worden op de daarvoor bestemde tijd via een speciale catheter in de baarmoeder ingebracht. Als alles goed gaat vindt implantatie plaats en vangt de zwangerschap aan.

IVF is een zegen voor vrouwen die problemen hebben met de vruchtbaarheid, al is de procedure lichamelijk veeleisend, mislukt hij vaak en leidt hij een enkele keer tot veelvoudige zwangerschap. Maar wat IVF vertegenwoordigt is meer dan enkel een effectieve behandeling van het uitblijven van zwangerschap: het is de technologische eliminatie van de man bij het proces. De biologische betrokkenheid van de vrouw bij de voortplanting blijft cruciaal – het enige wat verschilt is de eerste paar dagen van de conceptie. De rest blijft hetzelfde – de negen maanden zwangerschap, het baren, de bevalling. De rol van de man, die sowieso al nooit zo groot is geweest, wordt nog verder teruggedrongen. De lichamelijke aanwezigheid van de man is niet langer nodig.

Donorinseminatie

De pil maakte het vrouwen mogelijk om hun eigen voortplanting de baas te zijn; IVF maakte de mogelijkheid vrij van voortplanting zonder de lichamelijke betrokkenheid van een man (masturbatie om sperma te produceren betekent bepaald niet dezelfde mate van intimiteit en persoonlijke betrokkenheid als heteroseksuele gemeenschap); en AID, oftewel *artificial insemination by donor*, kunstmatige donorinseminatie, was een signaal dat het vaderschap niet langer onderdeel uitmaakte van het systeem.

Kunstmatige inseminatie (het inbrengen van zaad in het vrouwelijke geslachtskanaal op een andere manier dan via de penis) heeft een lange geschiedenis, veel langer dan mensen denken. Het eerste verhaal waarvan verslag is gedaan, dateert uit 1884.[14] Naar schatting werden in de jaren '60 van de twintigste eeuw jaarlijks tussen de 5.000 en 7.000 kunstmatig geïnsemineerde baby's geboren.[15] Tegen het eind van de jaren '80 kwam de schatting in Amerika op zo'n 15.000 AID-geboortes per jaar, terwijl het cijfer in Engeland voor diezelfde tijd tussen de 2.000 en 2.500 per jaar was.[16]

De procedure werd toegejuicht als een zegen door echtparen die een kind wilden maar het niet konden krijgen vanwege mannelijke steriliteit als gevolg van azoöspermie (de afwezigheid van zaadcellen) of oligospermie (weinig zaadcellen). Ook maakte de procedure conceptie mogelijk voor stellen waarbij een ernstige resusincompatibiliteit betekende dat elk embryo dat op de normale manier ontstaan zou zijn, vernietigd zou worden door de onverenigbaarheid van de bloedsoort van de moeder en de vader. In relatief zeldzame gevallen van erfelijke ziekte, zoals de ziekte van Huntingdon, waarbij de man de drager is van een gedoemd gen dat vroege dementie, een vreselijke beverigheid en vroegtijdige dood veroorzaakt, zou AID kunnen helpen door een vrouw in staat te stellen zwanger te worden in de wetenschap dat het kind niet aangetast zou zijn door het belastende Y-chromosoom van de partner. Maar de werkelijk drijvende kracht achter AID, zoals bij zoveel in de moderne biomedische wetenschap, ligt in de opwinding iets te doen omdat het kan. In de jaren '60 en '70 werd de AID-technologie drastisch verfijnd en op elegante wijze vereenvoudigd en effectief.

Kunstmatige inseminatie van een vrouw door de echtgenoot (*artificial insemination by husband*, AIH) heeft voor enige onbehaaglijkheid gezorgd, maar over het algemeen erkende men dat die, aangezien de betrokken partijen na de conceptie en de bevalling in de praktijk de ouders van het kind blijven, grotendeels gesust werd. Wat AID betreft leidde de toename van de vraag naar informatie over de praktijk ertoe dat de British Medical Association een commissie instelde onder voorzitterschap van de verloskundige sir John Peel; de commissie stelde voor dat AID, gelet op het naar verhouding kleine aantal echtparen dat ervoor in aanmerking kwam, voor de National Health Service in speciaal goedgekeurde centra mogelijk gemaakt zou moeten worden.[17] In 1982 waren bij het Royal College of Obstetricians and Gynaecologists ruim 1.000 zwangerschappen bekend die op deze manier tot stand waren gekomen en ten minste 780 AID-geboortes in Groot-Brittannië die eruit waren voortgekomen.

De procedure is bedrieglijk eenvoudig. Er wordt een geschikte mannelijke donor geworven. Behalve over de procedure krijgt hij ook informatie over de regels. Een donor – in Groot-Brittannië doneren jaarlijks ongeveer 3.000 mannen sperma – is anoniem. Hij kan beperkingen opleggen aan wie zijn sperma ontvangt (zo kan hij bijvoorbeeld zijn donatie beperken tot getrouwde mensen). Volgens de aanbeveling van de commissie-Warnock, ingesteld om de sociale, ethische en wettelijke implicaties van kunstmatige inseminatie te bestuderen, is er 'een limiet van tien kinderen die door één donor kunnen worden verwekt'.[18] (De commissie gebruikt veelzeggend genoeg het woord 'fathering' voor het beschrijven van het betreffende proces van zaadverschaffing.)

Een zaadmonster wordt in de vagina ingebracht en net buiten de baarmoederhals, in het baarmoederhalskanaal of in de baarmoeder geplaatst rond het tijdstip waarop de vrouw het vruchtbaarst is, dat wil zeggen als ze ovuleert. In de centra met het meeste succes ligt het slagingspercentage boven de 75 procent en van de vrouwen die inderdaad zwanger raken lukt dat bij 95 procent binnen de eerste zes maanden van de AID-behandeling. In de jaren '70 werd vers sperma gebruikt, maar de noodzaak om te testen en steeds opnieuw te testen in aanmerking genomen – dit met het oog op de mogelijke overdracht van aandoeningen als AIDS –, wordt er steeds meer gebruik gemaakt van ingevroren sperma.

Vanwege 'de moeilijke emotionele beslissing die echtparen maken wanneer zij voor AID kiezen' heeft de commissie-Warnock ook aanbevolen om AID te beperken tot centra met getrainde psychologische hulpverleners, maar het is natuurlijk helemaal niet nodig dat 'echtparen' zich ermee bemoeien. Het is de gewoonte om een kind te beschouwen als een wezen wiens bestaan totaal afhankelijk is van de wensen van beide ouders. Wat aan het veranderen is – en al veranderd is – is dat wij nu accepteren dat een kind een wezen is wiens bestaan tot stand kan komen door het verlangen van slechts één persoon en wiens ontstaan teweeggebracht kan worden met middelen die zuiver technisch zijn en die van een hogelijk gespecialiseerde, onpersoonlijke en, in het geval van AID, geheime aard zijn. Vrouwen zijn betrokken bij een groot deel van de discussie over het ouderschap, voor zover die gericht is op sekse. Het bio-ethische debat betreffende reproductieve keuzes en kunstmatige methodes van reproductie is geconcentreerd geweest op de keuze en de rol van vrouwen bij AID, het draagmoederschap en in-vitrobevruchting. De rol van de man is vaak vaag, op een afstand of, zoals in het geval van AID, anoniem. Kunstmatige reproductiemethodes zijn in hoge mate afhankelijk van anonieme spermadonatie. Hoewel de wetten inzake de relatie tussen de donor en de ontvangster van land tot land verschillen, is de donatie in de meeste gevallen gehuld in geheimhouding. In het geval van heteroseksuele echtparen wordt het feit dat donorinseminatie heeft plaatsgevonden voor het kind verzwegen, zodat het wordt bedrogen door het te laten denken dat zijn biologische vader en zijn gezinsvader een en dezelfde zijn. Bij lesbische en eenoudergezinnen wordt het feit van de inseminatie over het algemeen wel onthuld, maar wordt de identiteit van de donor geheimgehouden. Er verschijnt steeds meer literatuur over de morele gepastheid en ethische basis voor AID – maar een groot deel daarvan heeft meer betrekking op de kwestie van de geheimhouding dan op de kwestie van het vaderschap. Er schijnt weinig behoefte te zijn om te praten over de vraag waar de vaders in het geheel inpassen. Het antwoord is natuurlijk: nergens.

Opvallend is het gebrek aan discussie met kennis van zaken over de reproductieve technologie. Deze technologie lijkt zich te ontwikkelen om geen betere reden dan dat aan de vaag uitgesproken behoeften van deze of gene groep tegemoetgekomen moet worden en dat de middelen er zijn om die tegemoet te komen: waar Petersen en Teichmann naar verwijzen als 'de mythe van Heracles', dat alles wat technisch gemanipuleerd kan worden – door middel van medische, psychologische of sociologische methodes – ook uitvoerbaar en daardoor produceerbaar is.[19] Maar alleen omdat we iets *kunnen* betekent dat nog niet meteen dat het verantwoord is om het te *doen*, en nooit is dit principe relevanter geweest dan op het gebied van kunstmatige voortplanting.

Kunstmatige inseminatie door een anonieme donor is een klap in het gezicht van de mannelijkheid en het vaderschap. Toch is de algemene teneur van de conclusies van de commissie-Warnock verrassend oppervlakkig. Er wordt bijvoorbeeld een paragraaf gewijd aan de kwestie van geheimhouding en anonimiteit. De commissie merkt op dat dit neerkomt op meer dan de wens tot vertrouwelijkheid en privacy, omdat het betreffende echtpaar vaak 'hun familie en vrienden, en vaak ook het kind zullen bedriegen. Echtparen die een zwangerschap teweegbrengen kunnen hun AID-kind gaan beschouwen als een echt uit hun huwelijk voortgekomen kind. Het gevoel dat er een geheim bestaat kan echter het hele netwerk van familierelaties ondermijnen. AID-kinderen kunnen vagelijk het gevoel krijgen dat zij door hun ouders bedrogen worden, dat ze op de een of andere manier anders zijn dan hun leeftijdgenoten en dat de man die zij beschouwen als hun vader, hun echte vader niet is.'[20]

Maar het gaat er hier niet om dat kinderen 'vagelijk' voelen dat zij bedrogen worden, dat ze anders zijn dan hun leeftijdgenoten en dat hun vader niet hun echte vader is. Als de anonimiteit van de AID-donor bewaard blijft, en deze donors zijn in de meerderheid, *worden de kinderen bedrogen*. De leden van de commissie-Warnock ronden vervolgens hun korte overweging van deze kwestie af door minzaam te beslissen dat, hoewel ze het ermee eens zijn dat het verkeerd is om kinderen over hun afkomst voor te liegen, 'wij dit als argument beschouwen tegen de gangbare houding, niet tegen AID zelf'.

Een van degenen die in het openbaar tegen de praktijk van AID bij menselijke voortplanting zijn ingegaan, is Daniel Callahan, een figuur van belang op het gebied van de ethiek in de biologie en de medische wetenschap. Hij betreurt de manier waarop vakmensen het gevoel hebben verloren voor hoe mannen, vrouwen en kinderen behoefte hebben aan en het beste gedijen in elkaars gezelschap. 'In plaats daarvan hebben vakmensen conceptueel gedaan wat de maatschappij legaal en sociaal heeft gedaan – mannen, vrouwen en kinderen behandelen als apart en van elkaar onderscheiden, met elk hun eigen behoeften en rechten. Zo spreken wij nu over de rechten van de vrouw en de rechten van het kind en (wat nauwelijks verbazingwekkend en zelfs amusant is) hebben we de opkomst gezien van een beweging voor de rechten van de man.'[21]

De laatste jaren is het vaderschap gestaag gedevalueerd. AID zegt duidelijk: als een vrouw een kind wil, dan is het haar recht om er een te krijgen. De rechten van niemand anders hebben daar verder iets mee te maken. En aids en een handvol erfelijke ziektes daargelaten, voldoet elke willekeurige papa. Wat zo onthullend is aan de praktijk van kunstmatige inseminatie is de manier waarop het de daad van de spermaproductie heeft afgesplitst van alle gevolgen. De anonieme donor verschaft de middelen om een kind te produceren en daar houdt zijn verantwoordelijkheid op. Het is zelfs zo dat als hij op een later tijdstip zou proberen het lot van het kind te achterhalen dat hij heeft verwekt, hij daarin door de wet verhinderd zou worden. Hij doneert sperma, zoals anderen bloed doneren. Maar het biologische feit blijft bestaan: een spermadonor wiens sperma met succes gebruikt is om een eicel te bevruchten dat de gebruikelijke fasen van de zwangerschap doormaakt, is een vader.

Callahan vraagt ons om ons het volgende scenario voor te stellen: 'Een vader is, via de verschillende legale manieren waarop de maatschappij vaders toestaat hun ouderlijke autoriteit over te dragen aan iemand anders, wettelijk opgehouden als vader op te treden en iemand anders zorgt voor het kind. Maar stel je voor dat die andere persoon in gebreke blijft als vader; dat wil zeggen in gebreke blijft waar het gaat om behoorlijke zorg en koestering van het kind. Het kind keert vervolgens terug naar de vader en zegt: "Jij bent biologisch gezien nog steeds mijn vader – door jouw toedoen ben ik op de wereld gekomen. Ik heb je hulp nodig en jij bent verplicht me die te geven."'

Callahan benadrukt dat hij zelf nooit ook maar één morele reden heeft kunnen bedenken waarom een vader onder die omstandigheden onder zijn verantwoordelijkheid uit zou kunnen komen, zelfs al was er iemand anders die voor het kind zorgde. Ik ook niet. Een vader is een vader is een vader. Maar in het geval van AID is hij dat niet. Dan is hij een zaadleverancier.

De commissie-Warnock leek een verandering te verwachten in de publieke opinie, waardoor op de een of andere manier de noodzaak om anoniem te blijven, zou verdwijnen. De leden gingen ervan uit dat de publieke opinie de reden was voor de geheimhouding, wat twijfelachtig en grotendeels onbewezen is. Te oordelen naar de algemene voorkeur voor anonimiteit heeft er eigenlijk geen belangrijke verandering in de publieke opinie plaatsgevonden. Behalve dat er geheimhouding wordt betracht aangaande de donor, wensen een heleboel ouders eveneens de biologische afkomst van hun kind geheim te houden 'in een poging om zowel de sociale vader als het kind te beschermen'.[22] Voordat zij ook maar aan het programma deelnemen, nemen veel stellen de beslissing het kind dat eventueel geboren wordt, niets te vertellen. Er is een Nederlands onderzoek naar de houding van echtparen wier kinderen door middel van AID ter wereld kwamen tussen 1980 en 1996. Echtparen waren in 1996 eerder geneigd om ouders, broertjes of zusjes en vrienden in te lichten, maar ze waren niet méér bereid om het kind zelf in te lichten dan de stellen in 1980. Opmerkelijk was echter dat de echtparen in 1996 meer informatie wilden over de donor, vooral medische informatie.[23] In een andere Nederlandse studie was driekwart van de AID-ouders niet van plan hun kinderen in te lichten over de manier waarop zij verwekt waren, in tegenstelling tot ouders die gebruik hadden gemaakt van IVF, van wie geen enkel stel van plan was het proces voor hun kinderen te verzwijgen.[24]

Er wordt door veel onderzoekers beweerd dat er geen reden is om drukte te maken over AID. Zo meldde een Europese studie over het effect op gezinnen van reproductie met gebruik van een hulpmiddel, dat geen van de kinderen verschilde van normaal verwekte kinderen in termen van psychologische gezondheid en de kwaliteit van familierelaties, en toch was geen enkel kind op de hoogte gesteld van zijn of haar verwekking.[25] Maar het oudste kind in deze studie was acht! De kwestie van het recht om te weten wat je biologische en genetische identiteit is, speelt meestal geen rol voordat de puberteit is bereikt. De ethische kwestie wordt versterkt door de toenemende tendens van ouders om het wel aan andere mensen te vertellen maar niet aan het kind zelf. De druk om dit accent op geheimhouding te veranderen komt zowel voort uit ervaring die is opgedaan op het gebied van adoptie, als uit het algemene klimaat betreffende de vrijheid van informatie. Het probleem is natuurlijk dat er een verschil is tussen adoptie en AID. Bij AID staat de identiteit van een van de ouders vast; er is echter – en dat is niet het geval bij adoptie – geen evenwicht in de relatie tussen 'biologische' moeder, 'sociale' vader en kind. Ook is er geen echte overeenkomst met gevallen van stiefouderschap. Een kind met een stiefvader weet dat zijn stiefvader zijn vader niet is. De stiefvader kan beter zijn dan de natuurlijke vader van het kind – aardiger, betrouwbaarder en minder achteloos – maar hij is niet de natuurlijke vader van het kind – en de maatschappij zweert niet samen om te doen alsof hij dat wel is.

Robert Winston, hoogleraar vruchtbaarheidsleer aan het Hammersmith Hospital, heeft aangevoerd dat het fout is om IVF aan te bieden aan de meeste vrouwen in de post-menopauze, dit vanwege de zorg over het welzijn van het kind.[26] Hij maakt zich er zorgen over dat zo'n kind een oudere moeder zou hebben. Hij lijkt zich er echter minder zorgen over te maken dat een kind, verwekt door middel van AID, niet weet wie zijn vader is en of hij er wel een heeft.

Waarom dus de nadruk op anonimiteit bij AID als de reden niet een vijandige publieke opinie is? Eenvoudig. Als zaaddonors geïdentificeerd zouden worden, dan zou het hele proces een groot deel van zijn drijvende kracht verliezen. In een Skandinavische studie was slechts 20 procent van de spermadonors bereid ermee door te gaan als de geheimhouding opgeheven werd.[27] Volgens de directrice van dr Louis Hughes' vruchtbaarheidskliniek in Harley Street (Londen) zou 95 procent van de toekomstige donors ermee stoppen als de anonimiteit die zij genoten, werd opgeheven. Ze wordt geciteerd door verslaggever Nick Farley van *The Times*, die zich had voorgedaan als spermadonor om te onderzoeken hoe zij worden gescreend, en ze zou gezegd hebben: 'Het zou eenvoudigweg het einde betekenen van de donorinseminatie.'[28] Haar visie wordt impliciet onderschreven door professor Michael Hull van het Centre for Reproductive Medicine in Bristol. 'Waarom wordt algemeen aangenomen dat "echte" ouders bepaald worden door de genetica?' vroeg Hull zich een beetje geprikkeld af in een brief aan *The Times*. 'Waarom lijkt dat in onze en andere culturen van doorslaggevend belang? Waarom zou kennis van de genetische identiteit opgedrongen worden terwijl zoveel meer kinderen er vrolijk onkundig van zijn dat zij niet het kind van hun vader kunnen zijn?'[29]

Het is enigszins verwonderlijk dat een expert in de reproductieve geneeskunst zich afvraagt waarom het voor iemand belangrijk kan zijn om te weten of de persoon in zijn leven die zijn vader lijkt, dat ook inderdaad is. Als psychiater ben ik geïnteresseerd in psychologische en sociale overwegingen die professor Hull wellicht graag zou willen verwerpen als vaag en warrig, maar ik houd me ook bezig met 'harde' medische kwesties. Laten we eens kijken naar genetisch overdraagbare ziektes. Vanwege donoranonimiteit kan een persoon die geboren wordt als gevolg van AID geen informatie krijgen of doorgeven die van levensbelang zou kunnen zijn.[30] Dit zou ook een probleem kunnen zijn wanneer de nakomelingen van een donor zelf kinderen krijgen, vooral met betrekking tot die recessieve aandoeningen die zich alleen manifesteren wanneer een defect gen wordt doorgegeven door beide ouders.[31]

De psychologische en sociale implicaties zijn volgens mij van groot belang. Onze genetische erfenis is een cruciaal onderdeel van onze identiteit zelf.[32] Vooruitgang in de medische genetica heeft dit eerder versterkt dan verzwakt. Een toenemend aantal geadopteerde kinderen gaat op zoek naar de identiteit van hun biologische ouders om meer te weten te komen over wie zijzelf zijn.[33]

Er is nog geen onderzoek gedaan naar de langetermijneffecten van kinderen die geboren zijn door middel van AID. Zodoende kan professor Hull, zonder het risico te lopen dat hij wordt tegengesproken, schrijven dat dergelijke kinderen er 'vrolijk onkundig van zijn dat zij niet het kind van hun vader kunnen zijn'. Het schijnt hem niet te deren dat de kinderen in hun bedrieglijke omstandigheden worden gelaten, zelfs al betekent dat een onderwaardering van de maar al te bekende behoefte die vele volwassenen hebben om de identiteit van hun biologische ouders te weten. Maar waar is Hull bezorgd om? Hier om: dat als donors zouden weten dat zij geïdentificeerd zouden worden en, erger nog, als zij niet meer betaald zouden worden voor hun donatie, de voorraad donors eenvoudigweg zou opraken. Hull betreurt het dat het huidige debat 'utilitaristisch en semantisch' is, terwijl het opgetild zou moeten worden naar een 'empirisch en filosofisch niveau' en kwesties als hoe de rechten van voormalige donors het best beschermd kunnen worden en waaruit hun 'legitieme kosten' bestaan, in overweging genomen zouden moeten worden.

De schijnbare tegenzin van experts als Winston en Hull om onder ogen te zien dat het kind het recht heeft om de meest fundamentele informatie over zichzelf te weten te komen, is raadselachtig. Wij leven in een tijd waarin de meest ontzagwekkende kennis van onze genetische samenstelling wordt blootgelegd. Wetenschappelijke collega's van Robert Winston en Michael Hull, mensen als Richard Dawkins, Steve Jones en Stephen Pinker, houden ons regelmatig op de hoogte van het enorme belang van de genen voor de ontwikkeling, de gezondheid en het gedrag. Er zijn meer dan 40.000 internetsites gewijd aan de genealogie. Het feit dat DNA-testen nu gemakkelijk uit te voeren zijn en onwettigheid makkelijker wordt geaccepteerd, betekent dat de interesse in het ontdekken van de eigen afkomst en die van anderen groter is dan ooit. Net als je mag verwachten dat er een redelijke mate van eenduidigheid is over de simpele vraag of individuele personen het recht hebben te weten wat hun genetische opbouw is, komen er eminente wetenschappers die tegen ze zeggen: maak je daar nou niet al te druk over, wees maar blij dat je ouders van je houden.

De verdedigers van het anonieme donorschap bij AID eisen bewijzen die de zaak ondersteunen, voordat tot een verandering in de wet wordt overgegaan. In een strenge reactie op dat soort zelfgenoegzaamheid vraagt Caroline Bennett zich af wat voor soort bewijzen betreffende de negatieve impact geaccepteerd zou worden door voorstanders van de status-quo als Robert Winston.[34] Een van de redenen voor het gebrek aan bewijs is dat de meeste kinderen die verwekt zijn door middel van AID, dat zelf niet weten; zij worden om de tuin geleid door ouders die geloven dat dergelijk bedrog voor hun eigen bestwil is. Veel van die kinderen groeien op in gezinnen waarin een sfeer van geheimzinnigheid en taboe heerst. Sommige AID-kinderen hebben, ofschoon zij de genen van hun moeder hebben, een ander lichamelijk uiterlijk, andere kwaliteiten, talenten en interesses dan de andere leden van de familie, en kunnen het gevoel hebben dat ze er niet bij horen.[35] Dergelijke verschillen kunnen veel moeilijker te accepteren zijn wanneer vragen erover genegeerd worden. En geheimen hebben de neiging om uit te komen. Veel kinderen komen pas iets over hun afkomst te weten wanneer hun ouders uit elkaar gaan of gaan scheiden. Intussen draagt het huidige bewustzijn van en de fascinatie voor genen, in hoge mate gepopulariseerd door dezelfde wetenschappelijke en medische gemeenschap die zo in haar sas is met technische hulpmiddelen bij de voortplanting, bij aan de bezorgdheid van individuele personen die meer willen weten over hun eigen genetische geschiedenis.[36]

Is de kwestie van de rechten van het kind nooit behoorlijk onder ogen gezien, dat geldt ook voor de kwestie van de rechten en verantwoordelijkheden van vaders. Tim Hedgley van de Britse National Fertility Association ziet het probleem niet: spermadonors hebben geen verantwoordelijkheid voor kinderen die geboren worden als gevolg van hun donatie en hebben eveneens geen recht op hen. De wet veranderen zodat kinderen het recht zouden krijgen om de identiteit te weten te komen van de donor van het sperma dat hen heeft helpen ontstaan, 'zou kinderen rechten geven waar zij geen evenwichtige verantwoordelijkheden' zouden kunnen krijgen.[37] Het is kennelijk veel beter om ze te bedriegen en ze te laten leven in zalige onwetendheid. De hele waarheid vertellen zou de wens van de moeder bedreigen om haar volledige onafhankelijkheid te kunnen behouden. De behoefte van het kind om details over zijn vader te weten te komen, veroorzaakt voor de moeder het ongewilde vooruitzicht om een man te identificeren en er dus mee in contact te komen, die per definitie ongeschikt of onwelkom is. Dus in plaats van dat de identiteit van een vader bij een AID-conceptie onthuld wordt, worden verscheidene ingenieuze benaderingen aanbevolen. De moeder wordt bijvoorbeeld aangemoedigd haar aandacht te richten op de onzelfzuchtigheid van de biologische vader en geadviseerd haar kind alleen de voornaam van de vader te vertellen, en zijn laatste verblijfplaats.[38] Dit kan leiden tot een nogal bondig verhaal als: 'Mijn vader heet Dave. Hij woont in Vermont.'[39]

De voor- en tegenargumenten van geheimhouding en onthulling zijn uitvoerig besproken.[40] Onderzoek bij 58 echtparen in Nieuw-Zeeland illustreert de problemen.[41] Eén stel werpt een interessant licht op de vraag waar de essentie van het vaderschap op neerkomt:

Interviewer: Denkt u dat u het aan James zult vertellen? Vrouw: Ik weet het niet. Ik heb er wel vaag over nagedacht, maar we hebben het nog niet echt besproken. Man: Wat valt er te vertellen? V: Nou, ik denk dat er niet zoveel te vertellen valt. M: Wat valt er te vertellen? Hij kan gewoon zijn geboortebewijs opvragen en daar staat op dat ik zijn vader ben. Waar staat dat ik zijn vader niet ben? Wie kan dat bewijzen? V: Ik denk niet dat we het hem zullen vertellen. M: Wat ik denk is: wie op de wereld kan bewijzen dat ik zijn vader niet ben? V: Niemand. M: Niemand, het kan niet bewezen worden. V: Wat antwoorden andere echtparen op deze vraag? Int: Het is nog te vroeg om te zeggen wat de uitkomst is. Tot dusverre is het ongeveer 50/50. V: Nou, wij hebben er eigenlijk nog niet zoveel over nagedacht. Int: Er zijn echtparen waarbij het absoluut onmogelijk is dat de man de vader is omdat hij onvruchtbaar is. M: Dat is iets anders, want het is ontegenzeggelijk bewezen dat ik de vader zou kunnen zijn. Ik denk dat de reden dat ik zeg 'Wat valt er te vertellen?' is, dat ik mezelf niet niét als de vader zie. Hem te vertellen over DI (donorinseminatie) zou weinig uitrichten, behalve dat hij er een gevoel van onzekerheid door zou krijgen. Wat zouden we daarmee opschieten? Het zou een ander verhaal zijn als hij geadopteerd was, dat is iets heel anders. Wat ik wil zeggen is 'okay, ik ben je biologische vader niet', maar zoals ik er nu over denk heb ik de zwangerschap meegemaakt en zien groeien, ik was erbij toen hij geboren werd, ik heb geholpen bij de bevalling – ik ben zijn vader. Hij zal me papa noemen en dat is precies waar het op neerkomt. Ik zal hem zoon noemen en wat mij betreft is dat alles wat erover te zeggen valt.

Genoemd worden op een geboortebewijs, aanwezig zijn bij de geboorte, lichamelijk in staat zijn een kind te verwekken – dat zijn de strohalmen waaraan de echtgenoot zich vastklampt als rechtvaardiging voor het niet-vertellen. Tot betrekkelijk kort geleden was er niets dat verteld kon worden. In het Verenigd Koninkrijk begon men pas in 1991 met de registratie van spermadonors. Voor die tijd is er officieel niets bekend over de vele duizenden mannen die voor geld hun sperma hebben gedoneerd. De wet staat tegenwoordig alleen aan kinderen toe erachter te komen of zij wel of niet verwekt werden door middel van een spermadonatie. Later kunnen de autoriteiten kinderen toestemming geven om de informatie in te zien over hun donorvaders, maar die beslaat minder dan een A4'tje, met één regel voor beroep, één voor interesses en geen voor opleiding. Er is een vakje voor een facultatieve korte beschrijving 'van uzelf als persoon' die de donor mag invullen, wat hij echter vaak niet doet.

Catherine Bennett citeert Robert Winston, die zegt dat ongelukkige AID-kinderen hem grote zorgen baren, maar dat hij er 'evenveel kent met verhalen over gelukkige gezinnen en tevreden jonge mensen die geen gevoel van verlies of gemis hebben'.[42] Maar, zo reageert zij krachtig, zo'n visie bestaat niet uit wetenschappelijk bewijs. Er is geen langlopend onderzoek verricht onder kinderen die via deze techniek zijn verwekt, dus hebben wij er geen idee van wat jonge volwassenen zullen vinden als zij erachter komen dat ze in plaats van een lange rij voorouders 'een injectienaald en een gesloten deur' zien. Het feit dat zoveel mannelijke medici dergelijke beslissingen met zoveel zelfvertrouwen nemen, geeft het paternalisme al aan dat door experts als Winston terecht wordt afgekeurd op andere terreinen van klinische activiteit.

Kunstmatige inseminatie via een donor geneest niemand: niet de toekomstige vader, die steriel blijft, noch de vrouw die het sperma ontvangt en die toch al gezond is. Wat de moderne voortplantingswetenschap hier behandelt is het verlangen van een stel – en steeds vaker het verlangen van een alleenstaande vrouw – om een kind te krijgen. Er is niets speciaal medisch aan de ingreep. De procedure vereist slechts een gewillige donor, een gewillige vrouw en een injectiespuit die in de vagina wordt ingebracht. Maar de medische wetenschap heeft de procedure geadopteerd, haar omringd met technisch jargon en klinische rechtvaardigingen, en er heeft zich in hoog tempo een compleet nieuwe medische industrie ontwikkeld. Als het niet tot veel reacties heeft geleid, dan is dat gedeeltelijk te wijten aan de betreurenswaardige positie van het vaderschap. Als je bezwaar aantekent tegen de devaluatie van het vaderschap die impliciet het gevolg is van AID, dan loop je het risico te horen te krijgen: 'Wat is er zo goed aan vaders? Wat zij kunnen kan een spuit met een paar milliliter sperma ook, en dan gaan ze ervandoor. Vanwaar alle ophef?'

Alle ophef bestaat eruit dat de geneeskunde en de maatschappij bevestigen dat, op grond van slechte vaders, het vaderschap zelf overbodig verklaard kan worden. En zo'n houding doet nog meer. Door haar te verwachten, uit te buiten en te belonen, wordt de vaderlijke onverantwoordelijkheid bevestigd. Op internet zijn verschillende sites waar spermadonatie aangeboden wordt aan elke vrouw die het maar wil. Ze zijn te vinden ergens tussen 'PIG TRACKS, gespecialiseerd in de benodigdheden voor KI voor zwijnen en wetenschappelijke analyse en evaluatie van de kwaliteit van wilde-zwijnensperma', en 'US Sheep Seedstock and Chickadee Creek Cattle Services'. Ook word je er aangemoedigd om Marie Sebrings ervaring te kopen met IVF en kunstmatige inseminatie van een echtpaar dat problemen had met onvruchtbaarheid. Eveneens op het net aanwezig is de IGO Medical Group uit San Diego – een eigenhandig opgezet 'vruchtbaarheidsinstituut' – dat 'office-based egg recovery and transfer', 'embryo cryopreservation' en 'micromanipulation – intracytoplasmic sperm injection and assisted hatching' in de aanbieding heeft.

Een van de boeken die AID proberen uit te leggen aan leken (want er komt een heleboel medisch en technisch jargon aan te pas) is *Helping the Stork: The Choices and Challenges of Donor Insemination [DI]*.[43] Het boek wil mensen informeren over de vraag hoe wijdverbreid DI voorkomt als middel om 'een gezin op te bouwen', en de angst helpen verlichten van mensen die gebruik willen maken van DI, onder wie 'getrouwde stellen, lesbische vrouwen en alleenstaande vrouwen'. De auteurs – Heidi Moss, een klinisch-sociaal werkster die hulp verleent aan onvruchtbare stellen, en Robert Moss, een hoogleraar op het gebied van de genetica en ontwikkelingsbiologie – zijn de ouders van twee kinderen die verwekt werden door middel van donorinseminatie. De derde auteur, Carol Verloccone Frost, wordt beschreven als de eerste klinisch-sociaal werkster bij de National Fertility Organisation. Alle drie vertellen ze de wereld enthousiast over deze nieuwe, 'geweldig positieve manier om een gezin op te bouwen'. Het is echter duidelijk dat in hun opvatting over het begrip 'gezin' de vader geen rol hoeft te spelen. Er zijn hoofdstukken als 'Moeder worden zonder vader' en 'Een alleenstaande moeder worden door middel van DI'. Ooit was het alleenstaande-moederschap het ongelukkige gevolg van weduwe te zijn geworden, gescheiden of uit elkaar te zijn gegaan of in de steek gelaten te zijn. Tegenwoordig is het over het algemeen een aanvaardbare, zelfs wenselijke status, die teweeggebracht kan worden door de wonderen van de moderne, waardevrije wetenschap.

Het is een moreel axioma dat mensen morele verantwoordelijkheid dragen voor vrijwillig begane daden die een weerslag hebben op het leven van anderen. De creatie van een menselijk leven is zo'n vrijwillige daad. Vaders hebben een belangrijke morele verantwoordelijkheid voor de kinderen die ze vrijwillig verwekken. Dit is de boodschap die uiteindelijk de krachtdadige pogingen schraagt die regeringen over de hele wereld ondernemen om te garanderen dat vaders die hun kinderen in de steek laten, een passende verantwoordelijkheid voor ze blijven nemen. Welke daad kan nou belangrijker zijn dan die welke een nieuw leven voortbrengt, een last die de nieuwgeborene zijn of haar hele leven zal moeten dragen? Callahan voert aan dat 'het biologisch vaderschap permanente en onontkoombare verplichtingen met zich meebrengt'. Aangezien het een biologische omstandigheid is, kan die niet afgeschaft worden door een persoonlijke wens, sociaal opportunisme of wettelijke uitspraken. Ook kunnen de morele verplichtingen niet afgeschaft worden, tenzij er redenen zijn waarom ze niet kunnen worden vervuld, en beslist niet omdat niemand wil dat ze niet vervuld worden. Het enige verschil tussen de man die een vrouw bevrucht tijdens een seksuele relatie en die vervolgens verdwijnt, en de anonieme donor van wie verlangd wordt dat hij verdwijnt, is dat bij de laatste de onverantwoordelijkheid veroorloofd en legitiem is en beloond wordt.

Waarom wordt het zo belangrijk geacht dat een biologische vader in een mislukt huwelijk de verantwoordelijkheid blijft dragen voor de nakomelingen die hij heeft verwekt, terwijl een jonge vent met een stel rijpe, goed functionerende testikels en bijbehorende penis voor een paar pond, dollar of sjekels een paar milliliter met sperma volgepropt zaad kan verschaffen en er vervolgens vandoor kan gaan met het idee dat hij de staat een dienst heeft bewezen? Het kind dat geproduceerd wordt uit de vereniging van de 23 chromosomen van de donor en die van een paar vrouwen die hij nooit te zien zal krijgen en, als de alom gezegende geheimhouding wordt betracht, nooit zal leren kennen, is zijn biologische kind – wat de wetenschap ook moge beweren. Maar omdat de donor anoniem is weet niemand wie wat heeft gedaan en dus kan er nooit enige morele rekenschap afgelegd worden. Als het kind een leven heeft vol ellende en lijden, zal de donor er niets van weten, noch aangesproken worden om hulp, vaderlijke hulp te bieden.

De feministische stellingname ten opzichte van het vaderschap en DI is uiterst warrig. Aan de ene kant is er de voorspelbare eis dat het 'recht' van lesbische vrouwen om kinderen te 'krijgen' beschermd en uitgebreid moet worden. Vrouwen moeten vrij zijn van ongepaste dwang en overheersing door het mannelijk geslacht. Zij moeten hun reproductieve bestemming niet overlaten aan lamlendige mannen. Maar aan de andere kant maken de feministen zich boos over lamlendige mannen die hun vrouw in de steek laten. Ze eisen dat de hele machinerie van de overheid en de wet ingezet wordt om recalcitrante en verwaarlozende vaders te dwingen langdurige verantwoordelijkheid te nemen voor hun ogenblik van bevruchting.

De commissie-Warnock schreef over de kwestie van alleenstaand ouderschap en DI: 'Te oordelen naar de bewijzen, menen velen dat het belang van het kind dicteert dat het geboren moet worden in een gezin met een liefdevolle, stabiele, heteroseksuele relatie en dat daar dus uit volgt dat de *opzettelijke* creatie van een kind voor een vrouw die geen partner is in een dergelijke relatie, moreel verwerpelijk is.'[44]

De conclusie van de commissie was dat het in de regel 'beter is voor kinderen om geboren te worden in een gezin met twee ouders, met zowel een vader als een moeder'. Degenen die het bewijs dat vaders ertoe doen op zijn best niet-overtuigend en op zijn slechtst irrelevant vonden, maakten korte metten met deze tamelijk deemoedig geformuleerde mening. Carson Strong, een bio-ethicus, gaf in een gedetailleerd overzicht van de voors en tegens van DI voor alleenstaande vrouwen toe dat er nadelen zouden kunnen bestaan voor de kinderen die kunstmatig geboren worden, maar dat de tegenargumenten aan kracht verloren omdat die nadelen niet 'ernstig' waren.[45] Nergens in haar uitgebreide overzicht ging ze echter ook maar heel even in op de bewijzen betreffende alleenstaand versus gezamenlijk ouderschap.

Bij het abortusdebat zijn mannen uit het scenario geschrapt. De vader, met andere woorden, wordt geacht geen rechten te hebben als het aankomt op informatie over of keuze van wat er na de bevruchting gebeurt. Met onze acceptatie van de voortplanting en het moederschap van alleenstaande ouders voor zowel heteroseksuele als lesbische vrouwen, hebben wij in feite opnieuw verklaard dat vaders biologisch irrelevant en sociaal overbodig zijn. Aangezien sperma een noodzakelijke voorwaarde is voor het moederschap, is het niet mogelijk om mannen helemaal aan de kant te schuiven. Maar mettertijd en door meer intensief biologisch onderzoek zal dat spoedig wel gebeuren.

Het klonen

Toen Ian Wilmot van het Roslin Institute in Edinburgh en zijn collega's tijdens een persbijeenkomst in februari 1997 bekendmaakten dat zij met succes een volwassen schaap, Dolly, hadden gekloond door de nucleus van een volwassen borstcel te combineren met de eicel van een schaap waar de nucleus uit verwijderd was, volgde een massale publieke reactie. Tijdens een ceremonie in Parijs, op maandag 12 januari 1998, ondertekenden 17 Europese landen een protocol dat was toegevoegd aan de Europese Conventie met betrekking tot de rechten van de mens en de biogeneeskunde, waarin het gebruik van menselijk klonen met voortplanting als doel, verboden werd – de eerste wettelijk bindende internationale overeenkomst. Een paar maanden eerder hadden de 186 lidstaten van de United Nations Educational, Scientific and Cultural Organisation (UNESCO) unaniem een verklaring aangenomen die opriep tot een verbod op klonen, maar die verklaring had geen wettelijke status.

Er is geen expliciet of impliciet verbod op het klonen in het Verenigd Koninkrijk, Griekenland of Nederland, hoewel in het Verenigd Koninkrijk de Human Embryology and Fertilisation Authority, die vergunningen verstrekt voor het gebruik van embryo's, heeft aangegeven dat er geen vergunning zou worden verleend voor onderzoek naar 'reproductief klonen'. Hieronder wordt verstaan het klonen om een foetus of een levende geboorte te produceren. In Ierland, een land dat herhaaldelijk beproefd is geweest door grondwettelijke problemen die te maken hadden met abortus, bestaat geen enkele wetgeving op het gebied van reproductie waarbij hulp wordt verleend, en een poging van dr Mary Henry, zowel senator als arts, om een wet in te voeren die daar betrekking op had, leidde nergens toe.[46] Een medesenator (een man) verzekerde haar dat ze zich geen zorgen hoefde te maken omdat zoiets in Ierland toch niet zou gebeuren![47]

De principes die ten grondslag liggen aan het klonen zijn, zoals bij vrijwel elke ontwikkeling in de kunstmatige voortplanting, eenvoudig genoeg, hoewel er enkele geduchte technische problemen mee gemoeid zijn. Om een kloon van een bepaald menselijk individu te produceren zou de kern van een van de cellen van die persoon geïsoleerd moeten worden en ingevoegd in een menselijke eicel waaruit de originele kern verwijderd is. De hybridecel die daarvan het resultaat is, zou de complete DNA-code van die persoon bevatten. En hij zou ook de capaciteit hebben om zich te ontwikkelen tot een volwassen menselijk organisme. Om deze capaciteit te realiseren zou het elektrische impulsen moeten ondergaan om het proces van celdeling op gang te brengen, en dat zou vervolgens volvoerd moeten worden in een natuurlijke of kunstmatige baarmoeder. Dit proces van de overdracht van de kern loopt parallel aan het proces van gewone bevruchting. Het verschil is dat het, in plaats van de incomplete genetische codes van

twee voortplantingscellen te mengen – in menselijke termen: game-
ten ontleend aan ovum en sperma –, bij het klonen gaat om de overdracht van een volledige genetische code van één individu naar het
kiemplasma van een eicel.

In een onderzoek naar de verdedigbaarheid – of juist niet – van het
klonen van mensen als bron van weefsel voor transplantatie, somt
Julian Savulescu op wat hij ziet als de voornaamste argumenten voor
en tegen.[48] Bij de argumenten vóór zijn inbegrepen de vrijheid om
persoonlijke reproductieve keuzes te maken, de vrijheid van wetenschappelijk onderzoek, de behandeling van onvruchtbaarheid, de ver-
vanging van een geliefd overleden familielid, het verschaffen van menselijke cellen of weefsel voor de behandeling van een aantal ernstige
stoornissen, en de preventie van genetische ziektes. Onder de argumenten tegen vallen onder meer het feit dat er misbruik kan worden
gemaakt van klonen, dat het inbreuk maakt op het recht op genetische individualiteit, dat het rassenveredeling mogelijk maakt, dat het
mensen gebruikt als middel, dat klonen in termen van welzijn het
slechter hebben – vooral wat psychologisch welzijn betreft –, en dat er
veiligheidszorgen zijn, vooral een verhoogd risico van ernstige genetische misvorming, kanker of een verkorte levensduur.

Wat interessant is aan deze redelijk karakteristieke lijst van voors
en tegens, is dat één cruciaal aspect van het klonen geen discussie
waard is, namelijk dat de gekloonde nakomeling maar één genetische
ouder heeft, dat elk kind dat uit dit proces voortkomt, per definitie
het kind is van een 'alleenstaande' ouder. Justine Burley en John Harris
van de Universiteit van Manchester hebben het potentiële welzijn
onderzocht van gekloonde kinderen, maar alleen in termen van de
mogelijke schade veroorzaakt door een angstige en bevooroordeelde
houding die mensen jegens hen zouden kunnen hebben, de eisen en
verwachtingen van ouders of erfelijk bepaalde donors, en wat er zou
kunnen gebeuren met een kind dat over zijn afkomst wordt ingelicht,
bijvoorbeeld dat zijn genetische donor een onbekende is.[49] Burley en
Harris geven het volgende voorbeeld van het soort bezwaren dat mensen maken tegen het klonen: 'Een vrouw kiest ervoor om een kind te
krijgen door middel van klonen. Omdat zij ervoor kiest op deze
manier bevrucht te worden, bezorgt ze het kind een slechte start van
het leven. Hoewel dat nare gevolgen kan hebben voor het hele leven
van het kind, zal zijn of haar leven naar alle verwachting toch de moeite waard zijn om geleefd te worden. Als deze vrouw ervoor gekozen
had om zich op een andere manier voort te planten, zou zij een ander

kind hebben gekregen, dat ze een betere start van het leven zou hebben bezorgd.'

Interessant aan dit voorbeeld, dat ook tamelijk karakteristiek is, is het feit dat de vader opvalt door zijn afwezigheid. Klonen is de onbevlekte ontvangenis in de stijl van de eenentwintigste eeuw. Vrouwen raken bevrucht of raken niet bevrucht. De persoon die helpt ze te bevruchten is even vaag en moeilijk te omschrijven als Jozef uit de Heilige Familie.

Dolly lokt de voorspelbare opeenvolging van reacties uit. Aan de ene kant staan degenen die het klonen beschouwen als een zegen met verbazingwekkende beloftes. Het prestigieuze *New England Journal of Medicine* stelde dat ieder plan om onderzoek over het klonen van menselijke cellen te verbieden, 'ernstig misleid' was.[50] Zij beweerden dat het toepassen van de kloontechniek op bepaalde cellen van bepaalde lichaamsweefsels (bijvoorbeeld cellen die de bloedvaten bekleden, cellen in de hart- en skeletspieren, bloedcellen) 'de medische geneeskunst radicaal zou kunnen veranderen' en dat de behandeling van genetische stoornissen en van ziektes als suikerziekte en leukemie ingrijpend zou kunnen veranderen. 'Geen morele bedreiging maar een opwindende uitdaging,' verklaarde het *British Medical Journal* in een redactioneel artikel van professor Winston.[51] Hij verklaarde zich tegen elk overhaast verbod op het toepassen van het proces op mensen, met het argument dat zelfkritiek en professionele regulering goed werken. Winston verwierp impliciet twijfels over het klonen als zijnde slechtgeïnformeerd, het soort reactie dat je zou verwachten 'in een maatschappij die nog steeds wetenschappelijk analfabeet is'. Winston schoof het doemscenario van een gekloond menselijk wezen terzijde. De onderzoekers hebben de plicht, verklaarde hij, om de voordelen te demonstreren die verwacht kunnen worden van de ontwikkelingen op het gebied van het klonen. 'Zij moeten verklaren wat het potentiële nut is dat behaald kan worden in het laboratorium.'

Professor Winston liet na te vermelden dat iemand die nauwelijks van wetenschappelijk analfabetisme beticht kon worden, James Watson, de man die ruim veertig jaar eerder de Nobelprijs had ontvangen voor de ontdekking, samen met Francis Crick, van de structuur van het DNA-molecuul, al in 1971 de mening had verkondigd dat 'een mens – geboren uit klonische reproductie – waarschijnlijk op aarde zal verschijnen in de volgende twintig tot dertig jaar, en wellicht zelfs nog eerder'.[52] Watson had de tijd verkeerd, maar zijn voorspelling valt moeilijk te negeren. In Watsons artikel ontdekt de lezer dat, zo'n dertig jaar voor

Dolly, een kikker was gekloond met gebruik van vrijwel dezelfde technische procédés. Dat onderzoek, geleid door de Engelse zoöloog John Gordon, was bedoeld om uit te zoeken of het proces waarbij cellen zich blijven verdelen en differentiëren in weefselcellen, bloedcellen, botcellen enzovoort, plaatsvond onder invloed van de celnucleus of van andere cellulaire factoren. Gordons gekloonde kikker beantwoordde de vraag door aan te tonen dat een nucleus die uit een zeer gespecialiseerde cel werd gehaald, zijn capaciteit behoudt voor het sturen van de ontwikkeling van een volkomen normaal organisme.

Zodra Gordons werk begin jaren '70 bekendheid kreeg, volgde een publieke reactie die sterk leek op de latere bij Dolly – een redacteur van een tijdschrift gaf opdracht voor een cover met veelvoudige kopieën van Ringo Starr, terwijl een ander een aantal Raquel Welch-gelijkenissen publiceerde. Gewone mensen maakten zich niet echt druk om de toepassing van kloontechnieken op een paar cellen die in een laboratorium gekweekt waren. Wat toen en nu tot de verbeelding sprak, ongetwijfeld opgehitst door de media, is het idee van het klonen van een compleet mens. Wat nauwelijks hielp bij de opwinding over Dolly was, dat de natuurkundige Richard Seed verkondigde dat hij tegen betaling mensen wilde klonen. Het maakte niet uit dat hij geen enkele ervaring had in het klonen, niet verbonden was aan een instituut en geen enkele financiële steun leek te hebben. Watson zelf had in zijn artikel uit 1971 en in een voorstel aan het Panel on Science and Technology van het Huis van Afgevaardigden in de vs geopperd dat sommige mensen oprecht konden geloven dat 'de wereld een schreeuwende behoefte heeft aan een heleboel kopieën van uitzonderlijke mensen, als we ons een uitweg willen bevechten uit de almaar toenemende computergestuurde complexiteit die onze individuele hersenen zo vaak inadequaat maakt'.[53]

Watson is echter niet zo gauw geneigd als Winston om de kwestie over te laten aan de wetenschappers, omdat die volgens hem veel te belangrijk is en omdat de opvatting dat draagmoeders en gekloonde baby's onvermijdelijk zijn aangezien de wetenschap nu eenmaal vooruitgang boekt, 'een vorm van laissez-faire nonsens vertegenwoordigt die op een al te treurige manier doet denken aan het credo dat de Amerikaanse zakenwereld, als die maar met rust gelaten wordt, alles wel zal oplossen'. Als reactie werd de eis gesteld dat er voor onbepaalde tijd een moratorium zou moeten gelden voor kloononderzoek en er werd een aantal haastig opgestelde wetsontwerpen aan het Amerikaanse Congres voorgelegd.

Zoals altijd kwamen de voorstanders aanzetten met een ware bron van lijden die door het klonen kon worden verlicht, waarbij degenen die twijfels hadden geuit impliciet geportretteerd werden als domme, ongevoelige kwezels die bereid waren ambitieuze en onjuiste theoretische principes vóór klinische gevoeligheid en gewoon menselijk fatsoen te laten gaan. Zo illustreerden de voorstanders van de techniek hun argument met ziektegeschiedenissen van mensen die aan rampzalige stoornissen leden die te wijten waren aan één enkel gen, en kinderen die stierven aan leukemie of andere ziektes omdat er geen geschikte weefsels voor transplantatie voorhanden waren. Maar, zoals Robert Williamson, directeur van het Murdoch Institute aan het kinderziekenhuis in Melbourne aangaf, 'zware gevallen leiden tot slechte ethiek op dezelfde manier als dat ze leiden tot slechte wetten'.[54]

Wij zijn zo gewend aan het discussiëren over conceptie in termen van moeder en kind, dat de afwezigheid van een vader niet langer een kwestie is die commentaar behoeft. In 1996 werd Diane Blood, een 30-jarige weduwe, door de Human Fertilisation and Embryology Authority (HFEA) inseminatie geweigerd met sperma afkomstig van haar comateuze man voordat hij stierf; zij liet het onmiddellijk voorkomen bij het Hoge Gerechtshof. De weigering van de HFEA had niets van doen met de overweging dat het kind geen vader zou hebben; in plaats daarvan was die gebaseerd op wat men een formeel ethisch punt zou kunnen noemen, namelijk dat meneer Blood geen toestemming had gegeven om zijn sperma op deze manier te gebruiken. De HFEA maakte zich zorgen, en terecht, over een precedent met betrekking tot de verkrijgbaarheid en het gebruik van genetisch materiaal van stervende of overleden mensen. Maar mevrouw Blood wees erop – niet onredelijk – dat zoals het ervoor stond zij wel in aanmerking kwam voor kunstmatige inseminatie met sperma van een anonieme dode donor, als deze tenminste het toestemmingsformulier had ondertekend, terwijl haar het sperma van haar geliefde overleden man onthouden werd omdat hij niet zo'n formulier ondertekend had. 'Het zou,' verklaarde zij, 'voor een kind toch zeker veel beter zijn te weten dat zijn moeder van zijn vader had gehouden, dat het gewild was, dat het gepland was.'[55] Ik ben het met mevrouw Blood eens. Maar de kwestie of de maatschappij *opzettelijk* gezinnen van alleenstaande ouders moet produceren, vereist eveneens discussie. Het geval-Blood schept een precedent.

Het is interessant dat het Centre for Reproductive Medicine aan de Universiteit van Bristol zich bezorgd heeft uitgelaten over postume conceptie.[56] In een overzicht van 106 centra in het Verenigd Koninkrijk die bevoegd zijn om embryo's of sperma op te slaan, bleek meer dan eenderde tegen postuum gebruik te zijn. Deze substantiële minderheid was van mening dat het verkeerd is om bij de conceptie van een kind te helpen na de dood van een verwekker. De onbestendigheid van de natuur en ongevallen in aanmerking genomen worden er natuurlijk veel mensen geboren nadat hun vader is gestorven, kennen heel veel mensen hun vader niet en zouden heel veel mensen willen dat ze hem niet hadden gekend. Maar om opzettelijk een vaderloos gezin te gaan stichten, dat is een andere kwestie.

Het afnemen van de mannelijke seksualiteit

Voor een groot deel maken mannen zich er meer zorgen over dat, naar verluidt, hun spermagetal achteruitgaat en over het onvermogen om een erectie te krijgen, dan over het feit dat hun rol bij de voortplanting dankzij de technologie en een enthousiaste medische wereld steeds marginaler wordt. De komst van sildenafil, over de hele wereld bekend als Viagra, viel samen met rapporten waarin werd gemeld dat zo'n 30 miljoen mannen in de Verenigde Staten, tussen de 3 en 9 procent van de mannelijke Zweedse bevolking en 10 procent van de volwassen mannen in het Verenigd Koninkrijk – dat wil zeggen 2,5 miljoen mannen van boven de 18 jaar – lijden aan erectiele stoornis, het aanhoudend onvermogen om een erectie te krijgen of te handhaven voor een bevredigende seksuele prestatie (oftewel impotentie).[57] Deze cijfers, beschikbaar voor iedereen die bereid is de relevante medische literatuur door te nemen, overvielen de experts, terwijl de algemene reactie de nationale stereotypen weerspiegelden. In de Verenigde Staten werd het medicijn onthaald met een soort mannelijke hysterie die zelfs een naam kreeg: Viagra-manie. Binnen drie maanden na goedkeuring in de vs, in maart 1998, werden er 1,7 miljoen recepten voor Viagra uitgeschreven.[58] In het eerste jaar werden in Europa 27 miljoen pillen geleverd. Sinds de introductie van de pil hebben bijna 2 miljoen mannen in de belangrijkste Europese landen zich laten behandelen voor impotentie. In Groot-Brittannië werd het enthousiasme gedempt door politieke bezorgdheid over de kosten. Politici leken te duizelen van de ontzagwekkende financiële voorspellingen. De Britse minister van Gezondheid Alan Milburn vertelde het Lagerhuis in 1998 dat, hoewel impotentie voor sommige mannen inderdaad een ernstige en ondermijnende aandoening was, hij vastbesloten was ervoor te zorgen dat de middelen van de Nationale Gezondheidszorg (NHS) niet verkwist zouden worden aan het gebruik van Viagra als 'recreatiedrug', in plaats van waar het echt nodig was.[59] Zijn vastberadenheid leverde resultaat op – in oktober 1999 bleek uit gegevens van de NHS dat er slechts 1,72 miljoen pond was besteed aan Viagra, wat neerkwam op zo'n 32.000 recepten, hetgeen schril afstak tegen de aanvankelijke schatting van 1,2 biljoen pond. Een Ierse medische commentator tekende hierbij aan dat 'het enige lichaamsdeel dat de Britse man stijf houdt, nog altijd zijn bovenlip is'.[60]

Ondanks het feit dat Viagra geen uitwerking heeft op de seksuele begeerte, stortten mannen van Sicilië tot Singapore, van Jakarta tot Jeruzalem zich op het blauwe pilletje als was het de seksuele 'raketbrandstof', en veroorzaakten de grootste sociale oproer sinds de ontwikkeling van de pil.[61] Sildenafil (Viagra genoemd door de man die de formule van de pil tegen impotentie heeft bedacht, dr Ronald Virag) werkt in feite niet in op de mannelijke seksuele begeerte maar – veel prozaïscher – op de hydraulische werking van de penis. Het heeft als hoofdeffect de preventie van de afbraak van guanosinemonofosfaat, GMP. Om nog preciezer te zijn blokkeert sildenafil een enzym (PDE$_5$ fosfodiesterase type 5) dat GMP afbreekt, waarbij zelfs een kleine hoeveelheid GMP al in staat wordt gesteld om zijn werk te doen. Gewoonlijk ontspant GMP, dat vrijkomt wanneer de hersenen signalen naar de penis sturen, het erectiele weefsel in de penis, en doet het de aderen opzwellen. Het bloed stroomt de nieuwe open ruimtes in en maakt de penis stijf. Er vindt een volledige erectie plaats wanneer de aderen, die het bloed meestal afvloeien, dichtgeknepen worden zodat het bloed in de opgezwollen penis blijft zitten. Bij impotente mannen zwelt het erectiele weefsel niet genoeg om de aderen te blokkeren omdat er niet genoeg GMP aanwezig is. Het bloed vloeit de penis uit en de erectie verslapt. In feite werkt sildenafil in op het mechaniek van de mannelijke seksuele daad en niet op de psychologie ervan.

Maar het mechaniek is niet in al te beste vorm. Voor de komst van Viagra hadden mannen hun hoop gevestigd op een overvloed aan pillen, drankjes en hulpmiddelen, waaronder vacuüm-vernauwingspompen, het injecteren van middelen die moesten inwerken op GMP en andere relevante enzymen in het vaatstelsel van de penis, chirurgische implantatie van staven die hard worden, en chirurgische ingrepen in de bloedvaten zelf. Tot de komst van Viagra was er geen enke le effectieve orale behandeling verkrijgbaar. Amerikaanse mannen spenderen ruim 700 miljoen dollar per jaar aan hun erecties, terwijl de aanvankelijke schatting van ruim 1,2 biljoen pond die de NHS mogelijk zou uitgeven in Groot-Brittannië gebaseerd was op de veronderstelling dat de helft van de Britse mannen die geacht worden te lijden aan echte seksuele impotentie, een of twee pillen per week nodig zouden hebben.

De Viagra-manie herinnerde ons eraan dat het vermogen om een erectie te krijgen en te handhaven bepalend is voor wat een man is – in elk geval dachten veel mannen dat. Voor de komst van het medicijn deden de meeste mannen die leden aan impotentie wat mannen met persoonlijke problemen altijd doen: zij hielden het voor zich. Mannen die het bijzonder belangrijk vinden om alles onder controle te hebben, voelen zich sterk bedreigd wanneer hun penis het gewoon niet wil doen; vandaar de buitengewone reactie toen Viagra de belofte inhield dat ze het seksuele stuur weer in handen zouden krijgen. Het feit dat vrouwen zich lang zo erg niet storen aan de impotentie van mannen als mannen wel denken, krijgt nauwelijks aandacht in de discussie over erectiele stoornis. De relatie die mannen hebben met seks is er vaak eerder een met zichzelf dan met een partner; in zo'n scenario is de vrouw weinig meer dan een uitgebreid sekshulpmiddel om mannen in staat te stellen hun zaad uit te storten. Als pornografie, zoals Greer oppert, inderdaad het ontvluchten van vrouwen is,[62] dan is de preoccupatie van mannen met een seksualiteit die bepaald wordt door de omvang, hardheid en houdbaarheid van hun penis, een soort pornografie, een masturbatoire seksualiteit waarbij gemeenschappelijk plezier en intimiteit incidenteel zijn en vaak zelfs vreemd en bedreigend.

Kenmerkend voor pornografie is de bevrediging door middel van fantasie van het hydraulische mechaniek van de mannelijke seksualiteit – opwinding, opzwelling, erectie, zaadlozing, uitputting, verveling. Vrouwen komen er vaak niet aan te pas, behalve als voorwerp. Mannen die walgen van het gemak waarmee ze door vrouwen kunnen worden opgewonden, richten hun zelfhaat op de vrouwen die hen stimuleren. Mannen die niet in staat zijn om te masturberen doen vaak hetzelfde. Viagra pakt, net als alle andere middelen tegen impotentie, het probleem aan op het terrein waar de meeste mannen zich het meest thuis voelen: het mechaniek. Mannen stellen de penis gelijk aan mannelijkheid; de culturele stereotype van de mannelijke seksualiteit is 'een grote, machtige, onvermoeibare fallus verbonden aan een volstrekt onverstoorbare man met veel zelfbeheersing, ervaring, kundigheid en met genoeg kennis om vrouwen gek te maken van verlangen'.[63]

'Met een dynamische baan, een mooie vrouw en drie kinderen bezat piloot James Williams alles waar hij ooit naar had verlangd.' Zo begon Rebecca English' artikel onder de kop 'Ik raakte alles kwijt na mislukte seksoperatie'.[64] Williams wendde zich tot een chirurg omdat de huid van zijn penis zo strak zat dat hij pijn had bij het vrijen. De operatie werd een vreselijke mislukking. Williams' orgaan werd door gangreen aangetast en hij moest vijf hersteloperaties ondergaan voordat hij weer een penis had die 'een acceptabele staat benaderde'. Hij werd depressief en leed aan posttraumatische stress-stoornis; zijn vrouw kon het niet aan, liet zich van hem scheiden en vond een nieuwe partner; hij heeft nooit meer gevlogen omdat zijn vliegbrevet afgenomen werd wegens mentale en lichamelijke achteruitgang, maar hij vond uiteindelijk een administratieve baan. Naar verluidt verklaarde een van zijn begeleiders: 'Men is het er over het algemeen over eens dat zijn leven verwoest is. Hij is in feite een man zonder vast adres die logeert bij vrienden en familie die zijn aanwezigheid kunnen verdragen.'[65] Het was duidelijk de geestelijke uitwerking van zijn afgrijselijke operaties die zijn vrouw en kinderen op de vlucht deden slaan, en niet de veranderingen in zijn seksuele capaciteiten.

Mannen zijn gepreoccupeerd met een penetrerende penis; vrouwen hoeven dat helemaal niet zozeer te zijn, wat mannen ook geloven, hopen en vrezen. Vrouwen doen er langer over dan mannen om lichamelijk opgewonden te raken en hebben een bredere en meer verspreide lichamelijke erotiek. Vrouwen ervaren heel wat seksueel plezier door gestreeld, gekust, gemasseerd, aangeraakt, omhelsd en seksueel gestimuleerd te worden op een andere manier dan door directe penetratie. Mannen zijn totaal anders penisgericht dan de manier waarop vrouwen gericht zijn op hun clitoris. Mannen zien een penis voor zich. Vrouwen zien de man achter de penis. Het feit dat mannen de geleidelijke ontwikkeling van de zogenoemde erectiele 'disfunctie' niet kunnen zien als iets anders dan een disfunctie, is een klassiek geval van gemiste kans – mannen die de tijd nemen, mannen die plezier beleven aan niet-penetratieve seks, mannen die geïnteresseerd zijn in het ontdekken van de sensualiteit van hun partner, zijn in feite de mannen die door vrouwen beschouwd worden als de ware seksuele atleten die veel mannen zo graag willen zijn. De nadruk op penetratieseks is op zich een van de voornaamste factoren die leiden tot erectiele stoornis; mannen zijn er zo op gespitst om te 'presteren' dat ze impotent en, erger nog, beroofd worden van andere benaderingen van gemeenschappelijk seksueel gedrag waaraan hun partner bevrediging en plezier zou kunnen beleven.

Maar mannelijke seksuele problemen houden niet op bij een mislukte erectie. Rond de kwaliteit van het sperma zweven nog grotere angsten. Onvruchtbare mannen lijden veel eerder aan psychologische problemen, die tot uitdrukking komen in een verminderde eigendunk, grotere psychische angst en meer lichamelijke symptomen van rusteloosheid en slechte gezondheid.[66] 'Het is een gevoel van inadequaatheid,' vertelde een man die het had over zijn gebrek aan normaal sperma. 'Ik heb het gevoel dat ik onvolmaakt ben, niet in staat om te doen wat andere mannen zonder enige inspanning voor elkaar krijgen.'[67]

Toen in twee artikelen in het *British Medical Journal* begin 1996 beweerd werd dat de uitkomsten van spermatellingen aan het zakken waren, veroorzaakte dat een tumult. Een van die twee artikelen bracht verslag uit van een zorgvuldige analyse van een steekproef onder geselecteerde mannen die in Engeland geboren waren tussen 1951 en 1973, en bij wie een progressieve achteruitgang in spermaconcentratie en totaal aan sperma per zaadlozing werd geconstateerd in een periode van 11 jaar. Een kleiner onderzoek beschreef een significante terugval in de spermatelling van spermadonors in Toulouse, in een periode van 16 jaar.[68] Deze artikelen gooiden olie op het vuur van de bezorgdheid die werd aangewakkerd door een gecompliceerde statistische studie, waarvan verslag werd uitgebracht aan het begin van de jaren '90 en waaruit naar voren leek te komen dat de spermatelling tussen 1940 en 1990 met bijna 50 procent achteruit was gegaan – van 113 miljoen spermatozoa per milliliter zaad naar 66 miljoen.[69] Als deze trend zou doorzetten zou de mannelijke rol bij de voortplanting ernstig in gevaar komen: de mannelijke vruchtbaarheid begint gevaarlijk te verminderen wanneer spermaconcentraties dalen tot onder de 50 miljoen per milliliter zaad.[70] De gemelde terugval werd geweten aan oestrogenen en pesticiden. Het Deense bureau voor milieubescherming publiceerde in 1995 een rapport waarin de vraag gesteld werd of er wellicht een verband bestaat tussen chemische producten in het milieu die een sterk oestrogeeneffect hebben, en het toenemend aantal gevallen van testikelkanker en dalende spermatelling.[71] Een ander milieuvervuilend middel dat schuldig werd bevonden was DDT, waarvan bekend is dat het de testiculaire functie in de foetus aantast. In landen als Brazilië en Mexico werd in 1992 bijna 1.000 ton DDT gebruikt.[72]

Deze professionele studies kregen in de niet-professionele pers enorm veel publiciteit en het mogelijke verband met milieuvervuilende giffen werd gretig opgepakt. In de daaropvolgende correspondentie in de medische tijdschriften werden bedenkingen geuit tegen de wetenschappelijke methodes die toegepast waren in veel van de studies, en twijfels over de vraag of de spermakwantiteit of -kwaliteit daadwerkelijk achteruit gegaan waren. Men wees erop dat spermatellingen berucht waren om hun onbestendigheid en onderhevig aan vele fysiologische factoren, waaronder leeftijd (naar gelang de leeftijd stijgt, daalt het spermagetal), de ejaculatiefrequentie (hoe frequenter er geëjaculeerd wordt, hoe verder het getal daalt), seizoensveranderingen (het daalt in de zomer, stijgt in de winter), tegelijk voorkomende ziekten en zelfs de manier waarop zaadmonsters worden genomen.[73] Eén commentator merkte op dat het overgrote deel van de mannen die aan een van de grote onderzoeken deelnamen uit West-Europa en de Verenigde Staten kwam, landen waar in de afgelopen vijftig jaar het taboe op masturbatie bijna helemaal verdwenen was.[74] Met andere woorden, als de spermakwaliteit achteruit was gegaan moeten we naar culturele en niet naar biologische verklaringen zoeken. Mannen maken zich zorgen over hun seksuele prestaties ondanks of misschien wel dankzij een eeuw van seksuele bevrijding.

Critici hebben zich gericht op het niet onverdeelde genoegen die de zogenoemde seksuele revolutie is voor de vrouw. Aan de ene kant hebben meer vrouwen een actiever en positiever seksleven genoten en ook mannen hebben zich laten verlokken door deze genotcultuur, ontdaan van schuldgevoel. Aan de andere kant betekent het grotere seksuele bewustzijn en raffinement van vrouwen, gekoppeld aan een waargenomen hogere verwachting van de mannen dat zij hun minnaressen van 'succesvolle' en 'bevredigende' seks voorzien, voor veel mannen een zware last. Mannen maken enorm veel grappen over seks, maar geven zich nauwelijks bloot. Er rust een taboe op het in het openbaar vertonen van de penis. Mannen zijn voortdurend op zoek naar geruststelling over hun prestaties en horen graag van hun partner dat factoren als de omvang en vorm van hun penis niet relevant zijn voor bevredigende penetrerende seks. Hoe meer mannen zichzelf definiëren in termen van hun seksuele bekwaamheid, des te groter de kans dat zij ernstig gekwetst zullen worden in hun eigenwaarde. Aan het begin van de eenentwintigste eeuw moeten mannen zich realiseren dat succesvolle seksualiteit gebaseerd is op meer dan alleen een volledig opgezwollen, roofzuchtige penis.

Conclusie

Hoe ver mannen verwijderd zijn van het proces van voortplanting kan afgemeten worden aan het feit dat Robin Baker het volgende kan schrijven, én dat hij serieus genomen wordt: 'Het juweel op de reproductieve kroon is de kans om seks totaal te scheiden van de voortplanting. Seks kan zuiver recreatief worden en reproductie zuiver klinisch, het product van in-vitrobevruchting. Een half miljoen mensen – de oudste is nu 21 – dankt hun afkomst al aan een petrischaal in plaats van een ouderlijke vereniging en zij zijn, net als de eerste zwaluwen, de voorbodes van een nieuwe zomer.'[75]

De buitengewone ontwikkelingen in de voortplantingstechnologie met hulpmiddelen zijn met een wonderbaarlijke snelheid toegepast, waardoor pogingen om de toepassing kritisch te evalueren en zelfs te betwisten, halfslachtig en gebrekkig overkomen. Verdere ontwikkelingen in de technologie kunnen deze kwesties overbodig maken; betere methodes om een matige eiproductie te stimuleren en onvolkomen sperma of sperma van slechte kwaliteit te corrigeren, zouden kunnen leiden tot minder toevlucht tot methodes als AID. Maar wat het huidige debat maar al te duidelijk laat zien is de mate waarin het recht van de biologische vaders om hun verantwoordelijkheden na te komen en het recht van de kinderen om de identiteit van hun vader te weten te komen, opzij zijn gezet ten gunste van het allerhoogste belang van volwassen mensen – soms met een relatie, soms niet – om hun 'recht' uit te oefenen om een kind te krijgen, ongeacht de prijs. Baker is tenminste eerlijk en geeft aan wat hij echt denkt over de jeugd, gezinsrelaties en veiligheid. Het ouderschap moet vervangen worden door een petrischaal. Als je denkt dat dit iets onwaarschijnlijks is, sta er dan eens even bij stil. Het geldt al voor het vaderschap.

6

Afscheid van de huisvader

De toenemende terugdringing van mannelijk geweld, de groeiende overbodigheid van mannen bij de voortplanting en het zich ontplooiende zelfvertrouwen en de zelfverzekerdheid van vrouwen betekenen allemaal een flinke klap voor het zelfvertrouwen van de man. Maar er is nóg een revolutionaire verandering, die mannen nog steeds met man en macht proberen te accepteren. De ondergang van het traditionele gezin vertegenwoordigt een van de minder onderkende maar aantoonbaar grootste van alle bedreigingen van de fallische superioriteit. De dood van de patriarch is niet alleen een belangrijke structurele verandering in de lange evolutie van sociale en familiale verhoudingen. Door de teloorgang van het twee-oudergezin en het stijgende aantal gezinnen met een vrouw aan het hoofd, ontstaat het tegengestelde van de patriarchale familie. In het gezin dat ooit werd gedomineerd door een volwassen man is tegenwoordig steeds minder vaak een volwassen man te bespeuren.

We zijn zo gewend aan de geslachtelijke verdeling tussen de openbare sfeer en de privésfeer – aan mannen die hun reputatie verdienen en hun eigendunk ontlenen aan de openbaarheid, aan vrouwen die ingesloten worden en hun eigendunk ontlenen aan het huiselijk leven – dat we het gevaar zouden kunnen lopen de relatie tussen mannelijkheid en huiselijkheid te onderschatten. Veel van de eigenwaarde van mannen, misschien wel het overgrote deel, is ontleend aan de reputatie *buiten* de huiselijke kring, verdiend terwijl hij werkte voor de kost, een beroep uitoefende, de wereld veranderde. Historische wetenschappen, sociologisch onderzoek en psychologische theorieën hebben allemaal bijgedragen aan de notie dat tot kort geleden het openbare leven aan de mannen toebehoorde en het privéleven aan de vrouwen. De onderliggende veronderstelling is dat de man is wat hij doet. Natuurlijk is de verdeling tussen openbaar en privé nooit absoluut geweest: de verplichtingen van een man aan zijn gezin zijn eveneens een elementair onderdeel geweest van zijn mannelijkheid en onafhankelijkheid. Een man die niet de baas was in zijn eigen huis, werd door zijn gelijken geminacht. De mate waarin zijn persoonlijke leven en zijn intiemste relaties ordelijk of chaotisch waren, beïnvloedde de manier waarop hij in een bredere sociale context gezien en beoordeeld werd. Politieke denkers beweren allang dat de autoriteitsverhoudingen binnen het gezin een microkosmos van de staat zijn.[1] Vandaag de dag debatteren we nog steeds over de betekenis van het privéleven van een politicus voor zijn openbare succes.

De oorsprong van de moderne familie is geworteld in de late veertiende en vroege vijftiende eeuw, toen het kind beschouwd werd als een persoon met zijn of haar eigen rechten en niet zoals in de middeleeuwen werd beschouwd, aangesproken, gekleed en behandeld als miniatuur-volwassene.[2] In zijn monumentale werk *The Family, Sex and Marriage 1500-1800* maakt Lawrence Stone onderscheid tussen een aantal overlappende stadia waarin, ofschoon de relatie tussen de maatschappij en het gezin op een subtiele manier veranderde, die van het mannelijk gezinshoofd nauwelijks veranderde.[3] Aanvankelijk betekende een huwelijk bij de hogere klasse en de middenklasse allereerst een manier om twee verwante groepen met elkaar te verbinden en, vanuit het perspectief van de maatschappij, een handige manier om seksuele begeerte in banen te leiden en een stabiele productie en opvoeding van kinderen te garanderen. Kinderen hadden niet één moederfiguur en hun veronderstelde zondige wil werd op jonge leeftijd met brute kracht de kop ingedrukt. Binnen een dergelijk gezinsmodel waren mannen machtig en autocratisch en hun positie veranderde niet toen in de late zestiende en vroege zeventiende eeuw dat gezinsmodel plaats begon te maken voor een dat Stone het 'beperkte patriarchale kerngezin' noemde. Passieve gehoorzaamheid aan de echtgenoot en vader binnenshuis weerspiegelde en was het model voor gehoorzaamheid en onderwerping aan een steeds sterkere en machtiger gecentraliseerde staat.

De grens tussen het kerngezin en het uitgebreidere netwerk van familieleden en vrienden werd duidelijker afgebakend. Toen in de zeventiende eeuw de buurt en de familieverwantschappen als invloed uitoefenende eenheden in verval begonnen te raken, ontstond daaruit geleidelijk aan het 'gesloten' huiselijke kerngezin. Man en vrouw selecteerden elkaar persoonlijk in plaats van dat ze de wens van hun ouders opvolgden, en hun voornaamste motief was van toen af aan een langdurige persoonlijke genegenheid in plaats van de economische baat of status voor het nageslacht. Steeds meer tijd, energie, liefde en geld werden door beide ouders besteed aan de opvoeding van kinderen. Het huishouden werd een meer particuliere plaats. Aan de buitenkant werd het afgesloten voor nieuwsgierige buren.

Zo kwamen de vier hoofdkenmerken van het moderne gezin – geïntensifeerde emotionele binding van de kern (vader, moeder, kinderen) ten koste van buren en verwanten, een sterk gevoel van individuele autonomie en het recht op persoonlijke vrijheid in de zoektocht naar het geluk, een afzwakking van de associatie van seksueel genot met zonde en schuld, en een groeiend verlangen naar lichamelijke privacy – in de loop van verscheidene eeuwen geleidelijk aan tot stand en lagen tegen 1750 allemaal vast in de belangrijkste sectoren van de middenstand en de hogere klasse van de Engelse maatschappij. In de negentiende en het begin van de twintigste eeuw vond een veel bredere sociale verspreiding van deze kenmerken plaats. En terwijl het gezin zich ontwikkelde werd de macht van de patriarch daarbinnen steeds groter.

Zoals historicus John Demos echter opmerkte heeft het vaderschap 'een heel lange geschiedenis maar vrijwel geen geschiedschrijvers'.[4] De opvallende rol die mannen hebben gespeeld, is altijd de openbare en officiële rol geweest. Maar tegen het eind van de zeventiende eeuw nam de vader een breed scala op zich aan wat nu huishoudelijke en particuliere verantwoordelijkheden zouden worden genoemd. Hij was een pedagoog voor zijn kinderen, die hij de beginselen van het lezen en schrijven bijbracht. Hij speelde een centrale rol in de verkeringstijd en bij de voorbereidingen op het huwelijk van zijn nakomelingen, hij keurde een voorgestelde vereniging goed of af en kende delen van zijn bezittingen toe om de toekomst van het paar veilig te stellen. Van mannen werd verwacht en geëist dat ze vrouwen in de huiselijke sfeer overheersen, want het was algemeen aanvaard dat zowel daar als op andere gebieden van het leven mannen van hun schepper een superieur verstand hadden meegekregen. Vaders waren er om discipline bij te brengen: uiteindelijk kwamen alle kinderen 'bevlekt' door zonde op de wereld, en hadden met hun heftige opwellingen en hartstochten en verzwakte verstand morele en lichamelijke beteugeling nodig. Vaders werden geacht jonge mensen beter te begrijpen en het beste voorbeeld voor ze te zijn van goed gedrag en eervol karakter. 'Als een baby het stadium van de borstvoeding voorbij was,' schrijft Demos, 'kwam de vader sterk in beeld, en niet alleen de jongens, maar ook de meisjes hadden moreel toezicht van een man nodig.'[5] Uit de tijdsdocumenten komt een beeld te voorschijn van een actieve en betrokken rol voor een kleinburgerlijke vader, een rol die geen ernstige splitsing tussen zijn openbare en huiselijke identiteit teweegbracht. Sociale en culturele tradities hielden in dat van alle volwassen mannen verwacht werd dat zij vader werden, en velen van hen werden veelvuldig vader. Naar schatting produceerde een doorsnee-echtpaar acht kinderen die de babytijd overleefden, en een man was vaak al ouder dan zestig als zijn jongste kind trouwde en het ouderlijk huis verliet, hetgeen betekende dat het vaderschap voortduurde tot een man bejaard was.

De splitsing tussen gezin en werk

'Het allerbelangrijkste van alle effecten van de modernisering op het gezin,' stelt Peter Laslett, een van de grote geschiedschrijvers van het gezin, 'is zonder twijfel de lichamelijke verwijdering van de vader en andere geldverdieners uit het huishouden gedurende alle volle werkdagen geweest.'[6] Die verwijdering begon sluipenderwijs – in 1850 werkten de meeste mannen nog steeds thuis of ze woonden dicht bij de plaats waar zij werkten.[7] Tegen de tweede helft van de negentiende eeuw was het ontstaan van wat nog steeds een specifiek probleem van het moderne gezinsleven is – de scheiding tussen huis en werk en gepaard daaraan het begin van de isolering en verzwakking van het vaderschap – al een heel eind op weg. Aanvankelijk werd de particuliere rol van de vader ietwat aantrekkelijker, in elk geval in vergelijking met het openbare leven. Er is op overtuigende wijze gesteld dat de negentiende eeuw de eerste was waarin belangrijke aantallen geschoolde en bemiddelde mannen het werk begonnen te ervaren als vervreemdend, vanwege het vervuilde milieu waarin zij het moesten verrichten en de ontmenselijkte persoonlijke verhoudingen waardoor het werd gekenmerkt.[8] De technologische en economische vooruitgang van de industriële revolutie kwam tegen een enorme prijs tot stand en een van de consequenties – de scheiding tussen werkplaats en woonplaats – leidde ertoe dat het huishouden in de ogen van de mannen een toevluchtsoord werd voor psychologische en emotionele steun. 'Huiselijkheid,' schrijft Tosh, 'maakte het voor werkpaarden en rekenmachines mogelijk om weer man te worden, doordat ze werden blootgesteld aan menselijke ritmes en menselijke genegenheid.'[9]

Het probleem was echter dat de negentiende-eeuwse patriarch wel regelmatig kon terugkeren naar zijn huis om uit te rusten en emotionele steun te krijgen, maar dat hij er niet langer op kon rekenen er onbetwiste autoriteit uit te kunnen oefenen. Hij was er ook maar voor korte perioden. Behalve zijn werkomgeving waren er alternatieve attracties als mannenclubs, sport, en de verenigingen en comités die als paddestoelen uit de grond kwamen en mannen van hun huiselijke verantwoordelijkheden afhielden. Het werk van de Victoriaanse kleinburgerlijke man – wat hij overdag deed – was nu ver verwijderd van zijn huis en onzichtbaar voor de andere bewoners ervan. Aan beide zijden van de Atlantische Oceaan begon de macht in huis van de vader naar de moeder te verschuiven.[10]

In de eerste helft van de negentiende eeuw waren het meestal de vaders die de schuld kregen van het mislukken van hun kinderen of wier verdienste het was als ze slaagden, ze correspondeerden vaker met hun adolescente en volwassen kinderen en ze speelden een centrale rol bij het begeleiden of volledig controleren van hun huwelijkskeuze. Maar tegen het eind van de eeuw was de rol van de moeder in het huiselijk kader overheersend geworden. Al in 1847 had een rechtbank in New York verklaard dat 'door de bank genomen de moeder de juiste persoon is om de zorg voor haar kind toe te vertrouwen' en aan het eind van de eeuw werd door de wet, in overeenstemming met de algemene opinie, 'moederlijke overheersing bij het opvoeden van kinderen bevestigd'.[11]

Tussen 1880 en 1910 was er een dramatische vermindering in het aantal vrouwen dat *buitenshuis* werkzaam was, ondanks het feit dat de vraag naar vrouwelijke werkkrachten in die periode steeg. Een groot aantal vrouwen begon hun energie te richten op een volledige huishoudelijke taak binnen hun eigen gezin. Orthodoxe feministische analyses portretteren deze vrouwen aan het eind van de negentiende eeuw als het slachtoffer van overheersende patriarchen. Historica Joanna Bourke is van mening dat deze visie te bekrompen is en wijst erop dat er belangrijke economische krachten waren die vrouwen aantrokken tot fulltime werk in hun eigen huis.[12] Met de stijgende welvaart nam de productiviteit van de huiselijke arbeid enorm toe. Toenemende consumptie in het gezin vereiste toenemende productie. Bourke stelt dat als een kleinburgerlijk gezin vlees en een breder assortiment voedsel gaat eten, in grotere huizen met een aparte keuken gaat wonen, een opvallend lager sterftecijfer van baby's begint te bemerken en in het onderwijs gaat investeren, er wel een fulltime huisvrouw aan te pas moet komen. Kinderen werden belangrijker voor de vrouwelijke leden van het gezin dan voor de mannelijke omdat vrouwen meestal jonger trouwden en langer leefden dan hun echtgenoot. Met de verbeteringen in voeding, gezondheidszorg, onderwijs en levensstandaard daalde het sterftecijfer van moeders ook drastisch. Daaruit volgde dat vrouwen op bejaarde leeftijd afhankelijker waren van hun kinderen dan dat mannen dat waren. De gevolgen van deze trend, zowel de negatieve als de positieve, werden pas een eeuw later ten volle ingezien.

Tegen het eind van de negentiende eeuw was de moeder dus de voornaamste ouder geworden, een rol die ze sinds die tijd heeft vervuld. De geslachtsindeling van het openbare en het particuliere was in kleinburgerlijke gezinnen grotendeels afgerond, waarbij het huis de vrouwelijke omgeving bepaalde en de buitenwereld de mannelijke. Natuurlijk was dit onderscheid niet absoluut. Honderdduizenden jonge vrouwen, en ook kinderen, werkten in aardewerk- en textielfabrieken, in naai-ateliers en hadden traditionele 'vrouwenbaantjes' in bijvoorbeeld wasserijen, de kinderverzorging en de bediening. Veel mannen werkten thuis – men denke aan beroepen als boekbinden, timmeren, bakken en weven – maar de overgrote meerderheid werd steeds verder uit de omgeving van hun gezin verdreven naar werk op een andere lokatie. De werkomgeving en de woonomgeving werden heel verschillend, elk met zijn eigen sfeer, waarde, activiteiten, relaties, tekortkomingen en bevredigingen.

Hoewel er veel gediscussieerd wordt over de mate waarin laat-Victoriaanse mannen hun leven binnenshuis leidden, is er geen enkel debat geweest over het feit dat het uiteenrukken van werk en huis een gigantische impact heeft gehad op het vaderschap. Hoofdbestanddelen van het vaderschap verpieterden – de vader als onderwijzer, de vader als morele voorman, de vader als metgezel, de vader als raadsman. In plaats daarvan ontwikkelde zich een nieuwe rol – de vader als kostwinner. Tijdens de tweede helft van de achttiende eeuw was het kostwinnen verweven met een grotere matrix, waarin openbaar werk en privéwerk onlosmakelijk verbonden waren. Met de industriële revolutie ontstond er een onderscheid tussen werk op de fabriek en op kantoor. 'Van toen af aan,' schrijft Demos, 'betekende ten volle een vader te zijn een aanzienlijk deel van de dag gescheiden te zijn van je kinderen.'[13]

Bij het aanbreken van de twintigste eeuw waren de veranderingen in de rol van de vader ook doorgedrongen tot de huiselijke kring. Daarbinnen behield de vader een zekere status als formeel gezinshoofd, maar in feite had hij de rol van raadsman, morele gids en beslisser voor zijn kinderen moeten overdragen aan zijn vrouw. De visie dat een man biologisch ontworpen was om weinig of geen deel te nemen aan de vorming van zijn kinderen, begon wortel te schieten. Een dergelijke visie, voert Adrienne Burgess op aannemelijke wijze aan, is nog steeds de oorzaak van de tegenzin van veel vrouwen om hun man meer bij de opvoeding van de kinderen te betrekken en de tegenzin van veel mannen om zich daarbij op te dringen; het is 'alsof zo'n investering tijdverspilling zou zijn'.[14] Mannen begonnen buitenshuis te zoeken naar de status en betekenis van hun mannelijkheid. Tegen de jaren '60 was het vaderschap als sociale rol gekrompen en vaderlijke autoriteit gereduceerd tot twee taken – gezinshoofd en kostwinner.[15] In de jaren '70 kromp het zelfs nog verder in, zoals David Yankelovich beschrijft, met citaten uit een onderzoek naar de publieke houding van die tijd: 'Tot eind jaren '60 betekende een echte man te zijn een goede kostwinner te zijn voor het gezin. Geen enkele andere opvatting van wat het betekent om een echte man te zijn benaderde dat. Concepten van seksuele potentie, of lichamelijke kracht, of karakter (mannelijkheid) of zelfs handig zijn in huis waren verbannen naar het onderste gedeelte van de lijst van attributen die geassocieerd werden met mannelijkheid. Maar tegen het eind van de jaren '70 was de definitie van de echte man als goede kostwinner van nummer 1 (86 procent in 1968) afgegleden naar nummer 3 (67 procent). En hij is doorgegaan met afglijden.'[16]

In de jaren '80 en '90 werden pogingen ondernomen om de mannelijke rol binnen het gezin nieuw leven in te blazen toen de zogenaamde 'nieuwe man' opdook. Zo'n man was de verpersoonlijking van traditionele 'vrouwelijke' deugden – tederheid, gebrek aan agressie, gevoeligheid en een bereidheid, nee een verlangen om een veel grotere huiselijke rol te spelen. Van nieuwe mannen werd verwacht dat ze deelnamen aan huishoudelijke taken – schoonmaken, wassen, koken en om de beurt thuisblijven om voor de pasgeboren of zieke kinderen te zorgen. Veel mannen ontdekten inderdaad een nieuwe kant van zichzelf, nieuwe behoeften, nieuwe verlangens. Maar de structuur van de maatschappij en speciaal die van het werk bleef ondoordringbaar voor eisen op het gebied van gezinsvriendelijk beleid dat hen in staat zou stellen de meer persoonlijke en huiselijke aspecten van het manzijn te botvieren. Dus hielden sommigen het voor gezien en keerden hun carrière de rug toe, terwijl de rest, de meerderheid, ondanks alle geestdrift en praatjes over het verschijnsel 'nieuwe man', onverbeterlijk 'oud' bleef. Tegelijkertijd ontstonden er veranderingen in de structuur en soliditeit van het gezin, die de hele rol van de man als vader en gezinshoofd in gevaar begonnen te brengen.

Echtscheiding en mannen

Een van de meest opmerkelijke veranderingen in het privéleven in de ontwikkelde wereld van de twintigste eeuw was de toename van echtscheidingen. Tussen 1970 en 1996 verdubbelde het aantal echtscheidingen haast, en had het Verenigd Koninkrijk het op een na hoogste echtscheidingscijfer in de Europese Gemeenschap: 2,9 op de 1.000 inwoners, slechts overtroffen door België.

De Divorce Reform Act uit 1969, die van kracht werd in 1971, introduceerde een nieuwe reden voor echtscheiding, namelijk die van onherstelbare mislukking van het huwelijk. In 1995 was het huwelijkscijfer het laagste sinds 1926, terwijl ongeveer 8 procent van de geboortes in 1996, oftewel 1 op de 12 kinderen die geboren werden, door alleen de moeder werd ingeschreven – bijna driekwart meer dan de verhouding in 1971. In Engeland en Wales vonden er in 1995 155.000 echtscheidingen plaats, die een effect hadden op iets meer dan 160.000 kinderen – tweemaal zoveel als in 1971. Dertig procent van deze kinderen was vijf jaar of jonger, terwijl 70 procent tien jaar of jonger was.

Maar ongeacht hun leeftijd raakte uiteindelijk de meerderheid van deze kinderen *het regelmatige contact met hun natuurlijke vader kwijt.* Negen van de tien vaders verlaten bij een echtscheiding het huis. Vijftig procent van deze vaders ziet hun kinderen slechts eenmaal per week en maar 1 op de 20 verkrijgt volledige voogdij. Voor een toenemend aantal kinderen in de ontwikkelde wereld was vader niet eens meer een vage figuur die een bijrol vervulde in het scenario van het gezinsleven, hij was een herinnering geworden, die in veel gevallen zelfs helemaal uit het scenario werd geschrapt.

Men zegt weleens dat een gezin zó gewaardeerd wordt dat de meeste mensen er minstens twee van hebben.[17] In veel Amerikaanse steden is het gezin bijna helemaal verdwenen. Van de huishoudens met kinderen in achtergebleven stadswijken heeft minder dan 1 op de 10 een inwonende vader. Belangrijke economische en sociale veranderingen hebben de schakel tussen ouderschap en partnerschap ernstig verzwakt, vooral voor mannen. Het is veel gebruikelijker geworden dat vrouwen kinderen opvoeden zonder man, en dat mannen aan de opvoedende rol, de verantwoordelijkheden en lasten van het vaderschap ontsnappen of eruit worden verwijderd.

Het verschijnsel van het vaderloze gezin ontstond niet van het ene moment op het andere. Het kwam langzaam op gang aan het begin van de jaren '60, kreeg vaart tegen het eind van dat decennium en explodeerde in de jaren '70 en '80. In 1961 was 38 procent van alle huishoudens in Groot-Brittannië 'traditioneel' – een echtpaar met afhankelijke kinderen – maar aan het begin van 1998 was dat percentage gedaald tot 23. In die periode verdriedubbelde het aantal huishoudens bestaande uit een enkele ouder (meestal de moeder) met afhankelijke kinderen tot 7 procent.[18]

Het is altijd de traditionele wijsheid geweest dat echtscheiding werd beschouwd als een betreurenswaardig maar onvermijdelijk kwaad, een verdrietige maar noodzakelijke oplossing voor het probleem van een onherstelbaar mislukt huwelijk, en een gelegenheid om opnieuw te beginnen voor volwassenen wier relatie ongelukkigerwijs had gefaald. Men ging ervan uit dat het voor de kinderen minder erg was als hun ouders scheidden dan dat ze getuige moesten zijn van ouders die in een ellendig huwelijk vastzaten. Alle negatieve gevolgen van een echtscheiding, zoals het verlies van een vader, wordt beschouwd als minder ingrijpend dan de consequenties van ruziemakende ouders die bij elkaar blijven 'omwille van de kinderen'. De redenering is dat, aangezien veel vaders uitgeteld en niet geïnteresseerd zijn, het effect van een echtscheiding op kinderen waarschijnlijk maar tijdelijk is. En dat veel vaders er sowieso vandoor gaan, echtscheiding of geen echtscheiding.

In het aangezicht van de meedogenloze en schijnbaar onstuitbare stijging van echtscheidingen in de westerse maatschappij worden psychologen, psychiaters, gezinstherapeuten, politici en sociale commentatoren met de stroom meegesleurd. Veel van de experts zijn door de trend aangetast. Toen begin 1998 een analyse van ruim 200 Britse onderzoeken erop leek te wijzen dat slechte resultaten voor kinderen van gescheiden ouders 'verre van onvermijdelijk zijn', juichten sommigen dit toe als bewijs dat echtscheiding in feite onschadelijk was. De kop in *The Daily Telegraph* luidde simpelweg MEERDERHEID KINDEREN 'KOMT OVER ECHTSCHEIDING HEEN',[19] terwijl de kop in de *The Times* luidde: ECHTSCHEIDING KAN KINDEREN VAN STRIJDENDE OUDERS BESTE TOEKOMST BIEDEN.[20] Van dr Jan Pryor van de Universiteit van Auckland, een van de auteurs van het analyseverslag, werd geciteerd: 'Het verschijnsel van ouders die uit elkaar gaan en echtscheiding is voorgoed in westerse landen aangekomen. Het is dom om te veel energie te stoppen in een poging te voorkomen dat mensen uit elkaar gaan.' Maar de analyse van Pryor en haar co-auteur Bryan Rodgers bevestigt in feite dat kinderen van gescheiden ouders een veel groter risico lopen om een grote verscheidenheid aan gezondheidsproblemen en leer- en gedragsstoornissen te krijgen.

Enkele maanden later worstelden dezelfde kranten met de uitkomst van een driejarig project van de Mental Health Foundation in Londen, waarin huwelijksproblemen en echtscheiding als belangrijke factoren werden gesignaleerd voor de geestelijke ongezondheid van Britse kinderen.[21] Er is een aanzienlijke hoeveelheid onderzoek waarin zelfgenoegzaamheid over het mislukken van huwelijk en gezin betwist wordt en waarin wordt aangetoond dat het zowel op korte als op lange termijn een uitwerking op kinderen heeft.

In een van de vroegste veelomvattende overzichten van de uitwerking van echtscheiding op kinderen in Groot-Brittannië werd geconcludeerd dat 'het kapotgaan van een huwelijk een proces is dat een diepe uitwerking heeft op kinderen'. De auteurs merkten op dat de meest voorkomende reacties van de kinderen die eronder gebukt gingen onder andere waren dat ze hun verdriet, gedeprimeerdheid en kwaadheid op één of op beide ouders richtten.[22] Bij de kleinere kinderen kwamen het vastklampen aan de ouders en regressieve reacties als bedplassen veel voor, terwijl oudere kinderen zich naar verluidt meer van het ouderlijk huis verwijderden en elders contacten zochten. Butlers en Goldings analyse van de Medical Research Council's National Survey of Health and Development van de geboortelichting 1980 bevestigde deze tendens tot 'regressieve' reacties.[23] Kinderen wier ouders uit elkaar gingen voordat ze vijf jaar oud waren, waren 50 tot 100 procent eerder geneigd tot bedplassen, zichzelf bevuilen of driftbuien krijgen. Gelijksoortig bewijs kwam te voorschijn uit de geboortelichting van 1946, waarin bedplassen onder kinderen die voor hun zesde een echtscheiding van de ouders hadden meegemaakt, bijna twee maal zo vaak voorkwam als onder kinderen wier ouders niet gescheiden waren.[24] Bovendien hadden de kinderen van gescheiden ouders 50 procent meer kans om in een ziekenhuis terecht te komen,[25] en, volgens gegevens afkomstig uit het tweede National Health Interview Survey on Child Health in de vs, twee tot drie keer meer kans geschorst of van school gestuurd te worden, en ze liepen drie keer meer kans behandeld te moeten worden voor emotionele problemen of gedragsstoornissen.[26] Een meta-analyse van zo'n 50 studies toonde aan dat jeugdmisdaad wel 10 tot 15 procent vaker voorkwam in gezinnen die aangetast waren door het uit elkaar gaan of scheiden van de ouders, dan in volledige gezinnen.[27]

En de effecten lijken ook niet tijdelijk of kortstondig te zijn. In de studie van de lichting uit 1946 werden de proefpersonen ondervraagd, getoetst of onderzocht gedurende hun hele jeugd, op 21-jarige, 26-jarige en 31-jarige leeftijd en in 1982, op 36-jarige leeftijd. De resultaten lieten een verontrustend feit zien: dat de ervaring van echtscheiding bij kinderen vaak een negatieve uitwerking heeft op de gezondheid, het gedrag en de economische status, zelfs nog dertig jaar na dato. Kinderen wier ouders scheiden als zij nog geen vijf jaar oud zijn, zijn extra kwetsbaar.[28] Ook scoren de kinderen van gescheiden ouders veel lager in termen van schoolprestaties en gedragsmaatstaven.

Elliot en Richards analyseerden in 1991 data uit de eerste vier tijdsperiodes van de National Child Development Study uit 1958, waarin de respondenten respectievelijk 7, 11, 16 en 23 jaar oud waren, en merkten op dat kinderen wier ouders in de tussenperioden van het onderzoek gingen scheiden, bij een aantal toetsen al lager scoorden in de tijdsperiode vóór de scheiding dan de kinderen wier ouders niet uit elkaar gingen.[29] Deze auteurs opperden dat er nog andere factoren in het spel konden zijn behalve een echtscheiding, waaronder ruzie tussen de ouders, sociale status en de leeftijd van de kinderen ten tijde van het uit elkaar gaan van de ouders. Binnen zo'n 40 jaar is echtscheiding van een betreurenswaardig, verdrietig, relatief ongebruikelijk fenomeen overgegaan in 'zo'n gewone gebeurtenis dat het beschouwd moet worden als normaal onderdeel van het gezinsleven'.[30]

Dit is gebeurd ondanks de overvloed aan bewijsmateriaal dat er vergaande negatieve effecten zijn die op de korte en middellange termijn de geestelijke en lichamelijke gezondheid, de opleiding en het gedrag van kinderen aantasten, en dat op de langere termijn de kans dat zij op heel jonge leeftijd zonder diploma van school afgaan, het risico lopen zwanger te worden, een buitenechtelijk kind te krijgen en een kort huwelijk aan te gaan, veel groter is dan bij kinderen wier ouders bij elkaar blijven.[31] Van deze effecten is aangetoond dat ze doorwerken tot in de volwassenheid en dat ze in het bijzonder gelden voor het mannelijk geslacht. Uit de meest uitgebreide bestudering van de effecten van echtscheiding, uitgevoerd door Sara McLanahan en Gary Sandefur in de vs, bleken jonge mannen van midden twintig uit gebroken gezinnen luier en passiever te zijn dan die uit twee-oudergezinnen. 'Het opgroeien met maar één ouder,' merken zij op, 'heeft een blijvend effect op de kansen van jonge mannen om een baan te vinden en behouden.'[32] Ook zijn er secundaire effecten door de generaties heen op de kinderen van kinderen wier ouders uit elkaar zijn gegaan.

Van een aantal materiële ontwikkelingen na de oorlog is bekend dat zij extreme druk hebben uitgeoefend op de morele consensus die het huwelijk en gezin aanmoedigde. Hierbij zijn inbegrepen snelle economische ontwikkeling, de uitbreiding van onderwijsvoorzieningen, de komst van vrij verkrijgbare en zeer effectieve anticonceptiemiddelen en een vermindering van het stigma dat geassocieerd wordt met het eenouderschap en buitenechtelijke geboorte. Deze ontwikkelingen hebben het 'package deal' van het huwelijk – seks hebben, kinderen hebben, trouwen en samenwonen – verbroken. Deze activiteiten werden losgekoppeld van elkaar, waarna over elke aparte daad aparte en expliciete beslissingen genomen konden worden.[33] Een significante factor die heeft bijgedragen aan de terugval van het vaderschap is de bereidwillige aanvaarding van echtscheiding en alleenstaand moederschap.

Mijn eigen land, Ierland, biedt een interessant voorbeeld. Tot aan het begin van de jaren '60 was zwanger worden als je niet getrouwd was een sociale en persoonlijke schande. Maar binnen 30 jaar had één op de zes van alle baby's in Ierland een ongehuwde moeder.[34] Eind jaren '90 was het cijfer één op de vier geworden (gelijk aan de meeste andere Europese landen). In Ierland, evenals elders, steeg tijdens de ideologie van de jaren '60 – met zijn grotere nadruk op persoonlijke keus, zelfontplooiing en zelfexpressie en lagere waardering van persoonlijke opoffering, familieverplichtingen en zelfontkenning – de individuele verwachting van het huwelijk en daalde de individuele tolerantie jegens een slecht huwelijk. Steeds meer huwelijken begonnen kapot te gaan, in zulke mate dat men in 1995, toen er een wetswijziging werd voorgesteld ten gunste van het mogelijk maken van een zeer beperkte vorm van echtscheiding, schatte dat er tussen de 70.000 en 80.000 gebroken huwelijken in het land waren. Ierse vrouwen waren niet langer bereid te accepteren dat ze vast moesten blijven zitten in wat zij beschouwden als een onverdraaglijk huwelijk.

Maar wellicht de allerbelangrijkste factor bij de explosie van echtscheidingen die na 1960 in veel ontwikkelde landen plaatsvond, was een verschuiving in ideologie wat betreft de aard en functie zelf van het gezin. Echtscheiding werd zo snel geaccepteerd als onderdeel van het alledaagse, normale leven dat waarschuwen voor een overenthousiaste aanvaarding ervan een riskante onderneming was. 'Liberalen' die hun bezorgdheid wilden uiten – over de kinderen die leden onder economische ontbering of emotionele ontworteling ten gevolge van een echtscheiding en de geleidelijke verdwijning van hun biologische vader – riskeerden op één lijn gesteld te worden met 'conservatieven' die erop gebrand waren 'familiewaarden' te onderschrijven, die uitermate vijandig stonden tegenover alleenstaande moeders, en die zeer gespitst waren op het opnieuw doen gelden van de traditionele stereotype van de vrouw in huis en de man in de publieke arena. Een van de eersten die het risico namen en zich ernstig gebrand hebben, was Daniel P. Moynihan, tegenwoordig wellicht beter bekend als gerespecteerd afgevaardigde van New York in de Senaat, maar in 1965 staatssecretaris van Arbeid. Moynihan maakte zich zorgen over bepaalde financiële implicaties. In 1965 bracht hij een verslag uit over het Afro-Amerikaanse gezin, waarin hij concludeerde dat het alleenstaand moederschap een toenemend probleem was in arme stedelijke gemeenschappen en dat, als er niets aan gedaan werd, veel van de vooruitgang zou ondermijnen die in het begin van de jaren '60 door de Civil Rights-beweging geboekt was. Moynihan legde de schuld van het toenemend aantal gezinnen met een vrouw aan het hoofd bij de stijgende werkloosheid van mannen, waardoor zwarte mannen in feite onhuwbaar werden, en hij deed een beroep op de federale regering om eerder aan de slag te gaan met het creëren van werkgelegenheid voor zwarte mannen.[35] Er ontstond tumult. Moynihans argumenten voor meer overheidssteun voor banen gingen verloren in een chaos van bitterheid en aantijgingen dat hij *vrouwen* de schuld gaf van problemen waar zij geen zeggenschap over hadden.

Critici van die argumenten, waaronder ikzelf, die wijzen op het substantiële bewijs dat getuigt van de problemen die samenhangen met het alleenstaande ouderschap, leggen er de nadruk op dat veel kinderen uitstekend uit een eenoudergezin te voorschijn komen (wat waar is), terwijl veel andere kinderen uit intacte gezinnen talloze problemen hebben (wat ook waar is). Wat bij dergelijke generalisaties echter over het hoofd wordt gezien is het feit dat het niet gaat over zekerheden (dat is nooit zo), maar over *waarschijnlijkheden.* Niet elk eenoudergezin ervaart problemen, en niet elk twee-oudergezin is een oase van harmonie en gezondheid. Maar de kansen, de waarschijnlijkheden, vallen sterk ten gunste van een gezin met twee ouders uit. Om dat niet te zeggen uit angst om deze of gene lobby van je te vervreemden, is een vorm van morele lafheid. (De vijandigheid bij ook maar de minste verwijzing naar de onderzoeksresultaten betreffende de negatieve impact van eenoudergezinnen, blijft heftig – in een millenium-discussieprogramma op Channel 4 onder leiding van Jon Snow, gewijd aan de toekomst van het gezin, verwees psycholoog Oliver James op afgewogen wijze naar de onderzoeksgegevens en hij werd meteen op zijn nummer gezet.)

In hun analyse van vier nationale onderzoeken wilden Sara McLanahan en Gary Sandefur het effect van echtscheiding op kinderen vaststellen, of de eventuele schade wel of niet zuiver economisch van aard was en oplosbaar door een hoger inkomen, en of kinderen 'beter af' waren met twee met elkaar getrouwde ouders die niet met elkaar konden opschieten, dan wel een gelukkiger leven zouden hebben in een eenoudergezin of stiefoudergezin. Geen van beide auteurs was er speciaal op uit om het een of het ander te bewijzen, zoals al gauw blijkt als men de moeite neemt om hun werk te lezen. Na een grondige en uitgebreide beoordeling van het bewijsmateriaal concluderen zij dat 'kinderen die opgroeien in een huishouden met maar één biologische ouder gemiddeld slechter af zijn dan kinderen die opgroeien in een huishouden met beide biologische ouders, ongeacht het ras of de academische achtergrond van de ouders, ongeacht of de ouders wanneer het kind wordt geboren wel of niet getrouwd zijn en ongeacht of de achterblijvende ouder hertrouwt'.[36]

Maar is echtscheiding schadelijk omdat dat uitloopt op economische beproeving? Veroorzaakt echtscheiding financiële moeilijkheden, zoals de critici van echtscheiding vaak beweren, of zijn huwelijken die uitlopen op een echtscheiding om te beginnen al minder bevoorrecht? In een poging de economische aspecten uit te filteren keken McLanahan en Sandefur naar een steekproef onder Afro-Amerikaanse en blanke kinderen die, op 12-jarige leeftijd, bij hun ouders woonden. Gebruik makend van informatie over de status van deze kinderen, vijf jaar later, verdeelden zij hen in twee groepen – degenen wier ouders nog steeds getrouwd waren en degenen wier ouders in de tussenliggende vijf jaar uit elkaar gegaan of gescheiden waren. Vervolgens vergeleken ze het inkomen van deze kinderen op 12-jarige en op 17-jarige leeftijd. Zij ontdekten dat er verschillen in inkomsten waren tussen de blanke en de zwarte gezinnen, en tussen de zwarte gezinnen waarvan de ouders bij elkaar waren gebleven en die waarvan ze uit elkaar gegaan en gescheiden waren. Ook ontdekten ze dat, ongeacht ras of inkomensniveau, het financiële verlies veroorzaakt door echtscheiding op zich aanzienlijk was (zie tabel 1 op de volgende bladzijde).

Tabel 1

Gemiddeld gezinsinkomen voor kinderen op de leeftijd van 12 en 17 jaar in stabiele en onstabiele gezinnen, naar ras en naar opleiding van de moeder (in dollars uit 1992).

Ras, opleiding en gezinstype	12 jaar	17 jaar
Alle		
Stabiele gezinnen	$ 59.741	$ 64.789
Instabiele gezinnen	$ 55.864	$ 33.509
Blank		
Stabiele gezinnen	$ 61.559	$ 66.696
Instabiele gezinnen	$ 62.367	$ 36.662
Zwart		
Stabiele gezinnen	$ 39.040	$ 40.934
Instabiele gezinnen	$ 28.197	$ 18.894
Onder middelbare-schoolniveau		
Stabiele gezinnen	$ 42.659	$ 45.512
Instabiele gezinnen	$ 44.293	$ 27.821
Middelbare-schoolniveau		
Stabiele gezinnen	$ 61.858	$ 65.798
Instabiele gezinnen	$ 60.725	$ 37.290
Een voortgezette studie		
Stabiele gezinnen	$ 80.191	$ 91.766
Instabiele gezinnen	$ 73.833	$ 38.082

Bron: S. McLanahan en G. Sandefur, *Growing up with a Single Parent: What Hurts, What Helps*, Harvard University Press, Cambridge, Mass. 1994, p. 87

Deze resultaten bevestigen de substantiële verschillen in inkomen per ras – beide groepen blanke gezinnen verdienden meer dan beide groepen zwarte gezinnen. In zwarte gezinnen verdienden degenen die uit elkaar gingen veel minder dan degenen die bij elkaar bleven, hetgeen het argument ondersteunt dat financiële druk een factor is bij het uiteenvallen van een gezin. Bij blanke gezinnen leek financiële druk *voorafgaand* aan het uiteenvallen geen significante factor – de gezinnen die uiteindelijk wel uit elkaar gingen verdienden in feite iets meer dan degenen die bij elkaar bleven. Maar het meest interessant is de ontdekking dat, ongeacht het ras, de adolescenten wier ouders uit elkaar gingen een substantieel verlies aan inkomen ondergingen als recht-streeks gevolg van de echtscheiding, terwijl degenen wier ouders bij elkaar bleven in de vijfjarige periode van het onderzoek een gestage vermeerdering van het gezinsinkomen ervoeren. Echtscheiding, con-cludeerden McLanahan en Sandefur, veroorzaakt wel degelijk finan-ciële ontbering, en die ontbering is hardnekkig.

Een belangrijke factor die bijdraagt aan de opkomst van de alleen-staande moeder en de neergang van de vader in het gezin is de ver-mindering van het vermogen van mannen om te verdienen, dit ver-geleken met vrouwen.[37] Er is nog steeds een kloof tussen de inkom-sten – tot op de dag van vandaag verdienen vrouwen per dag minder dan mannen (een onderwerp van veel discussie en geargumenteer; zie hoofdstuk 4). Niettemin sluit de kloof zich sinds de jaren '60 in een meedogenloos tempo. In 1959, bijvoorbeeld, verdienden vrouwen tus-sen de 25 en 34 jaar in de vs met een volledige baan 59 procent van wat mannen verdienden. In 1980 was dat 65 procent, in 1990 was het 74 procent. In twee decennia zijn de economische voordelen die samenhingen met het huwelijk 15 procent gedaald.

De vernauwing van de kloof tussen de seksen was voor verschil-lende groepen verschillend. Tussen 1970 en 1990 veranderde het inko-men van werkende vrouwen nauwelijks terwijl dat van mannen terug-viel. Mensen met weinig of geen opleiding werden armer. Hun huwe-lijkskansen kelderden terwijl ze steeds moeilijker werk konden vinden en zodoende de kostwinnersrol in een gezin steeds moeilijker vol te houden was. De situatie voor wetenschappelijk opgeleide mannen en vrouwen lag anders. Tussen 1980 en 1990 steeg in de vs het inkomen van vrouwen met een universitaire opleiding met 17 procent, terwijl dat van dito mannen met 5 procent steeg. Hoewel de economische voordelen die deze mannen meebrachten als zij trouwden daalden, was er voor hen nog steeds een grotere financiële prikkel om te trou-wen en getrouwd te blijven dan voor mannen en vrouwen in de arbei-dersklasse. Deze these wordt ondersteund door het feit dat de echt-scheidingscijfers in de vs (en in het Verenigd Koninkrijk) hoger zijn voor echtparen in de arbeidersklasse dan voor academisch opgeleide echtparen.

Het is een wijdverbreide veronderstelling dat de kinderen van ruziënde ouders lijden, of de ouders nou uit elkaar gaan of bij elkaar blijven. Voorzover de echtscheiding het lijden erger maakt, luidt een van de argumenten, is dat vanwege de financiële nadelen die ermee gepaard gaan. Als de overheid en de maatschappij iets zouden doen waardoor behoorlijke financiële steun voor alleenstaande ouders en stiefgezinnen verzekerd zou zijn, zouden de nadelige gevolgen van een echtscheiding aanzienlijk afnemen. Een feit ten gunste van dat argument is dat, als er eenmaal een echtscheiding plaatsvindt, de kans dat een kind in Groot-Brittannië of de vs in armoede zal leven, verdubbelt. Zelfs als ze een volledige baan hebben blijven de meeste alleenstaande moeders in de buurt van of beneden het armoedepeil leven.

Het onderzoek van McLanahan en Sandefur vormt echter een serieuze uitdaging voor de veronderstelling dat geldgebrek een verklaring is voor de negatieve uitwerking van echtscheidingen. Zij ontdekten bijvoorbeeld dat, ondanks het feit dat het inkomenspeil van stiefgezinnen ruim boven dat van eenoudergezinnen en dicht bij dat van intacte gezinnen lag, het leven in een stiefgezin niet beter was dan het leven in een eenoudergezin in termen van resultaten. De cijfers voor middelbare-schoolverlaters en tienerzwangerschappen, bijvoorbeeld, bleven hetzelfde. Economisch voordeel weegt niet genoeg op tegen de vele psychologische en sociale nadelen van een gebroken gezin. McLanahan en Sandefur concluderen dat 'stiefvaders veel minder geneigd zijn om bij te dragen aan het welzijn van een kind dan biologische vaders, en dat ze minder snel het gedrag van de moeder corrigeren of aanvullen. In plaats van te helpen bij de verantwoordelijkheden van het ouderschap, wedijveren stiefvaders soms met het kind om tijd met de moeder, waardoor het stressniveau van moeder en kind stijgt.'[38]

Maar kunnen wij er helemaal zeker van zijn dat het niet alleen een kwestie van geld is, dat financiële ontbering niet de reden is waarom kinderen die gescheiden leven van een van hun ouders een grotere kans lopen om hun school te verlaten, werkloos te worden, zwanger te worden voor hun twintigste, een slechte geestelijke en lichamelijke gezondheid te genieten en broze persoonlijke relaties aan te gaan? Uiteindelijk lijkt het er na zorgvuldige analyse van de resultaten van de vier nationale onderzoeken in de vs op, dat verschillen in gezinsinkomen de verklaring is voor ongeveer 40 procent van het verschil in schoolprestaties en succesvolle eindresultaten tussen kinderen van eenouder- en twee-oudergezinnen. Maar het inkomen vormde géén verklaring voor een gelijke verhouding wanneer de verschillen in gedragsstoornissen tussen kinderen van eenouder- en twee-oudergezinnen vergeleken werden. Ook is het inkomen geen belangrijke factor bij het verklaren van de nadelen die samenhangen met stiefgezinnen. De uitoefening van de ouderlijke macht neemt meer dan de helft van het verschil bij voortijdige schoolverlaters voor zijn rekening, voor alle verschillen in werkloosheid onder jongens, en voor het grootste deel van het risico dat meisjes op jonge leeftijd een kind krijgen.

Naast economische zekerheid hebben kinderen ouders nodig die tijd met hen kunnen en willen doorbrengen, om ze te helpen met lezen en hun huiswerk maken, om naar ze te luisteren, ze te troosten en ze te steunen. Ze hebben ouders nodig die hun sociale activiteiten buiten school kunnen en willen controleren en overzien. 'Wij vermoeden', zeggen McLanahan en Sandefur, 'dat ouderlijke betrokkenheid en supervisie zwakker zijn in eenoudergezinnen dan in tweeoudergezinnen,' en zij laten vervolgens zien dat hun vermoedens een stevige basis hebben. Alleenstaande ouders zijn over het algemeen minder betrokken bij hun kinderen dan ouders die het samen doen. Wat echter blijft is het onaangename feit dat kinderen die opgroeien met maar één ouder een groter risico lopen op een nadeel in termen van onderwijs, banen, persoonlijke relaties en hun eigen bekwaamheid als ouder, en dit geldt zowel voor de kinderen van gescheiden ouders die welgesteld zijn als degenen die arm zijn. Maar doet de *oorzaak* van het alleenstaande ouderschap ertoe? Het is uiteindelijk zo dat kinderen niet alleen door echtscheiding een ouder kwijtraken, wat vermeden zou kunnen worden, maar ook door overlijden, wat meestal niet vermeden kan worden.

Op 15-jarige leeftijd had ongeveer één op de zes kinderen die in 1879 in de vs geboren waren de dood van hun vader meegemaakt. Rond de eeuwwisseling was de verhouding van het aantal weduwnaars van middelbare leeftijd tot het aantal gescheiden mannen van middelbare leeftijd meer dan 20 tot 1.[39] Historica Stephanie Coontz is van mening dat mensen die zich zorgen maken over vaderloosheid, waar ik ook toe behoor, historisch niet op de hoogte zijn. Zij beweert – en haar punt werd opgelucht ter harte genomen door velen die tot doel hebben ons gerust te stellen over echtscheiding – dat echtscheiding vandaag de dag voor een gezin betekent wat vroeger een sterfgeval betekende: dat de vader verwijderd wordt. Het resultaat is dat 'ongeveer hetzelfde aantal kinderen vandaag de dag hun jeugd doorbrengt in een eenoudergezin als rond de eeuwwisseling het geval was'.[40] Omdat uitgebreide families onder één dak woonden, woonde in feite minder dan 10 procent van alle kinderen in 1900 in eenoudergezinnen, in vergelijking met 27 procent in 1992. Bovendien kunnen dood en echtscheiding niet op zo'n eenvoudige manier vergeleken worden. Er zijn vergelijkingen gemaakt tussen kinderen met ongetrouwde ouders, kinderen met gescheiden ouders of ouders die uit elkaar waren gegaan, en kinderen waarvan een ouder was overleden. Onderzoeks-resultaten van de US National Survey of Families and Households toonden aan dat kinderen die geboren werden uit een ongetrouwde moeder eerder schoolverlaters werden dan degenen wier ouders gingen scheiden. Beide groepen kinderen liepen een significant hoger risi-co op een slechte schoolopleiding dan degenen die een ouder verlo-ren door een sterfgeval.[41] Voor kinderen die bij een weduwe of weduwnaar geworden ouder woonden en voor degenen die met beide ouders woonden, was het risico dat ze voortijdig van school gingen hetzelfde. Het patroon van zwangerschap op tienerleeftijd kwam daar-mee overeen.

Het is niet verwonderlijk dat de dood van een ouder minder ramp-zalig is voor een kind dan verlies door echtscheiding. De dood is niet vrijwillig, echtscheiding wordt in elk geval door één van de ouders vrijwillig aangegaan. Het onderscheid gaat niet aan kinderen voorbij. De dood van een ouder wordt meestal erkend als een vreselijke klap en resulteert in een uitbarsting van emoties van de kant van andere familieleden die daarmee het kind steunen, en in een rouwproces waarbij de overleden ouder met gevoel, trots en liefde wordt herin-nerd. De weduwe of weduwnaar geworden ouder deelt in het verlies van het kind; samen kunnen zij een geïdealiseerd beeld handhaven van de overleden ouder en kunnen ze, zelfs in de dood, een gevoel van verbondenheid opbouwen.

Het verlies van een ouder door echtscheiding staat daar lijnrecht tegenover. Het perspectief van het kind en dat van de ouder bij wie hij of zij woont verschilt bijna altijd van elkaar. De ouder wil verder gaan met zijn/haar leven, het kind is verscheurd tussen twee loyaliteiten die met elkaar in strijd zijn. De ouder is gepreoccupeerd met de fouten van de vrouw/man. Het kind klampt zich vast aan de krachten van de moeder/vader. Van de maatschappij ontvangt een kind dat een ouder verliest door echtscheiding geen sympathie, begrip en steun. En, zoals Barbara Dafoe Whitehead zonder omwegen vaststelt: 'Een levende ouder die op afstand of afwezig blijft, kan een bron van voortduren-de kwelling zijn zoals een overleden ouder dat nooit is.'[42]

Toen David voor het eerst bij me kwam was hij een 14-jarige wiens vader twee jaar daarvoor het gezin in de steek had gelaten en was gaan samenwonen met zijn secretaresse. David spijbelde, gebruikte drugs en was in agressieve periodes twee maal in aanraking geweest

met de politie. Bij een bepaalde gelegenheid had hij een auto gestolen
en total loss gereden. Bij een andere gelegenheid had hij een leeg bier-
flesje op het hoofd van een andere jongen kapotgeslagen. David was
enorm kwaad op zijn vader – hij weigerde hem te zien, schold hem
uit en sneed een keer zijn autobanden door. Zijn moeder leed ook
onder zijn agressieve buien – David werd heen en weer geslingerd tus-
sen uitingen van lichamelijke genegenheid en heftige kritiek, waarbij
hij dan bijvoorbeeld zijn moeder de schuld gaf van het vertrek van
zijn vader.

Plaats Davids emotionele verwarring eens tegenover die van
Matthew, die zijn vader ook verloor toen hij 12 was – hij stierf plotse-
ling en zonder enige waarschuwing aan een hartverlamming. Hoewel
Matthew aanvallen had van overweldigende gevoelens van verdriet
en verlies, had hij warme en positieve herinneringen aan zijn vader.
Het periodiek ophalen van herinneringen aan hun leven met hun
vader heeft zijn relatie met zijn moeder en broers en zusjes versterkt.
Tien jaar later heeft Matthew een goede verstandhouding met zijn
leeftijdgenoten en vertoont hij weinig emotionele littekens van het ver-
driet. Door de jaren heen is David echter heel ambivalent tegenover
zijn vader gebleven met wie hij vrijwel geen contact heeft. Zijn ver-
houding met zijn moeder is beter geworden, maar af en toe beticht hij
haar er nog van dat zij zijn vader heeft weggepest. Zijn relaties met
vrouwen verlopen heel moeizaam, wat te maken heeft met zijn nei-
ging om elke vorm van kritiek of meningsverschil op te vatten als een
afwijzing.

Gebrek aan inkomen en verlies van inkomen ten gevolge van een echtscheiding zijn verantwoordelijk voor naar schatting ongeveer de helft
van de nadelen van het leven in een eenoudergezin, maar onvoldoende betrokkenheid van ouders, gebrek aan stabiliteit en supervisie en
aanhoudende problemen tussen de inmiddels gescheiden ouders zijn
verantwoordelijk voor de meeste overige nadelen. Zoals McLanahan
en Sandefur aantonen, is geld niet het enige tekort dat ontstaat wanneer een gezin uit elkaar valt; het stichten van een tweede gezin door
hertrouwen kan, hoewel het totale inkomen er groter door wordt,
nieuwe spanningen veroorzaken en leiden tot verhuizingen, waardoor
het contact met buren en vriendjes of vriendinnetjes gevaar kan lopen.

Men zou denken dat een sympathieke stiefouder veel verlichting
zou kunnen brengen van de spanningen die samenhangen met een
eenoudergezin na een echtscheiding. Verschillende studies en com-

mentatoren zijn er niet in geslaagd een dergelijke geruststellende uitslag vast te stellen. De onderzoeksresultaten zijn eigenlijk ontmoedigend. Er blijft een hoge mate van conflict bestaan tussen ouders en kinderen in gezinnen waarvan de ouders niet getrouwd zijn. Stiefvaders houden zich op een afstand, die groter wordt naar gelang zij antisociaal gedrag van hun stiefkinderen ondervinden. De relatie tussen broers en zusters verslechtert over het algemeen en relaties tussen kinderen van gezinnen die voorheen apart woonden en samengevoegd worden door het hertrouwen van een van de ouders, zijn vaker wel dan niet negatief en verbeteren slechts in geringe mate met het verstrijken van de tijd.[43]

Factoren die de situatie in een stiefgezin verergeren zijn onder andere voortdurende ruzie tussen de biologische ouders, minder aanvaarding van ouderlijke autoriteit, het nabootsen van het twisten tussen de ouders waarvan kinderen getuige zijn geweest voor de echtscheiding, en vermindering van de betrokkenheid van moeders en stiefvaders, met als gevolg een vermindering van ouderlijk toezicht tijdens de puberteit. Een Britse psychiater die gespecialiseerd is in stoornissen bij adolescenten is heel eerlijk in zijn gedetailleerde samenvatting van het onderzoeksresultaat met betrekking tot echtscheiding, het stiefouderschap en kinderen: 'Een aantal naïeve veronderstellingen over het effect van het hertrouwen wordt niet bevestigd en in algemene termen levert het niets op met betrekking tot de psychologische gezondheid van adolescenten in de middenperiode [...]. Echtscheiding lijkt op zich een negatief effect te hebben op het psychologisch functioneren van een adolescent.'[44]

In de overgrote meerderheid van de gevallen zijn het de vrouwen die een echtscheiding aanvragen, vrouwen die volle zeggenschap over hun kinderen willen houden en vrouwen die dat ook krijgen toegewezen. Driekwart van de echtscheidingsuitspraken wordt toegekend aan echtgenotes. De meest voorkomende reden dat vrouwen een echtscheiding krijgen toegewezen is het onredelijke gedrag van hun echtgenoot, de klacht van vrouwen van alle leeftijden. (De meest voorkomende reden dat mannen een echtscheiding aanvragen is overspel van hun vrouw.)[45] Bij het controversiële onderzoek naar mislukte huwelijken, gedaan in Exeter, werden 57 van de 76 onderzochte echtscheidingen in gang gezet door de echtgenotes.[46] Het is begrijpelijk dat dat zo is. In de afgelopen 40 jaar zijn vrouwen veel onafhankelijker geworden van mannen. Zij lijken zichzelf beter te kunnen onderhouden buiten het huwelijk,[47] hoewel, zoals McLanahan en Sandefur hebben aangetoond, dat in de praktijk niet altijd waar hoeft te zijn. Zij hebben meer keuze inzake de persoon met wie ze trouwen en zijn veel vrijer om zich terug te trekken uit een huwelijk als het onbevredigend, niet-stimulerend, agressief of zelfs regelrecht gewelddadig blijkt te zijn.

Vrouwen eisen een echtscheiding en zoals talrijke studies hebben aangetoond verklaart een groter aantal gescheiden vrouwen dan mannen een gelukkiger leven te leiden na de echtscheiding – in één studie vond 80 procent van de gescheiden vrouwen in vergelijking met 50 procent van de gescheiden mannen dat zij beter af waren.[48] Sommige twijfels van de mannen zijn te wijten aan het feit dat voor velen een echtscheiding niet alleen neerkomt op het apart leven van de vrouw met wie zij moeilijk konden samenleven; het betekent ook een scheiding, vaak van langdurige aard, van de kinderen over wie zij geen enkele klacht hebben.

Omwille van de kinderen moeten gescheiden ouders vaak contact met elkaar houden, zelfs al zouden zij alle communicatie het liefst verbreken. In deze gevallen wordt de voornaamste reden voor het aanhoudende contact tussen ex-man en ex-vrouw gevormd door gedeelde verantwoordelijkheid voor de kinderen, in plaats van vriendelijke gevoelens voor elkaar.[49] De wettelijke en sociale verwachtingen dat gescheiden ouders een beleefde en opbouwende relatie met elkaar handhaven omwille van de kinderen, vergen heel veel van twee volwassen mensen die het niet konden verdragen om samen te wonen omwille van diezelfde kinderen. De post-echtscheidingsstatus vereist dat ouders de grenzen tussen elkaar en tussen hen en de kinderen opnieuw vastleggen. Emery en Dillon stellen vast: 'Ouders scheiden niet van hun kinderen en hierdoor kunnen zij niet volledig scheiden van elkaar. Zodoende moeten voormalige echtelieden hun relatie op een nieuwe basis herformuleren. Als zij succesvolle co-ouders willen worden is de hoofdtaak de aanhoudende ouderrol te ontwarren van de rol van echtelieden die beëindigd is.'[50]

Het probleem is dat een dergelijke ontwarring zelden plaatsvindt. Wat veel vaker gebeurt is dat een van de ouders, meestal de vader, ontward wordt of zichzelf ontwart, niet alleen van zijn rol als echtgenoot, maar ook als vader. Een van de grondigste onderzoeken naar de rol van de vader na een scheiding van tafel en bed of een echtscheiding is dat van Judith A. Seltzer.[51] Haar studie betrof 1350 gevallen in de National Study of Families and Households in de vs en was gericht op drie aspecten van de vaderrol na echtscheiding: sociaal contact, economische steun en betrokkenheid bij beslissingen over het leven van het kind. Bijna 30 procent van de kinderen had hun vader in het voorafgaande jaar helemaal niet gezien, terwijl slechts een kwart hun vader minstens eens per week zag. Kinderen wier ouders niet getrouwd waren, hadden na de echtscheiding minder kans op contact met hun vader dan kinderen wier ouders wel getrouwd waren geweest. Vaders die getrouwd waren geweest met de moeder van hun kinderen droegen vaker bij in de vorm van economische steun, evenals vaders die regelmatig contact opnamen met hun kinderen. Er was echter minder correlatie tussen contact en betrokkenheid bij beslissingen over de kinderen: minder dan de helft van de vaders (47,5 procent) die hun kinderen regelmatig bleven zien, had ook regelmatig gesprekken met hun moeder. Met het verstrijken van de tijd nam de invloed, die de vaders hadden die betrokken waren gebleven bij de besluitvorming over hun kinderen, steeds meer af. Seltzer stelde vast dat twee van de drie voorheen getrouwde respondenten die twee jaar of korter geleden gescheiden waren, vermeldden dat de vader nog enige invloed had op de besluitvorming inzake hun kinderen. Onder degenen die tien jaar of langer gescheiden waren maakte slechts één op de drie melding van een zekere mate van vaderlijke invloed.

Een gezin waarmee ik in mijn werk te maken had toonde op een nogal rake manier de waarheid dat, hoewel ouders van elkaar kunnen scheiden, zij niet van hun kinderen scheiden en dat het vechten voortduurt. Toen Edward van zijn vrouw Eileen af ging stemde hij erin toe dat zij volledige voogdij zou houden, maar hij verwierf royale bezoekrechten. Een van de problemen die er echter toe hadden bijgedragen dat ze uit elkaar gingen was dat ze het niet eens waren over de beste opvoeding voor hun kinderen. Edward was nogal streng in zaken als punctualiteit, hygiëne, huiswerk en de invulling van vrije tijd. Eileen had een ontspannener en toleranter benadering. De ruzies die het huishouden hadden verstoord als hij thuis was, namen af (omdat hij minder vaak fysiek aanwezig was), maar werden venijniger en feller als hij er wel was. De kinderen lieten merken dat zij geen zin hadden om naar hem toe te gaan, hetgeen hij interpreteerde als bewijs dat zijn ex-vrouw ze tegen hem opstookte. Ook leerden ze al gauw hoe ze hem konden manipuleren en bedriegen, tot groot verdriet van hun moeder. Uiteindelijk kwam Edward steeds minder vaak op bezoek – waarop Eileen merkte dat haar vermogen om de kinderen discipline bij te brengen en onder controle te houden, verdampt was. Ze had zo lang hun kant gekozen en was zo lang voor ze opgekomen dat ze, toen de tijd aanbrak om grenzen te bepalen, merkte dat ze weinig invloed meer had. In dat nogal late stadium kwam zij, of liever gezegd haar tienerzoon Mark, hulp zoeken.

Het contact van een vader met zijn kinderen na een echtscheiding staat stellig in verband met zijn economische steun, maar economische steun alleen is niet voldoende om een hechte betrokkenheid bij het leven van zijn kinderen te verzekeren.[52] Seltzer sluit haar verslag af met een observatie die door andere verslagen geschraagd wordt: 'Voor de meeste kinderen die buiten een huwelijk zijn geboren of wier ouders scheiden, wordt de rol van de vader even sterk bepaald door zijn afwezigheid als door wat hij nog te bieden heeft.'[53]

In een onderzoek uit 1991 onder alleenstaande ouders in Groot-Brittannië had maar 57 procent van de voormalige partners contact gehouden met hun kinderen.[54] De mate waarin vaders van hun kinderen verwijderd raken na een echtscheiding wordt zichtbaar gemaakt door het feit dat Seltzers onderzoek naar vaderlijke betrokkenheid afhankelijk was van de verslagen van de *moeders*: de gegevens van moeders die met hun kinderen samenwoonden waren betrouwbaarder dan de informatie die geperst kon worden uit vaders die inmiddels elders woonden. 'Het is een groot probleem bij het onderzoek,' verklaarde One Plus One, de charitatieve instelling voor onderzoek naar huwelijk en partnerschap in Londen, 'dat zulke mannen moeilijk in te schatten zijn, of nauwelijks willen meewerken aan een dergelijk onderzoek.'[55]

Uit een andere, driejarige studie, waarbij 136 kinderen tussen de 9 en de 12 jaar betrokken waren, bleek dat jongens in een stiefgezin die contact hielden met hun biologische vader, psychologisch beter aangepast waren en minder problemen op school hadden dan de jongens die weinig contact hadden.[56] Slechts de helft van de kinderen in stiefgezinnen hield echter contact met hun biologische vader, in vergelijking met tweederde van degenen die in een eenoudergezin woonden, maar economische ontbering deed de voordelen die voortkwamen uit meer contact weer teniet.

Een van de minder besproken gevolgen van de stijging van het aantal echtscheidingen is wat David Blankenhorn, een van Amerika's meest strijdlustige pleiters voor vaderlijke rechten, 'de bezoekende vader' heeft genoemd.[57] De bezoekende vader is een schimmige, verdrongen figuur die zijn best doet om geen ex-vader te worden, die op visite komt maar niet blijft, die niet langer bij het huishouden hoort, maar een bezoeker is die komt en gaat. Hij doet erg zijn best, hij is betrokken, hij houdt contact. Hij vertegenwoordigt een grote coalitie van mannen. Van de ongeveer 10 miljoen huishoudens in de vs waarin de vader in 1990 afwezig was, had maar iets meer dan de helft daarvan een bezoekregeling en ongeveer 1 op de 14 gezamenlijke voogdij. Blankenhorn schat dat er in 1990 tussen de 4 en 6 miljoen vaders waren die niet bij hun kinderen woonden maar die op regelmatige of onregelmatige basis op bezoek kwamen. De openbare en politieke consensus staat gunstig tegenover bezoekende vaders, moedigt ze aan, keurt ze goed. Degenen die volhouden dat echtscheiding geen ramp voor de kinderen hoeft te betekenen, houden van het idee dat gescheiden vaders die contact houden en financiële steun verschaffen, de meeste zo niet alle ongewenste gevolgen van een mislukt huwelijk en een scheiding voorkomen. Het probleem is dat het idee van de bezoekende vader in bijna alle gevallen berust op fantasie, alleen al omdat de meeste stuklopende huwelijken eindigen in bitterheid, schuldgevoel, pijn en een warboel aan verwijten. De vader vertrekt en de kinderen blijven bij hun moeder. De verdedigers van echtscheiding blijven zich echter vastklampen aan de notie dat, als het hele proces geciviliseerder zou kunnen verlopen, als met bemiddeling en hulpverlening een gezamenlijke uitwerking van de verdere opvoeding en opleiding van de kinderen overeengekomen zou kunnen worden tussen de strijdende partijen, een groot deel van de schade, aangericht door de echtscheiding, vermeden zou kunnen worden.

Veel hoop is gevestigd op het stimuleren van schikkingen na een echtscheiding waarbij beide ouders de verantwoordelijkheid delen voor de belangrijkste beslissingen over hun kinderen, bijvoorbeeld over hun gezondheid, onderwijs, godsdienst, woonplaats zelfs, ofwel de *gezamenlijke voogdij*. Een dergelijke benadering, die theoretisch een grote aantrekkingskracht heeft, vereist dat de ouders hun verbittering en meningsverschillen opzij zetten en hun gezamenlijke inzet richten op het welzijn van de kinderen. De ratio achter gezamenlijke voogdij kwam voort uit bezorgdheid over kinderen. Het was een bewuste poging om de volledige verwijdering van een van de ouders, meestal de vader, uit het huishouden te voorkomen. Ook was gezamenlijke voogdij een weerspiegeling van de in populariteit toenemende opvatting dat een vrouw niet van nature voorbestemd is om een betere ouder te zijn dan een man. Sommige mannen uiten de wens in nauw contact te willen blijven met hun kinderen; sommige vrouwen uiten de wens buitenshuis te gaan werken; sommigen delen de opvang van de kinderen.

Recent onderzoek bevestigt echter dat gezamenlijke voogdij belaagd wordt door problemen. Elke ouder moet patronen ontwikkelen en roosters samenstellen die met de behoeften van de ander rekening houden. Gezamenlijke voogdij vereist een buitengewone mate van coöperatie en communicatie tussen paren die zo vervreemd van elkaar zijn geraakt, dat zij tegen een hoge prijs bereid waren een belangrijke sociale en persoonlijke verbintenis te beëindigen. De oorlogen die leiden tot een echtscheiding worden erna zelden gestaakt.

In één studie werden kinderen van gescheiden ouders met enkele en met gezamenlijk voogdij met elkaar vergeleken.[58] De hoeveelheid positieve liefde, genegenheid en steun tussen ouders en kinderen werd geëvalueerd, evenals het niveau van onenigheid tussen de ouders onderling ten aanzien van het voogdijschap. De uitkomst was dat een hoog niveau van ouderlijke onenigheid correspondeerde met een hoog niveau van onenigheid tussen ouders en kinderen, ongeacht het type voogdij. Kinderen in gezamenlijk voogdijschap waren het in feite mínder met hun ouders eens dan die in enkel voogdijschap.

Een van de meest uitdagende en controversiële studies was er een van 15 jaar naar 60 scheidende ouders en de daarbij behorende 131 kinderen, uitgevoerd door Judith Wallerstein en Sandra Blakeslee in de VS.[59] Dit onderzoek toonde aan dat, in tegenstelling tot wat algemeen verondersteld werd, echtscheiding geen kortstondige crisis is maar een chronische breuk met een radicale en diepgaande uitwerking op het latere leven van allen die ermee gemoeid zijn. Twee jaar na een echtscheiding waren kinderen die opgroeiden in een situatie van door de ouders gewenste (en niet door een rechtbank bepaalde) gezamenlijke voogdijschap niet beter aangepast dan kinderen in een situatie waar maar een van de ouders het voogdijschap had. Gezamenlijke voogdij vermindert de negatieve impact van echtscheiding tijdens de jaren erna niet, ondanks het feit dat vaders die gezamenlijke voogdij met hun ex-vrouw hebben, beschouwd worden als veel meer betrokken bij hun kinderen.

Deze resultaten zullen worden aangegrepen – zijn al aangegrepen – door degenen die ze beschouwen als de rechtvaardiging dat één ouder, in de meeste gevallen de moeder, als enige voogd wordt aangewezen. Als het uiteindelijk geen verschil maakt of een kind zijn of haar vader regelmatig wel of niet ziet, waarom dan alle moeite? Maar dan wordt de hele strekking over het hoofd gezien. In de meerderheid van de gevallen verdwijnt de vader na een echtscheiding van het toneel, wat de voogdijafspraken ook zijn. De vader bezoekt zijn kinderen en zijn kinderen gaan bij hem op bezoek. Maar, zoals Blankenhorn duidelijk maakt, 'een man wordt door die bezoeken ontvaderd. Dit fenomeen is uiteindelijk fnuikend voor de relatie tussen vader en kind. Zo'n niet-als-vader-bezoek komt in feite neer op het beëindigen van het vaderschap. Ten overstaan van de inherente onechtheid van hun situatie beginnen, volgens Frank Furstenberg en Andrew Cherlin, "veel vaders zich een vreemde te voelen tegenover hun kinderen, een oplichter".'[60]

Furstenberg en Cherlin concludeerden in hun studie naar de gevolgen voor kinderen van wie de ouders uit elkaar gaan, dat het gezamenlijk wettelijk voogdijschap, bedoeld om het aantal bezoeken van de vader te vergroten, betaling van financiële steun voor het kind te stimuleren en meningsverschillen tussen de ouders te reduceren, tot geen van deze zaken leidde.

Misschien is het niet de echtscheiding die de problemen veroorzaakt, maar het conflict tussen de ouders, een conflict dat voorafgaat aan een echtscheiding en daar in de eerste plaats de oorzaak van is? Als er een aanhoudend conflict bestaat, ontstaat er door een echtscheiding een verwoestende sfeer in het huwelijk en het gezin, waarna de ouders in staat worden gesteld opnieuw te beginnen en de kinderen weer de gelegenheid krijgen zich in een minder stressvolle situatie te ontplooien. Een dergelijke argumentatie wordt ook wel 'echtscheiding omwille van de kinderen' genoemd, en krijgt veel steun in een aantal studies. Demo en Adcock bijvoorbeeld merkten in een overzicht van Amerikaans onderzoek naar de impact van echtscheiding op kinderen in de jaren '80 op, dat 'veel studies melden dat de aanpassing van kinderen na een echtscheiding vergemakkelijkt wordt in een situatie waarin weinig conflicten voorkomen tussen de ouders, zowel voorafgaand aan als volgend op de echtscheiding',[61] terwijl Gable en zijn collega's concluderen dat 'huwelijks- en persoonlijke relaties voor en na een echtscheiding meer zouden kunnen zeggen over de gedragsstoornissen en aanpassingsmoeilijkheden van kinderen dan het uit elkaar vallen van het gezin'.[62]

In een recente Amerikaanse studie van honderd gezinnen met schoolgaande kinderen die in scheiding lagen, stellen Abigail Stewart en haar collega's dat populaire opvattingen over echtscheiding een stigmatiserende, onterecht negatieve invloed hebben, en de positieve effecten op gezinsleden en gezinsverhoudingen na een echtscheiding negeren.[63] Zij stellen dat echtscheiding niet zozeer een gebeurtenis is alswel een proces van gezinstransformatie en dat kinderen die zij in een periode van achttien maanden hadden gevolgd 'zich hadden aangepast' aan het uit elkaar gaan en de scheiding van hun ouders. Dit longitudinaal onderzoek, met financiële steun van het National Institute for Mental Health (NIMH) in de VS lijkt aan te tonen dat veel gezinnen een heilzame manier vinden om 'de overgang van één huishouden naar twee huishoudens' te maken en dat de maatschappij eraan zou moeten werken om een echtscheiding niet alleen tot 'een pijnlijke laatste toevlucht voor ongelukkig getrouwde mensen' te maken, maar te beschouwen als 'een potentiële gelegenheid om groei te bevorderen'. Hun resultaten, toegejuicht als het perfecte tegengif tegen het doemdebat over echtscheiding, komen echter voort uit onderzoek naar voornamelijk gescheiden moeders (er namen weinig vaders aan deel) en zijn gebaseerd op een betrekkelijk kort durende beoordeling en follow-up van de kinderen (op zijn langst achttien maanden).

In Groot-Brittannië zijn slechts enkele studies gericht op ouderlijk conflict, echtscheiding en de gevolgen voor kinderen. Bij het controversiële Exeter-onderzoek van Monica Cockett en John Tripp werden kinderen in volledige gezinnen en kinderen wier ouders gescheiden waren, met elkaar vergeleken. De kinderen met een achtergrond van echtscheiding werden geclassificeerd naar hun huidige situatie: met een alleenstaande ouder, met een stiefvader of -moeder of in een 'herontwricht gezin', waarmee bedoeld werd dat de ouder/voogd ten minste nog één andere mislukte relatie had doorgemaakt na de eerste echtscheiding. De volledige gezinnen werden onderverdeeld in groepen met 'een hoog en een laag conflictgehalte'. De slechtste uitkomsten werden genoteerd voor kinderen in de 'herontwrichte' groep. De kinderen in de groep met een laag conflictgehalte kwamen er het best vanaf. Het meest controversiële was de bewering dat kinderen in gezinnen die intact waren maar een hoog conflictgehalte hadden, betere uitkomsten hadden dan kinderen die een echtscheiding hadden meegemaakt, omdat het leek te suggereren dat het 't verlies van een ouder en het uit elkaar gaan en de scheiding zelf zijn – en niet een conflict als zodanig – die leiden tot slechtere uitkomsten voor kinderen.

Er is een spervuur van kritiek afgestoken op de methodologie van het Exeter-onderzoek, maar toch komen de resultaten overeen met studies waaruit bleek dat volwassenen die meer dan eens gescheiden zijn een slechtere geestelijke en lichamelijke gezondheid genieten dan degenen die maar één keer gescheiden zijn.[64] Zowel het Exeter-onderzoek als het NIMH-onderzoek lijdt onder het feit dat zij geen gegevens hadden over het psychologische en sociale functioneren van de volwassenen en kinderen die zij onderzochten vóór de scheiding, een belangrijk gemis in studies als deze, dat niet gemakkelijk tenietgedaan kan worden.

Het Exeter-onderzoek zag wel de cruciale vraag onder ogen: is het beter voor de kinderen van ongelukkige, verbitterde, ruziemakende ouders als zij scheiden of als ze bij elkaar blijven 'omwille van de kinderen'? De bevindingen zijn dat het bij elkaar blijven heel goed de betere optie zou kunnen zijn – voor de kinderen. McLanahan en Sandefur waren het daar in hun analyse over het algemeen mee eens, hoewel zij er bewijs voor leverden dat erop leek te wijzen dat waar ernstige, duidelijk zichtbare en aanhoudende conflicten bestaan tussen de ouders, gekenmerkt door verbaal en/of lichamelijk geweld, het beter voor de kinderen is als de ouders uit elkaar gaan. Maar als het aankomt op wat men zou kunnen noemen minder schadelijke expliciete en lichamelijke onenigheid, zoals emotionele afstand, verveling, gebrek aan gemeenschappelijke genegenheid, incompatibiliteit of terugval in seksuele interesse – enkele van de meest voorkomende redenen voor echtscheiding – dan 'zou het kind waarschijnlijk beter af zijn als de ouders hun meningsverschillen oplosten en het gezin bij elkaar bleef, zelfs al was de relatie tussen de ouders op de lange termijn niet helemaal perfect'.[65] Aangezien er volgens de meeste schattingen bij slechts 10 tot 15 procent van de huwelijken die op een echtscheiding uitlopen sprake is van geweld, zou het voor een behoorlijk aantal huwelijken die tegenwoordig aansturen op een echtscheiding gerechtvaardigd zijn als er meer pogingen werden ondernomen om bij elkaar te blijven. Maar in aanmerking genomen dat steeds meer vrouwen om te beginnen al tegen het idee van het huwelijk zijn, alsmede de onverbeterlijke neiging van veel mannen om na een scheiding het contact met hun kinderen te verliezen en/of in gebreke te blijven met financiële steun, wie moeten die poging dan ondernemen?

Ik heb in dit boek over mannen zoveel aandacht besteed aan de kwestie van uit elkaar gaan en echtscheiding en de gevolgen voor kinderen, omdat de kwestie voor mannen bijzonder relevant is. Er bestaat overtuigend bewijs voor dat de rol van de vader speciaal kwetsbaar is bij het mislukken van een huwelijk. Terwijl de kinderen die niet bij hun moeder wonen een bijna even grote kans hebben als kinderen die dat wel doen om een goede relatie met hun moeder te onderhouden, kan dat niet gezegd worden voor vaders. Amerikaans bewijsmateriaal lijkt erop te wijzen dat jongens die niet bij hun vader wonen twee maal zo snel geneigd zijn te zeggen dat ze een slechte relatie met hem hebben dan degenen die wel bij hun vader wonen.[66] Meer dan de helft van alle kinderen die niet bij hun vader wonen, meldt dat ze niet de genegenheid ontvangen die ze nodig hebben. Vaders die, hoewel gescheiden, betrokken blijven bij hun kinderen, doen hun best om ze dagelijks te zien, maar in tegenstelling tot wat men zou verwachten lijkt de frequentie van de bezoeken het gevoel van het kind dat het verworpen wordt, niet te verminderen. In feite kunnen veel gescheiden mannen, omdat ze erop aansturen, zelfs méér tijd doorbrengen met hun kinderen dan vaders in intacte gezinnen. Wat belangrijk is voor kinderen, zoals wordt aangetoond in de studie van Wallerstein en Blakeslee, is niet de kwantiteit maar de kwaliteit van de tijd die hun vader met ze doorbrengt: 'Als de vader beschouwd wordt als deugdzaam en geschikt en de jongen zich door zijn vader gewild en geaccepteerd voelt, is de kans groot dat de psychologische gezondheid van de jongen goed is. De psychologische aanpassing van tienerjongens binnen gescheiden gezinnen wordt enorm vergemakkelijkt door het idee "mijn vader is een man, mijn vader geeft om mij, moedigt mij aan, respecteert mij".'[67]

Maar waar gaan vaders heen die uit hun gezin weggaan of verdreven worden? Wat gebeurt er met die afwezige vaders? Veel van hen hertrouwen of gaan samenwonen en velen stichten een nieuw gezin. Sommigen ontsnappen, bevrijd van verantwoordelijkheden en plichten die zij om de een of andere reden niet kunnen vervullen. Anderen verdwijnen, verbitterd door wat zij zien als een vijandige cultuur die moeders prefereert boven vaders in kwesties als voogdijschap, onderhoud, bezoekregelingen en ouderlijke beslissingen. En de wet, naar gelang de verschillende jurisdicties, maakt het vaders ook al niet gemakkelijker.

Vaders en de wet

Getrouwde ouders hebben dezelfde wettelijke bevoegdheden en verplichtingen met betrekking tot hun kinderen. Als de ouders echter niet getrouwd zijn, heeft de vader verplichtingen maar geen bevoegdheden, terwijl de positie van de moeder onveranderd blijft. Hij heeft bijvoorbeeld niet de macht om te bepalen waar zijn kind woont of naar school gaat, of dat zijn kind wel of geen medische behandeling moet ondergaan. In 1989 werd in het Verenigd Koninkrijk de Children's Act ingevoerd. Het doel erachter was te benadrukken dat ouders, en vaders in het bijzonder, verantwoordelijk waren voor hun kinderen. De wettelijke term *ouderlijke macht* werd uitgevonden. Deze stelde ongetrouwde vaders in staat om rechten te verkrijgen met betrekking tot hun kinderen die gelijk waren aan die van getrouwde vaders. Ongetrouwde vaders moeten echter toestemming vragen aan de moeder en een formele overeenkomst met haar sluiten, een *parental responsibility agreement* (PRA), of zij kunnen zich tot het hof richten en een *parental responsibility order* (PRO) toegekend krijgen. Sinds de wet van kracht is zijn er echter heel weinig aanvragen van ongetrouwde vaders ingediend. Pickford wijst erop dat er in 1996 bijvoorbeeld 232.553 kinderen van ongetrouwde ouders werden geboren, maar dat er slechts 3.000 PRA- en 5.587 PRO-toekenningen waren.[68] Het lijkt erop dat er van de kant van ongetrouwde mannen geen echt grote wens bestaat om ouderlijke macht uit te oefenen over de kinderen die zij hebben verwekt.

De eis van mannen dat hun vaderrol en verantwoordelijkheid voor hun kinderen serieus genomen wordt, lijkt eveneens te worden verzwakt door de geringe financiële bijdrage die zoveel gescheiden mannen leveren. De onverbiddelijke toename van het aantal vaders, getrouwd en ongetrouwd, die apart wonen van hun kinderen en de financiële moeilijkheden waarin zoveel moeders en kinderen in gebroken gezinnen verkeren in aanmerking genomen, zien regeringen overal ontsteld aankomen dat zij zullen moeten ingrijpen om het tekort aan bestaansmiddelen aan te vullen. Om dat te voorkomen zijn ze met wanhopige maatregelen gekomen om mannen ertoe te dwingen hun economische verantwoordelijkheid als vader na te komen. In het Verenigd Koninkrijk werd in 1991 de Child Support Act ingevoerd en werd de financiële verplichting verschoven van de gerechtshoven naar een nieuw Child Support Agency (CSA), dat de opdracht kreeg om vaders die in gebreke blijven, achterna te zitten. In de Verenigde Staten werd de federale wetgeving inzake financiële steun voor kinderen van kracht in 1984 en 1988; deze wetgeving stelt richtlijnen voor de staten voor minimum steun aan gezinnen en kinderen verplicht, evenals betere manieren om het ondersteuningsgeld te innen. De resultaten zijn echter teleurstellend. Het CSA heeft enorme problemen – waarover al veel is geschreven – bij het doorvoeren van datgene waarvoor het werd opgericht: een verbetering van de betaling van het geld voor het onderhoud van kinderen. Hun analyse van de volgzaamheid in 1996 toonde aan dat slechts iets meer dan 25 procent van de niet-inwonende ouders die volgens het bureau een volledige bijdrage moesten leveren het volle bedrag betaalde, dat nog eens eenderde een deel van de bijdrage betaalde en dat de rest, zo'n 40 procent, helemaal niets betaalde.[69] Het aantal alleenstaande moeders die rapporteren dat zij geld krijgen van de vader van hun kinderen is niet hoger geworden sinds de oprichting van het CSA, en bedroeg zowel in 1989 als in 1994 ongeveer eenderde of minder.[70] Vaders vertellen echter een ander verhaal: bijna zes van de tien niet-inwonende vaders beweerden in een overzicht uit 1996 dat zij op dat ogenblik hun kinderen financieel wél steunden en iets meer dan 75 procent zei dat op zeker tijdstip te hebben gedaan.[71] ('Maar dat zouden dwalende vaders toch altijd zeggen?' zou men daartegen in kunnen brengen.)

Deze resultaten zijn gebruikt om te stellen dat ongetrouwde vaders en gescheiden vaders zwak zijn, en onverschillig staan tegenover de kinderen die ze hebben verwekt; en om de stereotiepe notie te versterken dat moeders van nature zorgzaam en koesterend zijn en vaders emotioneel onthecht en financieel onbetrouwbaar. Maar er zijn andere, prozaïscher verklaringen. Ros Pickford heeft aangetoond dat veel ongetrouwde vaders niet op de hoogte zijn van hun rechtspositie.[72] Uit haar studie bleek dat de meerderheid geloofde dat getrouwde en samenwonende vaders dezelfde wettelijke status genoten. In deze studie maakten alle ongetrouwde vaders zich zorgen over het gebrek aan informatie tijdens het proces van het uit elkaar gaan, en eisten ze dat ze op een geschikte tijd en plaats ingelicht werden over hun rechten en plichten. Zeventig procent vond het proces van de aanvraag van PRO's moeilijk en tijdrovend. Velen zeiden eveneens dat de aanvraag van een dergelijke status de confrontatie met de moeder van hun kind verergerde, omdat ze soms onbuigzaam waren geworden bij de ontdekking dat de vader geen rechten had. Een veel voorkomende klacht ging over de partijdigheid van het hof ten gunste van de moeder, 'wier visies en tegenwerpingen werden beschouwd als zwaarder wegend dan die van de vader'.

De wanbetaling van geld voor onderhoud van de kinderen is niet alleen een eenvoudig geval van mannelijke onverschilligheid. Zonder twijfel speelt in sommige gevallen een gebrek aan interesse van de vader voor de kinderen een rol, misschien in veel, misschien wel in de meeste gevallen. Maar daar zijn ook andere verklaringen voor. Veel niet-inwonende vaders zijn werkloos of hebben een slechtbetaalde baan of andere aanslagen op hun portemonnee ten gevolge van het stichten van een tweede gezin. De financiële problemen verergeren wanneer hun nieuwe partner al kinderen heeft die bij haar wonen. Een van de onderliggende veronderstellingen van de Child Support Act uit 1991 is dat stiefkinderen steun zullen krijgen van hun biologische vader en dat het de prioriteit van de stiefvader is om financiële steun te geven aan elk kind dat hij zelf heeft verwekt in het gezin waaruit hij inmiddels is vertrokken. Niet-inwonende vaders hebben echter duidelijk het gevoel gekregen dat de wet niet voldoende rekening heeft gehouden met de financiële behoeften van hun tweede gezin.[73] Anderzijds is het ook zo dat het verlies van het contact met de kinderen en het in gebreke blijven bij het betalen van steun een vicieuze cirkel vormen – de helft van de niet-inwonende vaders in het overzicht uit 1996 heeft gezegd dat ze waarschijnlijk niet zo gauw het volle bedrag aan bijstand zouden betalen waarvoor ze aangeslagen werden, als ze het contact met hun kinderen verloren.

Conclusie

De kern van het argument met betrekking tot de aan- of afwezigheid van vaders ligt in de veronderstelling dat vaders er niet toe doen. Veel vaders hebben een dergelijk oordeel over zichzelf afgeroepen. Maar vele anderen lijden eronder omdat ze gestereotypeerd worden als nutteloos, onverschillig en onverantwoordelijk. Er is gesteld, met name door David Popenoe, dat de twee voornaamste factoren die bijdragen aan de gestage verdwijning van de vader uit het gezin de proportioneel stijgende echtscheidingscijfers en het toenemende geboortecijfer van baby's van alleenstaande moeders zijn.[74] In de vs en een groot deel van West-Europa is de kans dat een eerste huwelijk standhoudt ongeveer 50/50, terwijl buitenechtelijke geboortes tussen de 25 en 30 procent van alle geboortes vormen. In mijn eigen land, Ierland, steeg het aantal eenoudergezinnen als percentage van alle gezinnen met kinderen onder de 15 jaar, van 7 procent in 1981 tot 11 procent in 1991 en tot 18 procent in 1996 – een stijging die vooral toegeschreven moet worden aan het stuklopen van huwelijken en aan buitenechtelijke geboortes.[75] Vaderloosheid, veroorzaakt door buitenechtelijke geboortes, staat in veel maatschappijen bijna gelijk aan die welke veroorzaakt is door echtscheiding. In een echtscheidingssituatie hebben de kinderen enige ervaring en contact met hun vader gehad; voor het merendeel van de kinderen die buiten een huwelijk zijn geboren is er vanaf het begin geen vader aanwezig.

Ook heeft er een devaluatie plaatsgevonden van de rol van de vader in onze cultuur. Tot 30 jaar geleden was het zo'n beetje universeel geaccepteerd dat kinderen een even grote behoefte hadden aan een vader als aan een moeder. Het feit dat veel mannen geen vader wensten te zijn, dat veel vaders in veel opzichten tekortschoten, in andere opzichten een vernietigende en schadelijke invloed hadden, en dat veel vaders weigerden hun vaderschap en de verantwoordelijkheden die daaraan verbonden zijn te erkennen, had de overtuiging dat een vader belangrijk is voor zijn kinderen op geen enkele manier ongeldig gemaakt. Dat is tegenwoordig niet meer zo, en het idee van een gezin zonder vader is geaccepteerd en zelfs tot gemeengoed geworden. Toch is er heel veel bewijs voor – dat niet mag worden genegeerd – dat er een aanzienlijke prijs betaald moet worden voor een echtscheiding en het verlies van een vader, en dat die door veel kinderen vandaag de dag betaald wordt. Er is krachtig en aannemelijk bewijs dat twee ouders, een vader en een moeder, beter is dan één en dat de maatschappij er goed aan zou doen om alles op alles te zetten om ouders te beschermen en te steunen en te helpen bij elkaar te blijven.

Maar de onaangename feiten, onaangenaam voor mannen in elk geval, blijven bestaan. De meeste echtscheidingen worden nagestreefd en verwelkomd door vrouwen. Veel mannen blijven in gebreke bij het betalen van financiële steun. Nog meer vallen op door hun onverschilligheid in plaats van door het nakomen van hun verantwoordelijkheden als vader. Mannen die hun leven na een echtscheiding beginnen met het stellige voornemen om hun kinderen bij te staan, falen daarin na verloop van tijd omdat het contact met hun kinderen vermindert en/of omdat zij een tweede partner en een nieuw gezin krijgen.

Hebben de critici van het vaderschap gelijk? Misschien is de vader wel eerder een bedreiging dan een hulp. Misschien zouden we beter af zijn als we toegaven dat de rol van de vader, zoals zoveel andere mannelijke rollen, overbodig is, en dat de hedendaagse moeder, met behulp van spermadonatie, een redelijk bijstandssysteem, praktische veranderingen in de werksituatie en de gulle steun van haar zusters, het heel goed alleen af kan. Als mannen nog steeds een rol hebben als vader, dan wordt het tijd dat zij uitleggen wát die precies inhoudt. En wordt het tijd dat zij die rol gaan vervullen. Wat *doen* vaders, wat *zijn* vaders? Wat brengen zij in de maatschappij in waar de maatschappij niet buiten kan?

Dit zijn niet alleen vragen voor de man als individu. Het zijn vragen voor die door mannen opgebouwde en door mannen gedomineerde instituten die ons leven zo beïnvloeden en vormen: de vergaderzalen, banken, directiekamers en bedrijven, de politieke structuren en beroepen, de vakbonden, clubs en gildes waar beleidsvorming plaatsvindt en bekrachtigd wordt.

Peter Jones, een ziekenhuisdirecteur die een flexibel werkschema heeft om 's avonds beschikbaar te kunnen zijn voor zijn kinderen, verschaft peinzend zijn eigen antwoord daarop: 'Ik wil er voor ze zijn [...]. Ik heb bewust de beslissing genomen dat ik mezelf niet kapot ga werken en de kinderen in feite verwaarloos, dat is een bewuste keuze. [...] Ik denk niet dat het heeft te maken met hoeveel uur je erin stopt – het gaat erom wat je doet als je er bent.'[76]

Dus wat doen vaders – als ze er zijn?

7

De man als vader

Iedereen heeft behoefte aan een zorgzame en betrokken vader. Zo'n uitspraak lijkt misschien vanzelfsprekend. In feite is het niet zo gemakkelijk geweest om dat te bewijzen. Pas nu wordt er overtuigend onderzoek naar gedaan. Daar staat tegenover dat onderzoeksliteratuur in de sociale wetenschappen en gezinsstudies uitpuilt van de studies die het belang en de invloed van de *moeder* voor de psychologische en zelfs lichamelijke ontwikkeling van een kind aantonen. Dergelijk onderzoek bevat onder meer videofilms van moeder/baby-interacties, onderzoek naar de ontwikkeling van de vocalisatie bij baby's, evaluatie van de relatie tussen moederlijke betrokkenheid en leesvaardigheden, en berekeningen van het effect van moederlijke stoornis en stress op de ontwikkeling en gezondheid van kinderen. Een dergelijke preoccupatie met de rol en de betekenis van de moeder is natuurlijk niet geheel zonder valkuilen. Terwijl zij, en niet de vader, de lof krijgt voor de belangrijke rol die ze speelt in de positieve ontwikkeling van haar kroost, krijgt ze ook de schuld als het allemaal niet zo goed verloopt. Het is zelfs zo dat de toename van onderzoek in de gedragswetenschappen gepaard is gegaan met wat één onderzoeker 'het moeder-verwijt' heeft genoemd.[1]

In een overzicht van artikelen in klinische tijdschriften uit 1970, 1976 en 1982, waarin de oorzaak van iemands emotionele problemen werd besproken, concluderen Caplan en McCorquodale dat 'het allesoverheersende beeld in alle tijdschriften voor meer dan 63 onderdelen (bijvoorbeeld of de pathologie van de moeder of die van de vader het gezin aantastte; of alleen de moeder of alleen de vader betrokken was bij een behandeling; het aantal woorden dat gebruikt werd om de moeder te beschrijven in vergelijking met het aantal om de vader te beschrijven) er een van moeder-verwijt was'.[2]

Deze auteurs hebben meer dan 70 geestelijke-gezondheidsproblemen gedocumenteerd die aan moeders werden toegeschreven, met inbegrip van schizofrenie, anorexia nervosa, depressie, enuresis (bedplassen), zelfmoordneigingen, spijbelen, autisme en alcoholmisbruik.

In tegenstelling daarmee heeft zulk onderzoek er bij sommige commentatoren toe geleid te stellen dat vaders er totaal niet toe doen. Het probleem is echter dat er te weinig onderzoek is gedaan. Toen bijvoorbeeld het academisch tijdschrift *Demography* in 1997 voorstelde om een speciaal nummer te wijden aan 'Mannen in het gezin', merkte de gastredactrice Suzanna M. Bianchi op dat 'de vraag waar wij het uitvoerig over hebben gehad was, of er wel genoeg demografisch werk hoge kwaliteit over mannen bestond om een speciaal nummer te kunnen samenstellen'.[3] Het is nauwelijks verwonderlijk dat enkele enthousiaste biologen hebben geconcludeerd dat vaders weinig bijdragen aan het voortbestaan van de soort, behalve hun zaad.

Al meer dan 40 jaar wordt er gediscussieerd, gedebatteerd en van mening verschild over het concept 'moederontbering', in het bijzonder over de uitwerking ervan op de lichamelijke, geestelijke en sociale ontwikkeling van het kind. Voor zover 'vaderontbering' ooit aan de orde komt, gebeurt dat meestal in termen van de financiële gevolgen voor het gezin. De psychologische of andersoortige waarde van een vader krijgt meestal heel weinig aandacht.

Vanaf het begin hebben de psychologische discussies over het ouderschap sterk onder invloed gestaan van de psychoanalyse. Een van Freuds centrale basisprincipes was dat de relatie tussen moeder en kind de stijl en het patroon bepaalde van volwassen relaties. Hierover was hij, zoals over veel andere dingen, uitgesproken: 'De relatie met de moeder is uniek, zonder weerga, onveranderlijk bepaald voor het hele leven als het eerste en sterkste liefdesobject en als het prototype van alle latere liefdesrelaties.'[4]

Het is heel goed mogelijk dat Freud beïnvloed was door zijn eigen ervaring. Zijn moeder, adorerend en dominant, schijnt stapelgek op haar oudste kind te zijn geweest, haar 'gouden Sigi', zoals ze hem graag noemde. Later zou hij opmerken dat 'als een man de onbetwiste lieveling van zijn moeder is geweest hij zijn hele leven een triomfantelijk gevoel, het vertrouwen op succes zal behouden, dat niet zelden gepaard gaat met daadwerkelijk succes'.[5] Freud stond veel ambivalenter tegenover zijn vader, Jacob. Een van zijn belangrijke jeugdherinneringen ging over een verhaal dat zijn vader hem had verteld toen Freud ongeveer 10 of 11 jaar oud was. Jacob had beschreven hoe, toen hij als jongeman een wandeling maakte, een christen zijn pet van zijn hoofd had getrokken en had geschreeuwd: 'Van het trottoir af, jood.' Freud had zijn vader gevraagd wat hij had gedaan en was geschokt toen zijn vader had geantwoord: 'Ik liep de weg op en raapte mijn pet op.' Freud minachtte zijn vader om zijn onderdanigheid en gebrek aan heldenkwaliteiten, en was gepikeerd door het beeld van de laffe jood die zich verlaagde voor een bazige niet-jood.[6]

Om welke reden dan ook, moeders kregen van Freud meer aandacht dan vaders en namen een centralere plaats in zijn theorieën in over het belang van de vroege kinderjaren voor de vorming van de latere volwassen persoonlijkheid. Wel erkende hij de rol van de vader bij het onderhandelen en beïnvloeden van de moeder-kindverhouding tot een driehoeksverhouding. Hij dacht na over de ondersteunende rol die de vader speelde wanneer de zich ontwikkelende adolescent zich losmaakt van de moeder. Maar hij was veel meer geïnteresseerd in en opgescheept met de band tussen moeder en kind en de elementaire invloed daarvan op de ontwikkeling tot de volwassenheid.

Een Britse psychoanalyticus, sterk beïnvloed door Freud en net als hij overtuigd van het belang van de vroege jaren voor de gezonde ontwikkeling van de baby en het kind, was John Bowlby. De hypothese dat kinderen tijdens de kritieke periode – als baby en klein kind –, wanneer de primaire band wordt gevormd, het contact met de moeder niet mogen 'ontberen', werd voor het eerst door hem geopperd in een verslag aan de Wereldgezondheidsorganisatie (who) in 1951.[7] Het verslag kwam aanvankelijk voort uit een verzoek van de who om evaluatie van de gevolgen voor de geestelijke gezondheid voor 'kinderen die wees zijn geworden of die om andere redenen gescheiden worden van hun gezin en in een pleeggezin, inrichting of ander soort groepsopvang geplaatst moeten worden'.[8] Bowlby stelde dat moederliefde en -binding even belangrijk zijn voor een gezonde opvoeding van het kind als vitamines en eiwitten voor de lichamelijke gezondheid. Hij ging nog verder en verklaarde, à la Freud: 'Langdurige ontbering van moederlijke zorg kan voor een klein kind ernstige en verstrekkende gevolgen hebben voor zijn karakter en dus voor zijn gehele toekomstige leven.'[9]

Bowlby ondersteunde deze argumenten met observaties van kinderen die van hun ouders gescheiden waren wanneer zij voor korte tijd in een ziekenhuis of inrichting werden opgenomen, kinderen die lang in een weeshuis en in tehuizen voor vondelingen woonden, jonge resusapen die gescheiden werden van hun moeder en in isolatie opgroeiden, en met studies waarin een verband werd aangetoond tussen jeugdcriminaliteit en gedragsstoornissen en de een of andere vorm van scheiding in de kindertijd. In latere geschriften paste Bowlby zijn argument aan en hield hij rekening met de invloed van andere mensen in het leven van een kind, maar hij handhaafde de nadruk op de cruciale rol van de moeder. Voor zover er vaders aan te pas kwamen, was dat voornamelijk in een ondersteunende rol. Bowlby accepteerde wel dat als het kind ouder werd de vader er steeds meer bij betrokken raakte, maar gelet op de eisen die een baan stelt, kon niet van een vader worden verwacht dat hij een invloed uitoefende die vergelijkbaar was met die van de moeder. Robert Karen, die een uiterst leesbaar en objectief verslag heeft geschreven over Bowlby en diens werk, merkt op: 'Voor Bowlby, die zelf non-stop werkte, wiens werk zijn leven was en wiens zeldzame woedeaanvallen veroorzaakt werden door de inbreuk van zijn kinderen, leek het wellicht onvoorstelbaar dat een vader op een intiemere manier betrokken en door zijn aanwezigheid een bron van veiligheid kon zijn.'[10]

Bowlby's standvastige preoccupatie met de rol van de moeder stelde hem bloot aan felle kritiek van vele commentatoren die bang waren dat zijn argument gebruikt zou worden – wat ook gebeurde – om de toenemende onafhankelijkheid van vrouwen te bestrijden, om te pleiten tegen hun mobiliteit bij een beroep buitenshuis, en het gebruik van ondersteunende kinderopvang als crèches en kleuterscholen te ontmoedigen.[11] Maar Bowlby's verwaarlozing van de vaderrol was minder controversieel en werd zelfs bijna over het hoofd gezien. Tot 30 jaar geleden kwam het ouderschap in de sociale wetenschappen en de psychologische literatuur neer op het moederschap en in studies werd openlijk het woord 'moederen' gebruikt of, zoals een criticus opmerkte, 'men kwam er snel achter dat alle personen vrouwen waren, ofschoon de titel verwees naar ouders'.[12] Maar hoewel het evenwicht langzaam aan het verschuiven is in de wereld van onderzoeken en wetenschappelijke opleidingen, heeft de verwaarlozing van het vaderschap de veronderstelling aangewakkerd dat vaders er niet echt toe doen, en dat het feit dat zij verwaarloosd zijn eenvoudig de veronderstelling weerspiegelt dat ze grotendeels irrelevant zijn bij de opvoeding en ontwikkeling van een kind.

De Ierse journaliste Kathryn Holmquist voelde zich bij het recenseren van een polemische bijdrage over dit onderwerp, *Baby Wars: Parenthood and Family Strife*,[13] gedwongen om de vraag te stellen: 'Wanneer de financiële inbreng van de man weggecijferd wordt, wat heeft hij dan nog te bieden? Onderzoek toont aan dat alleenstaande moeders het goed redden, op voorwaarde dat ze financiële middelen hebben. Om alleenstaande moeders hun welzijn te gunnen, moeten wij de hele Ierse werkvloer reorganiseren, zodat die gezinsvriendelijker wordt en alleenstaande moeders een behoorlijk inkomen kunnen verdienen. [...] Maar het stigma van het alleenstaande moederschap in aanmerking genomen dat hier heerst, lijken dergelijke ideeën in Ierland nog heel ver weg. Wat zelfs crucialer is, is dat mannen de dominerende beleidsmakers zijn en het is onwaarschijnlijk dat zij zichzelf overbodig zullen maken door werkende vrouwen aan te moedigen om in hun eentje een succesvol gezin te stichten.'[14]

Holmquist is een begaafd journaliste die meestal goed op de hoogte is, en toch maakte ze de veel voorkomende fout te veronderstellen dat alle negatieve gevolgen van het alleenstaand ouderschap te wijten zijn aan financiële moeilijkheden en opgelost zouden zijn door mannen aan de kant te zetten en meer vrouwen aan het werk te krijgen. Wat de 'stigmatisering' in Ierland betreft van het alleenstaand ouderschap waarnaar zij verwijst, dat is bepaald niet sterk genoeg om te verhinderen dat het land een van de hoogste cijfers voor alleenstaande ouders heeft in Europa, hoger dan België, Nederland, Duitsland, Luxemburg, Zwitserland, Italië, Spanje, Portugal en Griekenland.

Hoewel het voor velen vanzelfsprekend is dat vaders er wel toe doen – met name kinderen in een gezin met een alleenstaande moeder bevinden zich, zoals we in het vorige hoofdstuk hebben gezien, in een nadelige situatie – zijn onderzoekers veel meer geïnteresseerd in het ophelderen van de potentieel verwarrende rol van problemen als armoede, slecht onderwijs, aanhoudende conflicten na een echtscheiding en het gebrek aan een systeem dat gezinnen ondersteunt dan in het vaststellen wat het nou precies is dat *vaders* belangrijk of overbodig maakt. Een groot probleem is dat moeders de meest gebruikte bron van informatie over vaders zijn, gedeeltelijk omdat vaders zo moeilijk te vinden zijn! Of ze nou arm of rijk zijn, getrouwd of niet getrouwd, meer dan 40 procent van de mannen die niet bij hun kinderen wonen vermeldt in nationale onderzoeken niet eens dat zij vader zijn. Nationale gezins- en bevolkingsonderzoeken, de voornaamste bron van informatie over gezinnen, bevatten zelden bijdragen van mannen die niet bij hun gezin inwonen. En het komt vaak voor dat de mannen bij wie dat wel het geval is, in die onderzoeken over het hoofd worden gezien.

Pas in 1995 bracht de toenmalige Amerikaanse president, Bill Clinton, een besluit ten uitvoer waardoor vaders een gelijk gewicht toegekend kregen in onderzoeks- en beleidsinitiatieven. Pas nu bekijkt het Amerikaanse Department of Health and Human Services op welke manieren de bezoekregeling van arme vaders gesteund kan worden en welke rol vaders zouden kunnen spelen in onderwijsprogramma's voor kinderen. In het jaar 2000 werden mannen voor het eerst opgenomen in het National Survey of Family Growth.

Degenen die geloven dat er een rol voor de vader is weggelegd, houden er meestal strenge opvattingen op na over wat die zou moeten zijn. Religieuze groeperingen stellen dat hij een leider moet zijn. Anderen suggereren dat hij een 'mannelijke mam' moet zijn. Van een vader wordt verwacht dat hij aan sport doet en zijn zoons discipline bijbrengt, dat hij zorgzaam en aanwezig is voor zijn dochters, de gespannen verhouding tussen geld verdienen en thuis-zijn oplost. Gaat het er bij een vader om wat hij *doet*? Gaat het erom wat hij *zegt*? Gaat het om het geld in zijn portemonnee? Is het eenvoudig zo dat hij er moet zijn? Welke rol vaders ook zouden moeten aannemen, zij zullen dat moeten doen in een wereld die fundamenteel veranderd is. De veranderingen die hebben plaatsgevonden in het huiselijk leven, persoonlijke relaties, de structuur van het gezin, de eisen van het werk, de notie van kostwinner en de rol van vrouwen, betekenen dat de rol van een vader eveneens opnieuw moet worden omschreven. Zoals iemand die zich al heel lang bezighoudt met het analyseren van vaderrollen zei: 'Mannen kunnen participerende vaders worden, zoals steeds vaker voorkomt, of zij kunnen het hele idee van een gezin opgeven en hun best doen in de buitenwereld. Voor beide gevallen geldt dat het begrip "thuis de baas zijn" verleden tijd is, waarschijnlijk voorgoed.'[15]

De meeste ongetrouwde en gescheiden vaders zijn vertrokken na het eerste levensjaar van hun kind. Zijn ze ongevoelig en harteloos, schieten ze te kort in hun verantwoordelijkheden, zijn ze niet in staat om gevoelens te uiten en geven ze er de voorkeur aan, zoals Kraemer veronderstelt, hun kansen te wagen in de buitenwereld? Of worden ze buitengesloten en overbodig gemaakt door boze moeders, vrouwen die tegenwoordig het vertrouwen hebben dat zij het wel alleen aankunnen? Omdat mannen traditiegetrouw geclassificeerd werden als kostwinner, hebben onderzoekers de neiging gehad zich te concentreren op het loonzakje van de vader en niet op zijn hart. Tegenstrijdige opvattingen over het vaderschap bevatten onder meer de toegewijde moeder en de uitgeputte en tekortschietende vader.

De media presenteren vaders 'als "helden of boeven" en discussiëren nauwelijks ernstig over het vaderschap'.[16] De boeven zijn het toenemend aantal vaders die niet bij hun kinderen wonen. Tussen 1 op de 6 en 1 op de 7 vaders wonen niet bij de van hen afhankelijke kinderen.[17] Circa 8 procent van alle geboorteakten in Groot-Brittannië (22 procent van de geboortes buiten het huwelijk) vermeldt de identiteit van de vader niet: 51.000 geboortes in 1996.[18] Er is tegenwoordig een overheersend gevoel dat mannen onbekwaam zijn als vader en een toenemende trend om mannen te portretteren als niet geneigd om de verantwoordelijkheden van het vaderschap op zich te nemen. Maar waarom verwijderen zich, of laten zoveel mannen zich verwijderen uit het leven van hun kinderen aan het begin van de eenentwintigste eeuw?[19]

Het vaderschap is de meest voorkomende ervaring van volwassen mannen. Meer dan 90 procent van de volwassen mannen in Groot-Brittannië treedt in het huwelijk en ruim 90 procent van deze echtparen heeft een of meer kinderen thuis. Hoe deze vaders zich thuis gedragen, hoe zij hun gevoelens voor hun gezin uitdrukken, hoe zij de ontwikkeling van hun kind bevorderen, varieert aanzienlijk. En ondanks tegenstrijdige opvattingen komt er steeds meer bewijs dat het instinctieve gevoel ondersteunt dat er wel degelijk een rol voor de vader is weggelegd en dat het, net als die van de moeder, een rol is met zowel positieve als negatieve mogelijkheden.

De effecten van vaderontbering

Er is wel geopperd, met name door de Duitse psychoanalyticus Misterlich, dat het feit dat vaders het moeilijk vinden de aard van hun werk te delen met hun kind, in de psyche van het kind een vacuüm creëert dat opgevuld wordt met vijandige fantasieën over de vader als slechterik en zijn werk als een kwaad.[20] Het gevolg is een wijdverbreide 'vaderontbering' of 'vaderhonger', gekenmerkt door hunkering naar een goede vader, of tenminste één die goed genoeg is. Een dergelijke 'vaderontbering' krijgt de schuld van een verscheidenheid aan problemen. Kinderen die zonder vader opgroeien lopen eerder de kans dat ze falen op school of voortijdige schoolverlater worden,[21] dat ze emotionele nood of gedragsstoornissen krijgen waarvoor ze psychiatrische hulp nodig hebben,[22] en dat ze problemen krijgen met drugs en alcohol.[23] Mannelijke pubers die een zelfmoordpoging ondernemen schijnen veel vaker afkomstig uit een achtergrond met een afwezige vader.[24] Andere studies hebben een statistisch significante frequentie van echtscheiding of scheiding van tafel en bed waargenomen onder ouders van adolescenten die een zelfmoordpoging doen, in vergelijking met controlegroepen.[25] Naar verluidt ervaren jongens die opgroeien zonder vader moeilijkheden op het gebied van sekse-rolmodel en genderindentiteit, schoolprestaties, sociale vaardigheden en het beheersen van agressie.[26]

Een tweede consequentie van een leven zonder vader is dat kinderen, in het bijzonder zoons, opgroeien zonder rechtstreeks contact met hem en hem niet anders kunnen zien dan door de ogen van hun moeder. Deze ervaring vervreemdt hen feitelijk van hun eigen notie van zichzelf als man. En het veroorzaakt in feite een breuk in de natuurlijke overdracht van het rolmodel van een inwonende vader, in die mate dat veel jongens en jongemannen 'hun toekomst tegemoet zien met een steeds afnemende sociale druk of training om een verantwoordelijke en competente vader te worden'.[27]

Het verlangen van een verloren zoon naar de afwezige vader is een wijdverbreid, zo niet universeel thema in de wereldliteratuur en religie. In het christelijk geloof overheerst het beeld van Jezus, die nooit een menselijke vader heeft gehad, nooit vader wordt en aan het kruis sterft terwijl hij verzucht dat hij in de steek gelaten wordt door de machtigste vader van alle. Shakespeares *Hamlet*, de *Odyssee* van Homerus, *Ulysses* van Joyce, het bijbelse verhaal van Jozef, ze gaan allemaal over een zoon die gescheiden is van zijn vader. Het is echter niet zozeer het verhaal van de afwezige vader als wel dat van de gewelddadige vader dat de meest ingrijpende invloed op de moderne psychologie heeft gehad. In de legende van Oedipus geeft Laius, de vader van baby Oedipus, het bevel om zijn zoon te doden en Oedipus wordt op een berg achtergelaten om te sterven. Hij wordt gevonden door een herderin, die hem grootbrengt. Later, als jongeling, komt hij een oude man tegen die weigert voor hem uit de weg te gaan als hij probeert een smalle brug over te steken. Oedipus doodt de oude man die, zonder dat hij het weet, zijn vader Laius is. Uiteindelijk redt Oedipus de stad Thebe door het raadsel van de Sfinx op te lossen en trouwt met de koningin die, weer zonder dat hij het weet, zijn moeder is.

Freud heeft met de creatie van het zogenoemde Oedipuscomplex beweerd dat de mythe het onbewuste verlangen uitdrukt van elke zoon om zijn vader te doden en met zijn moeder te trouwen. Er is echter op gewezen dat het verhaal van Oedipus mogelijk nog duisterder is dan Freuds interpretatie. Het is uiteindelijk een verhaal van afgrijselijke ouderlijke agressie en geweld. De tragedie begint ermee dat een vader, Laius, beveelt dat zijn eigen zoon gedood wordt en gaat over het heftige, potentieel vernietigende conflict tussen generaties: de jonge Oedipus en de oude Laius die met elkaar wedijveren om de brug over te steken. Maar ook Laius' eigen verhaal is relevant. Evenals Hamlet was Laius een zoon die van zijn plaats verdrongen werd door zijn oom. Laius zocht zijn toevlucht bij de naburige koning Pelops en maakte uiteindelijk seksueel misbruik van diens jonge zoon. Op zijn beurt vervloekte koning Pelops Laius en voorspelde, correct, dat hij door zijn eigen zoon gedood zou worden. Daarna werd Laius koning van Thebe en verwekte hij Oedipus ongewild (zijn vrouw zorgde ervoor dat hij dronken werd en verleidde hem). Vervolgens droeg hij haar op het kind te doden door het aan weer en wind bloot te stellen, waaraan zij aanvankelijk meewerkte, maar wat zij later betreurde. In deze tragische mythe zijn veel van de meest elementaire preoccupaties en angsten van tegenwoordig verweven, zoals kindermishandeling, vaderlijke geweldpleging door samenspanning met en medewerking van moeders, jaloezie en wraakzucht binnen de familie en de seksuele vernedering van vrouwen door mannen.

In de voornaamste verhalende teksten van de bijbel komen genoeg vaders voor, maar bar weinig goede. Adam, Noach, Isaäk, Jakob, Abraham, Mozes, Saul, David en zelfs Salomo worden beoordeeld als mislukkelingen op een belangrijk gebied van hun vaderschap. Schijnbaar in tegenstelling daarmee is de God de Vader uit het Nieuwe Testament. Maar deze vader belichaamt veel van de spanningen en tegenstrijdigheden die in meer menselijke vorm ouders dwarszitten die worstelen om goed genoeg te zijn. Aan de ene kant is deze hemelse vader liefdevol, koesterend, vergevingsgezind, de verschaffer van dagelijks brood en de vergever van zonden. Maar aan de andere kant is hij een strenge en omnipotente rechter die meedogenloos de bokken van de schapen scheidt, degenen die zich goed hebben gedragen verheft naar de hoogste regionen van de hemel en degenen die hebben gezondigd naar de diepste diepten van een brandende hel verbant.

In een belangrijke studie van de archetypische beelden van de vader legt Henry Abramovitch de nadruk op de mate waarin de thema's van dood en continuïteit, scheiding en verzoeking, afwijzing en bevestiging verstrikt zijn in de vader-kindverhouding.[28] In het verhaal van Jakob en Jozef, bijvoorbeeld, gelooft Jakob dat zijn zoon Jozef voorgoed verloren is en hij geeft zich over aan langdurig verdriet. Jozef slaagt in een vreemd land, maar is afgesneden van zijn vader. Wanneer zij elkaar ten slotte ontmoeten, omhelzen ze elkaar. Jozef weent 'een flinke poos' en Jakob verklaart: 'Nu ik met eigen ogen heb gezien dat je in leven bent, kan ik sterven.'

De vaders van vandaag dragen in hun hoofd de herinneringen van en aan hun eigen vader met zich mee, en hun ervaring met hun opvoeding door hun vader. Maar ze hebben eveneens verwachtingen met betrekking tot hun eigen behoefte om een eerlijke vader, een wijze vader, een benaderbare en betrokken vader, een liefdevolle vader, een strenge vader, een goede vader te zijn. En ze worstelen, sommigen om te proberen een vader te zijn zoals hun eigen vader was, sommigen om juist het tegenovergestelde te zijn, en overal om hen heen woedt de discussie over de vraag waaruit een goede vader nou eigenlijk precies bestaat en of het eigenlijk wel verschil uitmaakt wat voor vader ze zijn.

Wat de vader te bieden heeft

In de jaren '80 leken onderzoeken naar de mate van betrokkenheid van vaders bij het leven van hun kinderen erop te wijzen dat de effecten minimaal waren.[29] Recenter onderzoek duidt er echter op dat kinderen onder de schoolgaande leeftijd, wier vader voor een belangrijk deel bij ze zijn en toegankelijk voor ze zijn – met andere woorden die 40 procent van de gezinszorg voor hun rekening nemen –, competenter, meelevender, zelfverzekerder en minder stereotiep zijn in termen van sekserollen.[30] Dat bewijs geeft aan dat zulke positieve effecten vroeg beginnen. Zo hangt de mate van positieve vaderlijke betrokkenheid in de eerste maand na de geboorte sterk samen met het cognitief functioneren van het kind wanneer het een jaar oud is.[31] Onderzoek heeft eveneens significant positieve relaties aangetoond tussen positieve vaderlijke betrokkenheid en intelligentie, leerprestaties en sociale rijpheid op zes- en zevenjarige leeftijd.[32] Die betrokkenheid is in belangrijke mate verbonden met een cluster van resultaten, waaronder zelfbeheersing, eigendunk, levenservaring en sociale competentie bij zowel kinderen als adolescenten. Het meest frappant is de ontdekking dat een vader die actiever betrokken is bij zijn kinderen niet leidt tot meer maar tot minder stereotiep gedrag met betrekking tot het verschil tussen de seksen. Dat wil zeggen dat kinderen en adolescenten met positief betrokken vaders er als adolescenten mínder traditionele opvattingen op nahouden over geslachtsstereotypen, over ouders die allebei de kost verdienen, en over het delen van de kinderzorg door ouders.[33]

Maar hoe kan het effect van de betrokkenheid van de moeder gescheiden worden van dat van de vader? Is het niet mogelijk dat de vaders die heel positief betrokken zijn bij de verzorging van hun kinderen, getrouwd zijn of samenwonen met uitzonderlijk toegewijde en geëngageerde moeders? Een nauwkeurige analyse van resultaten van de American National Survey of Family Health – die niet alleen de positieve betrokkenheid van de moeder controleerde maar ook de etnische achtergrond, het inkomen en de sociale klasse – heeft aangetoond dat voor zowel jongens als meisjes een hoge mate van positieve betrokkenheid van vaders in belangrijke mate verbonden is met sociale vaardigheden als het kunnen opschieten met anderen, verantwoordelijkheden nakomen en doen wat ouders vragen.[34] Daar komt nog bij dat jongens minder gedragsproblemen hebben en meisjes zelfstandiger zijn, dat wil zeggen eerder bereid om iets nieuws uit te proberen, dat ze actief en sociaal betrokken zijn. Deze analyse bevestigt dat de positieve betrokkenheid van een vader bij zijn kinderen voordelige effecten heeft die losstaan van de effecten van de betrokkenheid van de moeder.

Aan het eind van de jaren '30 begonnen Sheldon en Eleanor Glueck van de Harvard Law School aan een representatief onderzoek bij 500 criminele en 500 niet-criminele jongens. Ze volgden hun proefpersonen 25 jaar lang en in die tijd noteerden sociaal werkers, dokters, criminologen, psychoanalytici en sociale psychologen allemaal hun tegengestelde opvattingen over de 1.000 jongeren uit de stad.[35] Toen nam psychiater George Vaillant het over; hij volgde dezelfde mannen nog een tweede generatie, met inbegrip van hun ervaringen en gedrag als vader.[36] In 1982 raakte professor John Snarey betrokken bij de longitudinale studie en hij richtte zich speciaal op de kinderen, de zonen en dochters van de oorspronkelijke groep mannelijke proefpersonen. Dit unieke onderzoek, dat inmiddels al vier generaties duurt, verschaft een onvergelijkelijk inzicht in de aard en de staat van het vaderschap op dit tijdstip.[37]

Snarey schrijft over 'generatieve vaders', waarmee hij vaders bedoelt die bijdragen aan de cyclus van de generaties en deze hernieuwen door de zorg die zij leveren als geboortevader (biologische generativiteit), als opvoedingsvader (ouderlijke generativiteit) en als culturele vader (maatschappelijke generativiteit). Deze concepten hebben veel te danken aan Erik Eriksons model van menselijke persoonlijkheidsontwikkeling.

Erikson, de eerste hoogleraar Human Development aan Harvard, beschouwt generativiteit als de primaire ontwikkelingstaak van de volwassenheid. Generativiteit versus stagnatie is het zevende stadium in een reeks van acht stadia van de persoonlijkheidsontwikkeling in Eriksons theoretische model. In dit systeem eindigt elk stadium in de ontwikkeling met een keerpunt of crisis, een cruciale periode van mogelijkheid en kwetsbaarheid. De eerste twee psychosociale keerpunten, vertrouwen versus wantrouwen en autonomie versus twijfel, worden geacht plaats te vinden in de eerste twee jaar van het leven. Initiatief versus schuld vindt plaats in de vroege kindertijd, ijver versus inferioriteit in de tweede helft van de kindertijd, identiteit versus identiteitsverwarring tijdens de adolescentie, en intimiteit versus isolatie tijdens de vroege volwassenheid. Dan komt de psychosociale taak van generativiteit versus stagnatie in het midden van de volwassenheid, voordat het eindstadium wordt bereikt, dat gekenmerkt wordt door de crisis van integriteit versus wanhoop.[38] De psychosociale taak van de volwassenheid – het bereiken van een gunstige balans van generativiteit versus stagnatie – behelst het bereiken van 'een redelijk surplus van voortplanting, productiviteit en creativiteit tegenover een overheersende stemming van persoonlijke uitputting of zelfabsorptie'.[39]

Generativiteit bestaat uit elke zorgzame, naar buiten gerichte activiteit die bijdraagt aan de generatie van nieuwe en rijpere individuen, ideeën, producten of kunstwerken. John Kotre heeft het concept van generativiteit overgenomen en uitgebreid tot vier categorieën.[40] Ten eerste is er de *biologische generativiteit*, waaronder het verwekken, dragen en koesteren van nakomelingen vallen. Dan is er de *ouderlijke generativiteit*, waaronder de activiteiten bij de kinderopvoeding waardoor kinderen verzorgd worden en in het gezin worden opgenomen. De derde categorie, de *technische generativiteit*, heeft betrekking op het aanleren van vaardigheden, het doorgeven van kennis en ervaring. Ten slotte is er de *culturele generativiteit*, die betrekking heeft op het optreden als raadsman – de schepping, vernieuwing en conservering van een symbolensysteem dat doorgegeven wordt van ouder op kind, adolescent en jonge volwassene.

Eriksons model is een echo van de veronderstelling van Freud en Tolstoj dat liefhebben en werken de twee voornaamste functies van de volwassen mens zijn. Erikson gaat verder en stelt dat de graad waarin het externe leven van een man gekenmerkt wordt door rijpe liefde – het houden van anderen – en volwaardig werk – creativiteit en productiviteit – op kritieke wijze verbonden is met de mate van volgroeidheid van zijn persoonlijke ontwikkeling.

Met gebruikmaking van Eriksons theorieën volgde Heath een groep mannen vanaf de tijd dat ze gingen studeren tot en met het begin van de middenfase van hun volwassen leven.[41] Hij ontdekte dat het vaderschap het zelfbegrip van een man, zijn bereidheid om anderen te begrijpen en met ze mee te leven en zijn vermogen om zijn eigen gevoelens te begrijpen en uit te drukken, bevorderde. Bij de mannen die van hun vaderschap genoten, was de kans ook groter 'dat ze in de voorafgaande tien jaar vrijwillig anderen hadden gediend of gekozen werden voor een leidinggevende positie in hun gemeenschap of beroep. Het genieten van het ouderschap – een van de meest veeleisende en onbaatzuchtige rollen die een volwassene aanneemt – weerspiegelt en koestert een op een ander gerichte en gevende aard. Voor iemand met een dergelijke aard is het niet zo'n hele grote stap om te willen geven aan onze grotere familie – onze gemeenschap.'[42]

Aan de vrouwen van de mannen die door Heath werden bestudeerd werd, toen zij de middelbare leeftijd bereikten, gevraagd zich te herinneren hoe hun eigen ouders hen hadden opgevoed. De vrouwen die een succesvolle loopbaan hadden konden zich – in tegenstelling tot degenen die minder succes hadden – herinneren dat hun vader in hun jeugd hoge verwachtingen van hen had gekoesterd, ze sterk aangemoedigd had om te leren en aangespoord had om aan een sport te doen. Hun vader had hen duidelijk gewaardeerd, had actief deelgenomen aan hun opleiding en de buitenwereld voor hen ontsloten. Bovendien had hun vader waardevol advies gegeven: 'Deze vaders praatten met hun dochters over hoe ze een baan moesten vinden, zich moesten voorbereiden op een sollicitatiegesprek, zich moesten kleden, moesten omgaan met mannen en hun baas, omgaan met mannelijke manieren van kritiek en ondersteuning, hoe ze de financiële pagina's in de krant moesten ontcijferen, opslag vragen, hun geld investeren, connecties moesten leggen.'[43]

Snarey merkt op dat deze vaders in de terminologie van Erikson alle drie de types van ouderlijke generativiteit hadden verschaft: ondersteuning van intellectueel-academische, sociaal-emotionele en lichamelijk-atletische ontwikkeling. Net als de mannen die Heath had gevolgd, hadden zijzelf voordeel gehaald uit de eisen en verantwoordelijkheden die door het ouderschap worden opgelegd.

Het vaderschap heeft een enorme impact op mannen. In tegenstelling tot waar veel mannen (en vrouwen) bang voor zijn, is het laten voorgaan van het gezin niet schadelijk voor hun carrière. Het vaderschap verdiept het vermogen van mannen om zichzelf te leren kennen als volwassene en mee te voelen met andere volwassenen. Het effect van het actieve vaderschap op vaders is nog niet zo lang geleden intensief bestudeerd. Na het analyseren van de patronen tijdens vier decennia van het leven van mannen, ontdekte Snarey dat mannen die een actieve rol in het gezin hadden gespeeld, tegen de tijd dat hun kinderen opgegroeid waren betere managers, buurtbestuurders en rolmodellen waren. Hij ontdekte eveneens dat de hoeveelheid en de kwaliteit van hun zorg voor de sociale en emotionele ontwikkeling van hun kinderen tijdens hun jeugd en puberteit in feite de huwelijkse stabiliteit en tevredenheid voorspelde in hun eigen latere leven. Hoe meer de vaders deelnamen aan de opvoeding van hun kinderen tijdens de vroege volwassenheid, des te groter de kans dat deze vaders op middelbare leeftijd nog steeds gelukkig getrouwd waren.

De 35 jaar durende studie van George Vaillant onder studerende mannen had ook als uitkomst dat de bevrediging van de vaderrol significant en positief samenhing met andere vormen van zorgverlening en betrokkenheid buiten het gezinsleven. Vaillant ontdekte dat de mannen die in de termen van Erikson het meest generatief waren, dat wil zeggen dat ze in de meest ware zin verantwoordelijk waren voor andere volwassenen, genoten van hun werk en anderen steunden bij hun groei, ook de mannen waren die in een eerdere periode het beste om konden gaan met intimiteit en dat ze een stabiel eerste huwelijk hadden.[44]

Deze onderzoeksresultaten spreken de populaire veronderstelling tegen dat loopbaanprestaties en betrokkenheid bij de opvoeding van kinderen niet samengaan. Er bestaat in feite indrukwekkend onderzoeksmateriaal waaruit blijkt dat volwassen mannen met de slechtste prestaties op het gebied van vak of beroep eveneens slecht ontwikkelde generatieve trekken vertonen.

Michael is een getrouwde man van in de veertig met vier kinderen. Hij is opgeklommen tot een leidinggevende positie in een olieconcern waar hij kort na zijn huwelijk was gaan werken. In de eerste tien jaar van zijn huwelijk, de tijd dat zijn kinderen werden geboren, wijdde Michael vele uren aan zijn werk, waarvoor hij 's morgens vroeg vertrok en 's avonds laat terugkwam. Ook werkte hij tijdens de meeste weekeinden. Een deel van zijn tijd bracht hij door met ontspanning en sociale activiteiten die ook verbonden waren met zijn werk, zoals golf, bedrijfsetentjes en conferenties. Toen hij echter werd gepromoveerd naar een positie waar hij verantwoordelijk werd voor personeel en human relations, begon hij zich geleidelijk aan te realiseren hoe weinig tijd hij met zijn gezin doorbracht en hoeveel druk en spanning

hij voelde terwijl hij aan de eisen van werk en gezin trachtte te vol-
doen. Veel van de collega's die bij hem kwamen hadden problemen
met stress die voortkwam uit diezelfde situatie. Hij besloot zijn eigen
levensstijl te veranderen. Hij begon zijn tijd opnieuw in te delen,
bracht minder tijd op zijn werk door maar deelde de tijd die hij er
doorbracht efficiënter in. Hij speelde minder golf en hield bijna geheel
op met gasten ontvangen na werktijd. Hij woonde geen conferenties
meer bij in de weekends. Zijn gezondheid verbeterde spectaculair: de
geprikkeldheid, gespannenheid, slaapstoornissen en het zware drin-
ken waarvoor hij aanvankelijk een psychiater had geraadpleegd, ver-
dwenen geleidelijk aan. Zijn persoonlijke evaluatie aan het eind van
het jaar was de positiefste die hij in jaren op zijn werk had gehad. Hij
werd in het bijzonder geprezen om het hoge niveau van zijn betrok-
kenheid, de fijngevoeligheid waarmee hij omging met de misnoegens
van werknemers, en zijn bekwaamheid bij het creëren van een werk-
sfeer die stimuleerde tot effectieve arbeid. Ook zijn vrouw merkte op
dat hij niet alleen zichtbaarder was geworden als vader, maar dat hij
ook een geduldiger, ontvankelijker en attenter vader was geworden.

Deze bevindingen schragen ook de controversiële bewering dat het
gezinsleven een civiliserende invloed op mannen heeft. Socioloog
David Popenoe stelt zonder omwegen: 'Wanneer dan ook grote aantallen jonge, ongebonden mannen op één plek samenzijn, is de kans
op sociale onrust veel groter.'[45] David Blankenhorn, directeur van het
Institute for American Values, is daar eveneens van overtuigd: 'Over
de hele linie is het getrouwde vaderschap het meest betrouwbare en
vertrouwde recept voor socialiserende mannen.'[46] Iemand die het
daarmee eens is maar niet het enthousiasme deelt over de gevolgen is
Gore Vidal die, in een fel artikel over seksualiteit en politiek, stelt dat
in gemeenschappen waarin het noodzakelijk is mensen te dwingen
om werk te doen dat ze niet willen doen, ze gestimuleerd worden om
jong te trouwen 'om de verstandige reden dat als een getrouwde man
ontslagen wordt, zijn vrouw en kinderen ook honger zullen lijden. Een
dergelijke factor stimuleert dociliteit.'[47]

Vidals nijdige opmerking is een variant op Cyril Connolly's voorstelling van de kinderwagen in de gang als de vijand van de belofte.
Geconfronteerd als wij echter worden met de aard en de reikwijdte
van mannelijk geweld, is niet iedereen zo snel in het verwerpen van
dociliteit als Vidal. Anderen hebben gesteld dat jonge mannen die weinig steun van hun vader hebben gehad, en jonge mannen die aarze-

len een hechte, intieme relatie aan te gaan, zo incompetent en kwetsbaar worden tegenover vrouwen dat ze hen uiteindelijk vermijden, hen geweld aandoen, of allebei. Onthechte jonge mannen bewijzen veel sneller hun mannelijkheid door middel van misdaad en door degenen die uiterlijk het beschamende, gehate, gevreesde vrouwelijke deel van zichzelf vertegenwoordigen, geweld aan te doen.[48] In Groot-Brittannië is A.H. Halsey een van degenen geweest die het duidelijkst hebben gewaarschuwd voor het ontstaan van een nieuwe man die 'matig gesocialiseerd is, en matig sociaal gecontroleerd wordt op de verantwoordelijkheden van het huwelijk en vaderschap. [...] Hij voelt niet meer de druk die zijn vader en grootvader en eerdere generaties mannen voelden om een verantwoordelijke volwassen man te worden in een functionerende gemeenschap.'[49]

Er bestaat overtuigend bewijs ter ondersteuning van de visie dat mannen die een vaderlijke invloed ontberen, sneller geneigd zijn om zich in te laten met wat wel 'overcompenserend mannelijk gedrag' is genoemd, wat jargon is voor vergrijpen op het gebied van eigendommen, kindermisbruik en geweld in het gezin.[50] Een dergelijke protestmannelijkheid, gekenmerkt door overdreven pogingen om zich te bewijzen, wordt beschouwd als voortkomend uit een basisangst om vrouwelijk te zijn, een angst die heel sterk is wanneer een mannelijk rolmodel niet voorhanden is. Mannen uit gezinnen met een zwakke of afwezige vader hebben geen rolmodel van een stabiele, langdurige familie waarin elk lid bijdraagt aan de integriteit en stabiliteit van het gezin als geheel. Jonge mannen met een dergelijke veranderlijke en onvoorspelbare achtergrond zijn niet in staat de voordelen van de voortplanting te zien door zorgvuldig een geschikte partner te kiezen en de voortplanting uit te stellen. In plaats daarvan wedijveren ze met hun leeftijdgenoten in korte sekswedstrijden, waarbij ze agressief, exhibitionistisch en exploiterend gedrag vertonen.

De afwezigheid in het gezin van een sterk, volwassen mannelijk voorbeeld heeft met name implicaties voor moeders met opgroeiende, lichamelijk agressieve en assertieve zonen. Psychiaters, psychologen en sociaal werkers zijn door hun professionele werk goed op de hoogte van de spanningen bij adolescente mannen in een situatie waarin een moeder als het ware in de schoenen van een vertrokken vader moet stappen. In een artikel over een veelbesproken geval in Engeland – een 18-jarige zoon die zijn alleenstaande moeder had vermoord – protesteerde Lisa Jardine, hoogleraar Renaissancestudies aan de Universiteit van Londen, dat de in de steek gelaten moeders vaak merken dat zij de schuld krijgen van het agressieve gedrag dat veel adolescente zonen in deze situatie vertonen.[51] Professor Jardine wijst erop dat jongens die bij hun alleenstaande moeder wonen, veel eerder hun toevlucht nemen tot geweld dan meisjes. Studies tonen aan dat de zonen van afwezige vaders problemen krijgen bij het leren beheersen van agressief en impulsief gedrag.[52] Onder de verslagen over toenemend huiselijk geweld (met inbegrip van geweld jegens vrouwen door hun mannelijke partner), bevindt zich een groeiend aantal incidenten waarbij een moeder in elkaar wordt geslagen door een zoon. Als de zoon ouder dan 18 is, kan hij behandeld worden als volwassene en kan hem de toegang ontzegd worden. Maar als hij voor de wet niet volwassen is, kan zo'n gewelddadige jongen verschrikkelijk moeilijk te hanteren zijn, zowel juridisch als lichamelijk.

Lisa Jardine betreurde het feit dat de moord van een zoon op zijn moeder geleid had tot een heksenjacht in de media, waarbij vermeende moederlijke tekortkomingen op de een of andere duistere manier aangewezen werden als de oorzaak van de moord. De meer gematigde en bedachtzame analyse van Jardine weerspiegelt het toenemende besef van het belang van ouderlijke discipline, het voorbeeld en de controle van een vader bij het succesvol socialiseren van de opgroeiende adolescente man, en de uitwerking op alleenstaande moeders die de afwezigheid van een volwassenen man kan hebben.

Vaders, zonen en dochters

Er is bewijsmateriaal dat er sterk op wijst dat de invloed van een vader op en de bijdrage aan de ontwikkeling van zijn dochter het sterkst en meest cruciaal is tijdens haar puberteit, terwijl de invloed op de ontwikkeling van een zoon vroeger plaatsvindt. De vroege ontwikkelingsjaren van een jongen vergen van hem dat hij zich van zijn moeder losmaakt en zich met zijn vader identificeert – de ouder van dezelfde sekse – als onderdeel van het geslachtsrijp worden. Evenals meisjes beginnen jongens hun leven met een intieme lichamelijke en huiselijke relatie met hun moeder. Maar op een bepaald punt moet elke zoon zichzelf herdefiniëren en voorbereiden op zijn rol als man en vader buiten het ouderlijk huis, grotendeels onder andere mannen. Een warme, hechte begeleiding van een vader bevordert zijn groei. De steun van een vader voor de lichamelijke, atletische, intellectuele en emotionele ontwikkeling van zijn zoon vergemakkelijkt de overgang van zijn kindertijd naar de puberteit en moedigt hem aan en stelt hem later in staat om als jonge volwassene bij zijn vader om raad aan te kloppen. David Guttmann spreekt van een 'cruciale doop', waarbij een zoon zichzelf herdefinieert van zoon van zijn moeder tot zoon van zijn vader.[53] Zonen van vaders die lichamelijk en/of psychologisch afwezig zijn kunnen deze overgang niet maken. Zonen van zulke vaders keren zich niet in psychologische zin van hun moeder af. Het is waar dat ze uit huis gaan, een vriendin of vrouw vinden, maar omdat ze geen echt gevoel van volwassen mannelijkheid hebben ontwikkeld, nemen ze hun afhankelijkheid van de moeder en hun identificatie als zoon in plaats van als grote, onafhankelijke man mee in hun relatie en huwelijk en veranderen hun partner in een surrogaatmoeder.[54]

> *Toen Mary en James bij mij terechtkwamen vormde Mary's kijk op haar man het middelpunt van hun gemeenschappelijke klachten. Zij had het gevoel dat hij van haar verwachtte dat ze zich net zo gedroeg als zijn moeder. Voor de komst van hun drie kinderen had Mary inderdaad toegezien op elke huishoudelijke behoefte van James, maar toen de kinderen kwamen, verwachtte ze van hem dat hij zou helpen met boodschappen doen, de kinderen naar school brengen en huishoudelijke taken als afwassen en de vuilnis buitenzetten. James reageerde heel slecht op dergelijke verwachtingen. Nadat hij slecht opgewassen bleek te zijn tegen de komst van elk kind (na de geboorte van de eerste had hij een korte affaire en bij de andere twee werd hij ziek), bleef hij haar de aandacht die zij hun schonk kwalijk nemen. Ze hadden voortdurend ruzie over en met de kinderen. Tijdens een aantal oriënterende sessies bleek dat James er een uitgesproken mening op nahield over hoe zijn vrouw zich moest gedragen; in essentie als opvolgster van zijn moeder, die haar hele leven aan zijn behoeften en die van zijn twee broers had gewijd. Zijn vader, een drukbezet uitgever, had het overgrote deel van zijn leven buitenshuis doorgebracht en geen enkele rol gespeeld in de opvoeding van zijn kinderen. James vond het niet gemakkelijk om zijn vrouw in relatie tot haar kinderen te zien zoals hij zijn moeder zag in relatie tot hem. Door met Mary te trouwen had James eenvoudig zijn afhankelijkheid van zijn moeder op haar geprojecteerd.*

Een dochter daarentegen blijft zich in haar kindertijd voornamelijk met haar moeder identificeren. De genegenheid en steun van de vader scheiden een dochter niet af van haar identificatie met haar moeder, maar als hij een veilige, betrouwbare en stimulerende aanwezigheid is tijdens haar baby- en kindertijd, kan dat bijdragen tot haar gevoel van vertrouwen en autonomie. In de puberteit, wanneer zij een flinke mate van onafhankelijkheid ten opzichte van haar moeder begint te krijgen, gaat een vader pas een cruciale rol spelen in de verdere ontwikkeling van zijn dochter. Deze visie wordt ondersteund door een veel eerder onderzoek van Hetherington, dat aangeeft dat het negatieve effect van de afwezigheid van een vader tot het moment dat zij de puberteit bereikten, geen uitwerking had op dochters.[55]

Over het algemeen bevorderen vaders de zich ontwikkelende autonomie van hun dochters door ze uit te nodigen deel te nemen aan niet-traditionele gebieden, zoals actief lichamelijke spel. Moeders kunnen natuurlijk ook atletisch ingesteld zijn, maar wanneer deze zorg van de kant van de vader komt lijkt het eveneens het vermogen van de dochter te bevorderen om zich uit de moeder-dochterbaan de buitenwereld in te lanceren. Eerder onderzoek had er al op gewezen dat de bereidheid van een vader om zich bezig te houden met het toenemende gevoel van eigen mogelijkheden, veel invloed heeft. Onderzoeker L. Tessman heeft het als volgt samengevat: 'Meer in het oog springend dan een afstandelijke trots over haar prestaties is zijn bereidheid om bij het proces betrokken te worden. [...] Een vrouw die de bijdrage van haar vader aan haar enthousiasme over het werk benadrukt, onderstreept meestal hoe hij haar behandelde als een interessante, onafhankelijke persoon [...], en ze onderstreept zijn vertrouwen in haar zich ontwikkelende autonome capaciteiten bij gezamenlijke ondernemingen, en zijn vermogen tot stimuleren of zijn enthousiasme bij het ontdekkingen doen tijdens werk of spel.'[56]

Tessman bestudeerde vrouwelijke studenten van het Massachusetts Institute of Technology die goed presteerden. De typische vader die beschreven werd door deze dochters was aanmoedigend en stimulerend, had hen bij gezamenlijke ondernemingen betrokken, vertrouwen in hun toenemende vaardigheden getoond en van hun speelse, amusante gezelschap genoten.[57]

Vaders kunnen de latere educatieve en beroepsmatige ontwikkeling van hun zonen bevorderen door ze in hun jeugd een hoog niveau van zorg voor hun sociale, emotionele, lichamelijke en intellectuele groei te bieden. Dat gebeurt meestal wanneer vaders deelnemen aan de sportactiviteiten van hun zonen en als ze hun gevoel van inzet en autonomie aanmoedigen. Door de jongens uit de jaren '30 te volgen tot in hun volwassenheid en ouderschap zijn onderzoekers als de

Gluecks, Vaillant en Snarey in staat geweest om aanzienlijk licht te doen schijnen op de kwestie van vaderlijke invloed. Hun onderzoek heeft aangetoond dat mannen leren hoe ze als vader wel of niet moeten handelen door de manier waarop hun eigen vader met hen omging. Bijvoorbeeld, de vaders wier relatie met hun eigen vader in hun jeugd afstandelijk of nauwelijks waarneembaar was, verschaften hun eigen kinderen in de puberteit eerder een bovengemiddelde mate van emotionele en sociale steun en betrokkenheid. De vaders wier eigen vader lichamelijke straf had gebruikt of ermee had gedreigd, waren eerder geneigd dat recht te trekken in hun eigen manier van vader zijn. Snarey beschrijft wat er dan gebeurt: 'De stroom tussen de generaties van succesvol vaderschap lijkt twee hoofdpatronen te volgen: a) het volgen van een voorbeeld, waarbij een man de sterke kanten herhaalt van de vaderlijke zorg die hijzelf ontvangen heeft en b) het herzien van een voorbeeld, waarbij een man de beperkingen van de vaderlijke zorg die hijzelf heeft ontvangen, rectificeert.'[58]

Niet altijd is het volgen of herzien van een voorbeeld gunstig. Sommige mannen herhalen de agressiviteit en gewelddadigheid van hun vader door zich over te geven aan een patroon van strafdiscipline en autocratische overheersing in hun eigen gezin. Sommigen herzien de effecten van een afwezige vader in de puberteit door onverdraagzamer te worden jegens alles wat ook maar in de verste verte lijkt op een verschil van mening of onenigheid met hun partner of kinderen. Maar het geruststellende van Snareys werk is de ontdekking dat veel mannen de pathologische fouten en het gedrag van hun vader niét doorgeven, maar een minder harde en meer gepaste manier van gezinsdiscipline en communicatie leren ontwikkelen.

Vaders en betrokkenheid

Bij de kwestie van hoeveel of hoe weinig tijd de moderne man aan zijn huiselijke rol en verantwoordelijkheid besteedt, kunnen twee perspectieven onderscheiden worden.[59] Voor het eerste, waarin het principe van de *redelijkheid* gezien wordt als van primair belang, is het standpunt dat mannen niet genoeg betrokken zijn bij hun gezin en het overgrote deel overlaten aan hun vrouw, een axioma. Een dergelijk perspectief benadrukt de noodzaak om mannen over te halen meer verantwoordelijkheden op zich te nemen in het huishouden en op redelijk eerlijke basis de taken te verdelen. Het *ontwikkelings*perspectief benadrukt de kwaliteiten en ervaring die mannen nodig hebben om een succesvolle overgang te maken naar het ouderschap. Men vindt dat vrouwen bij deze overgang een zeker 'biologisch voordeel' hebben ten opzichte van mannen, vanwege het feit dat zwangerschap en bevalling hun een unieke gelegenheid bieden om een emotionele band met hun kroost te vormen (zich 'te hechten'). Vrouwen zijn wellicht ook beter voorbereid omdat ze door hun eigen persoonlijke ontwikkeling op een verzorgende, opvoedende rol getraind zijn door de verwachtingen en bevestigingen van de maatschappij.

Mannen daarentegen hebben het er veel moeilijker mee de overgang naar het ouderschap te maken, niet zozeer omdat zij uitbuitend en onvolwassen zijn (hoewel sommigen dat zeker zijn), maar omdat ze hun energie en vermogen tot verzorgen uit hun intiemste relatie verplaatsen naar hun werk en de maatschappij. Mannen verzorgen en koesteren de volgende generatie uiteindelijk door middel van werk en onbaatzuchtige inspanningen – wat de maatschappij van hen verwacht en waar ze hen dienovereenkomstig voor beloont. Het vermogen van mannen om hun kinderen te verzorgen en hun motivatie om bij hun opvoeding betrokken te raken, zou heel goed kunnen toenemen rond de geboorte van hun kinderen.[60] Kevin McKeown en zijn collega's stellen dat 'hoe sterker die veilige band en hechting tussen vader en kind is die tijdens deze vormende tijd tot stand komt, des te groter de kans dat de man zijn vermogen om te verzorgen zal richten op zijn gezin door middel van actieve betrokkenheid op zijn kinderen gedurende de hele levenscyclus'.[61]

Er is wel gesteld dat, ofschoon zowel vrouwen als mannen meer participeren in wat van oudsher beschouwd werd als de rol van de andere sekse, geen van beiden hun traditionele rol binnen het gezin hebben opgegeven.[62] Vanaf het moment dat een vader vader wordt is deze verdeling duidelijk. Tot aan de jaren '60 werden vaders bijna nooit toegelaten bij de bevalling van hun vrouw, zoals ik uit eigen ervaring weet. Toen de weeën begonnen bij de geboorte van ons eerste kind bleef ik tot laat in de avond bij mijn vrouw. Vervolgens werd mij streng de deur gewezen van de kliniek in Dublin en gezegd dat ik naar huis moest gaan. Ik dwong de verpleegster mij te beloven dat ze mij zou bellen wanneer de geboorte op het punt stond plaats te vinden – maar niemand belde. Toen ik de volgende ochtend gebeld werd en te horen kreeg dat ik vader was geworden, vroeg ik waarom ze me niet hadden gebeld. 'We vonden dat u uw nachtrust nodig had,' antwoordde de verpleegster.

Pas in de jaren '70 kwam er aan weerszijden van de Atlantische Oceaan verandering in deze situatie. In 1972 was ongeveer 1 op de 4 vaders in de vs aanwezig bij de geboorte van zijn kind.[63] In Engeland kwam het wat trager op gang en boden de kraamklinieken volgens Brockington weerstand.[64] Professor Norman Morris was een van de eerste oudere verloskundigen die de praktijk toejuichten; hij verklaarde in 1960: 'Als een echtgenoot tijdens de bevalling bij zijn vrouw wil zijn, dan heb ik geen enkel recht om hem die ervaring te ontnemen. Ik moedig tegenwoordig echtgenoten sterk aan om erbij te zijn, op voorwaarde dat zij weten wat ze kunnen verwachten.'[65] Die laatste toevoeging weerspiegelt de bezorgdheid van een mannelijke verloskundige dat de vader het niet aan kan wanneer hij geconfronteerd wordt met de pijn, het bloed en de enorme lichamelijke inspanning die bij een bevalling horen.

Ondanks de mannelijke teergevoeligheid woonde aan het eind van de jaren '80 bijna tweederde van de Britse mannen alle stadia van de geboorte van hun kinderen bij, volgens Charlie Lewis, die een interviewstudie uitvoerde onder 100 vaders van één jaar oude kinderen in Nottingham.[66] Veel vaders gaven toe dat zij het eng hadden gevonden. De meesten waren door hun vrouw aangemoedigd om erbij te zijn. De meerderheid vond het een positieve ervaring. Een van de vaders gaf toe dat het zware werk en letsel hem hadden verrast, maar hij voegde er, zoals Lewis aanhaalde, aan toe: 'Aan het eind van de ervaring had ik het gevoel dat ik een hele dag had gewerkt en was ik volledig uitgeput, maar ik zou het een tweede keer niet willen missen.'[67]

Is er bewijs voor dat het ook maar een greintje uitmaakt of de vader aanwezig is of niet? De meeste vaders die erbij waren beschrijven gevoelens van verrukking en trots, en huilen van geluk. Studies van vaders na een bevalling melden vaderlijke absorptie van, fascinatie voor en preoccupatie met de pasgeborene. In één studie werd de term 'in beslag genomen' gebezigd om het proces te beschrijven waarbij vaders zich steeds weer gedwongen voelden om naar hun baby te kijken en er een groot plezier aan beleefden hem of haar aan te raken, op te tillen en vast te houden, en voortdurend opmerkingen maakten over zijn of haar unieke trekken en gelijkenis met hemzelf.[68] In een andere studie werden vijftien vaders gefilmd direct nadat ze hun kind na de geboorte door middel van een keizersnede kregen aangereikt.[69] Zij gedroegen zich 'net als moeders in dezelfde situatie', raakten de baby aan, zochten oogcontact en maakten geluidjes.[70] Zulk vroeg postpartumcontact zou wel eens belangrijk kunnen zijn voor een langdurige vader-kind- en zelfs vader-moederverhouding. We weten het gewoon niet. Het bewijs dat er ligt is mager maar veelzeggend. In een studie van 45 baby's die ter wereld kwamen via de keizersnede, werd de helft van hen aan de vader gegeven die het kind tien minuten vasthield, terwijl de andere helft in de couveuse werd gelegd, zodat de vaders alleen konden toekijken, maar het niet konden aanraken. Drie maanden later waren de vaders die hun baby hadden vastgehouden veel meer betrokken bij de zorg dan degenen die dat niet hadden gedaan.[71]

In de Nottingham-studie van Lewis was er weinig correlatie tussen de aanwezigheid van de vader bij de geboorte en een grotere betrokkenheid bij de verzorging nadat de baby thuiskwam. Het was de moeder die zorgde voor de voeding, het luiers verwisselen en het schoonmaken, en die 's nachts uit bed kwam. Alleen wanneer de moeder ook een baan buitenshuis had, deed de vader meer. Maar Lewis merkte ook op dat de moeders (en de vaders) de taken van de verzorging en verschoning van de baby beschouwden als taken die moederlijke deskundigheid vereisten. En als moeders borstvoeding gaven was dat natuurlijk een redelijk standpunt.

Lewis vergeleek zijn data, verkregen in 1980, met vergelijkbare data die verkregen waren tijdens een vroegere studie, zo'n twintig jaar daarvoor. De grootste veranderingen zijn te zien in tabel 2 (blz. 210). De duidelijkst zichtbare hebben betrekking op de hulp van de man in de periode na de geboorte en zijn bereidheid om 's nachts uit bed te komen. Er vonden in twintig jaar weinig veranderingen plaats in de betrokkenheid van mannen bij het verschonen van luiers en het baden.

De opmerkelijk pessimistische waarnemingen van de mate waarin mannen thuis beschikbaar zijn, blijven aanhouden. Het is zeker waar dat tegen het midden van de twintigste eeuw het overgrote deel van de vaders gewoontegetrouw afwezig was tijdens de activiteiten van het gezin overdag. Scott Coltrane, een onderzoeker die geïnteresseerd is in het werk van mannen in het huishouden, stelt dat, aangezien mannen niet geacht werden verantwoordelijk te zijn voor de dagelijkse verzorging van kinderen, verslagen van wat mannen bijdroegen aan het huishouden in de jaren '50 en '60 zeer zeldzaam waren.[72] Er bestaan weinig studies over de vader-kindinteractie uit die periode en er is geen betrouwbare informatie over de mate van vaderlijke deelname aan de verschillende aspecten van de kinderverzorging. Uit een veel geciteerde studie bleek dat vaders gemiddeld één uur of minder per week doorbrachten in totale verantwoordelijkheid voor hun kin-

Tabel 2

Veranderingen in vaderlijke betrokkenheid bij de kinderverzorging
1960-1980

	1960 T=100	1980 T=100
Man helpt in periode na geboorte	30	77*
Man staat 's nachts op voor baby	49	87*
Man stopt zelden/nooit baby in bed	29	26
Man vaak betrokken bij baden baby	20	29
Man vaak betrokken bij verschonen	20	28
* zeer significante verandering T=totaal aantal respondenten		

Bron: C. Lewis, *Becoming a Father*, Open University Press, Milton Keynes 1986.

deren, in vergelijking met moeders, die een gemiddelde meldden van 40 uur per week.[73] Er verschenen andere studies waarin werd aangetoond dat, hoewel vaders vaak insprongen, ze steeds minder de volle en regelmatige verantwoordelijkheid op zich namen voor een of meerdere specifieke taken met betrekking tot de verzorging van hun kinderen.[74] De schatting van John Robinson van de betrokkenheid van Amerikaanse mannen bij huishoudelijke bezigheden in 1965, duidt erop dat echtgenoten gemiddeld iets meer dan een uur per week besteedden aan maaltijdbereiding (in vergelijking met de acht uur per week van hun vrouw), dat ze in een doorsneeweek minder dan 10 procent bijdroegen aan de tijd die hun vrouw besteedde aan het afruimen en afwassen na de maaltijd en maar 5 procent van de tijd aan schoonmaken. Zelden deden zij iets aan wassen of strijken, met een gemiddelde van ongeveer 5 uur per jaar, in vergelijking met meer dan 5 uur per week van hun vrouw. Waar het op neerkwam was dat vrouwen ruim 90 procent van het huishoudelijk werk en de kinderverzorging verrichtten.[75]

Maar deze studies zijn misschien alweer gedateerd. Een onderzoek van het Census Bureau in de vs wijst erop dat vaders daar nu de primaire kinderverzorging op zich nemen voor 25 procent van de nietschoolgaande kinderen en 11 procent van de schoolgaande kinderen wier moeder parttime werkt, en 5 procent van de schoolgaande kinderen wier moeder fulltime werkt.[76] Het is nog steeds waar dat Amerikaanse vrouwen minder geneigd zijn om buitenshuis te werken dan mannen en dat de mannen geneigd zijn minder uren te besteden aan huishoudelijk werk dan vrouwen, maar de totale aantallen uren beginnen samen te komen.[77] Snarey wijst er in zijn commentaar op deze cijfers op dat vaders meer tijd besteden aan kinderverzorging als hun vrouw parttime werkt dan als ze fulltime werkt, omdat echtparen onderling beter gebruik kunnen maken van een roterend werkschema wanneer de moeders parttime werken, en ze een meer gestructureerd systeem van opvang moeten realiseren (crèches, oppas enzovoort) als beide ouders fulltime werken.[78] Niet alleen meldt meer dan 12 procent van de mannen dat ze 'alle of de meeste' verantwoordelijkheid op zich nemen voor de verzorging van de kinderen als die ziek en thuis van school zijn, en 28 procent van de mannen meldt dat ze 'alle of de meeste' verantwoordelijkheid nemen voor de opvoeding van hun kinderen, maar de schattingen die door vrouwen worden gegeven komen daarmee overeen.[79]

De toename van gezinnen met tweeverdieners is bijna zeker de motor achter deze toename in tijd die door vaders wordt besteed aan kinderverzorging; de hoeveelheid tijd waarin de vader als enige de verantwoordelijkheid heeft voor de zorg van de kinderen, is bijna het dubbele in een gezin met tweeverdieners, in vergelijking met een gezin waarvan maar één ouder werkt.[80] Er is eveneens bewijs dat de tijd die vaders besteden aan specifieke verzorgingstaken, toeneemt. Eén studie, hoewel die betrekking had op wat minder traditionele gezinnen,[81] meldde dat de deelname van vaders aan zorgtaken als helpen bij het baden, voorlezen en met hun kinderen op stap gaan, gemiddeld 2,25 uur per dag was, in plaats van het vergelijkbare weekcijfer in een andere studie.[82]

In Ierland keek men in een studie, uitgevoerd door de Family Studies Unit van het University College Dublin, naar de verslagen van moeders over wat vaders in het huishouden doen.[83] Bijna 70 procent van de 513 in de stad wonende moeders zei dat hun partner evenveel participeerde in huishoudelijke taken als zij, de moeders, graag wilden. Toen deze antwoorden echter nader werden onderzocht werd het duidelijk dat, hoewel de vaders klusjes in huis deden, ze weinig verantwoordelijkheid op zich namen voor taken als ontbijt klaarmaken, afwassen, boodschappen doen of strijken.

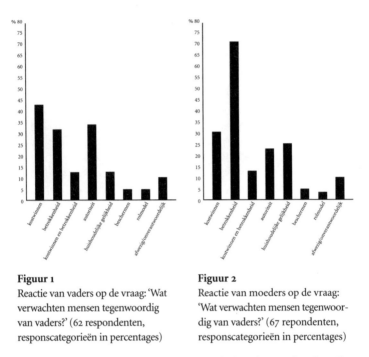

Figuur 1
Reactie van vaders op de vraag: 'Wat verwachten mensen tegenwoordig van vaders?' (62 respondenten, responscategorieën in percentages)

Figuur 2
Reactie van moeders op de vraag: 'Wat verwachten mensen tegenwoordig van vaders?' (67 repondenten, responscategorieën in percentages)

Bron: J. Warin, Y. Solomon, C. Lewis en W. Langford, *Fathers, Work and Family Life*, Family Policy Studies Centre/Joseph Rowntree Foundation, Londen 1999

'Wat verwachten mensen tegenwoordig van vaders?' vroegen onderzoekers van het Family Policy Studies Centre aan gezinsleden in het Engelse Rochdale.[84] De meeste vaders definieerden hun rol als die van kostwinner. De meeste moeders daarentegen wilden dat vaders meer betrokken waren (zie figuur 1 en 2). Die studie heeft echter, samen met nog een aantal andere, aangetoond dat 'betrokkenheid' niet alleen betekent dat mannen dingen doen met kinderen en een relatie met hen ontwikkelden, maar ook 'er zijn' of 'beschikbaar zijn'. Als er een vader in de buurt is, is het gezin compleet, maar de vader moet er ook zijn om deel te nemen aan interacties, regels en in noodgevallen. Er bestaat aanzienlijke verwarring over het gewoon beschikbaar zijn, praktische betrokkenheid en psychologische verbintenis. Een heleboel hedendaagse vaders realiseren zich dat er van ze verwacht wordt dat ze tijd met hun kinderen doorbrengen, maar sommigen hebben geen idee hoe zij die tijd moeten invullen, terwijl anderen dit soort betrokkenheid identificeren met een 'vrouwelijk' model van het vader-zijn.

Het onderzoek in Rochdale toonde aan in welke mate lange werkuren relaties kunnen verslechteren – het is moeilijk om een verhouding te hebben met iemand die er niet is – maar dat een paar van de negatieve effecten op de kwaliteit van het gezinsleven in veel gevallen overwonnen kunnen worden, als men zich er maar voor inzet. Sommige ondervraagden in Rochdale weten de relatieve afwezigheid van vaders aan factoren als de persoonlijkheid van de man, de relatie tussen vader en moeder en de aarzeling van de kant van sommige moeders om de vader erbij te betrekken. Sommigen trokken het idee dat werkpatronen de rol van de vader in het moderne gezin hinderden, in twijfel, en waren er zeker van dat het mogelijk is om sekseverschillen bij wie wat wel of niet doet, op te heffen.

Maar bestaat er werkelijk bewijs voor dat er een verandering is opgetreden in het gedrag van mannen wat betreft de zorg voor hun kinderen? Die is er inderdaad. Er zijn studies die aantonen dat het aantal uren dat een vader in zijn gezin stopt, in de jaren tussen 1924 en 1977 en tussen midden jaren '60 en de vroege jaren '80 in de Verenigde Staten gestegen is.[85] Een meer recente vergelijking bekrachtigt die toename in vaderlijke verantwoordelijkheid vanaf eind jaren '70.[86] Maar dat betekent nog niet dat kinderen in totaal evenveel of meer aandacht van hun ouders krijgen. De grotere betrokkenheid van vaders kan een trend weerspiegelen in de dalende betrokkenheid van moeders vanwege werkdruk. Er heerst nu zelfs bezorgdheid dat, net nu meer mannen overtuigd zijn van de voordelen voor henzelf, hun partner en hun kinderen van een grotere betrokkenheid bij de zorg en opvoeding van de kinderen, het spookbeeld van seksueel misbruik mannen angstig heeft gemaakt om al te dicht bij hun kinderen te komen, met name bij hun dochters, en terughoudend in de uiting van genegenheid. Het is nog steeds niet duidelijk of de toenemende bezorgdheid in de afgelopen jaren over lichamelijk en seksueel misbruik door mannen van baby's en kinderen een effect heeft gehad op de veranderende betrokkenheid van vaders bij de rechtstreekse verzorging van hun kinderen.

De vader als beschermheer

De vreselijke epidemie van seksueel misbruik van kinderen, waarbij naar schatting 95 procent van de aanranders van meisjes en 80 procent van de aanranders van jongens van het mannelijk geslacht is, heeft voor een algemene sfeer gezorgd waarin zelfs fluisteren over de beschermende rol van de man in het gezin honende spot kan uitlokken.[87] Het kan zijn dat mannen bescherming nog steeds beschouwen als een van de hoofdtaken van het vaderschap, maar zo denken velen in de kinder- en gezinsverzorgende sector er niet over. Adrienne Burgess, auteur van *Fatherhood Reclaimed*, vertelt het verhaal van een groep professionele sociaal werkers die een poster te zien kregen van een vader die een baby tegen zijn borst houdt. De poster was ontworpen om jonge mannen ervan te weerhouden te vroeg vader te worden, maar het reclamebureau dat er verantwoordelijk voor was, kreeg het gevoel dat er iets mis mee was. De mensen uit het vak moesten zeggen wat ze dachten wat dat was. Hun eerste reactie was de vraag: 'Waar is de andere hand van die man?' De voorstelling van een jonge man die een baby vasthoudt riep onmiddellijk het beeld van misbruik op. Het antwoord waarnaar men op zoek was, was dat de zwart-wit poster de aantrekkelijkheid van het vaderschap overdreef en dat het doel van de campagne daardoor juist gemist werd.[88]

De versterking van de angst voor mannelijke mishandeling valt samen met de groeiende wens in de hedendaagse maatschappij om de mannelijke opvatting – in het bijzonder de opvatting van jonge mannen – dat kinderverzorging een vrouwelijke activiteit is, te overwinnen. Foto's in de media van jonge mannen met ontblote borst die hun baby in hun sterke, gespierde armen houden, kloppen met de stijgende behoefte van sommige vaders om de indruk te wekken dat zij een goede vader zijn en in het openbaar tijd met hun kinderen doorbrengen.[89]

In een ander voorbeeld dat Burgess geeft, werd een groep medewerkers van Australische gezinsverzorgende diensten gevraagd hoeveel procent van de vaders hun eigen kinderen misbruikten. Het antwoord was een verbazingwekkende 25 procent! Het feitelijke cijfer ligt rond de 2 procent. Deze discrepantie is zorgwekkend, want het kan bijdragen aan een negatieve stereotypering van alle vaders als daadwerkelijke of potentiële aanranders, maar is begrijpelijk in het licht van de opmerkelijke stijging in de bekendgemaakte cijfers over kindermishandeling. Volgens onderzoeksgegevens uit de vs is tussen 1980 en 1986 de lichamelijke kindermishandeling gestegen met 58 procent en het seksuele misbruik met 300 procent.[90] Een nationaal onderzoek in Ierland onthulde dat wel 6 procent van de bevolking beweerde als kind seksueel misbruikt te zijn geweest.[91] In 35 procent van de gevallen was de vader aangewezen als dader, in 3 procent de moeder. De rest bestond uit andere familieleden en personen buiten de directe familiekring. Deze studie maakte zoals veel andere geen onderscheid tussen biologische en niet-biologische vaders. Hoewel het helaas waar is dat er biologische vaders zijn die hun kinderen misbruiken, wordt wel gesteld dat het risico voor kinderen groter is niet wanneer er een biologische vader in het gezin aanwezig is, maar juist als hij afwezig is.[92] Het is de afwezigheid van getrouwde vaders en de toenemende aanwezigheid van stiefvaders, samenwonende partners, ongetrouwde vaders, vriendjes en andere tijdelijke relaties die volgens dit argument het risico voor kinderen vergroten.[93] Onderzoek bij een willekeurige groep van bijna 1.000 vrouwen die in San Francisco wonen, bracht aan het licht dat het niet alleen vaker voorkwam dat stiefvaders seksueel misbruik maakten van kinderen dan biologische vaders, maar ook dat de aard van het misbruik door stiefvaders veel ernstiger was.[94] Een vroege studie in het Verenigd Koninkrijk verschafte slechts gedeeltelijke onderbouwing van dat argument. Michael Gordon van de Universiteit van Connecticut en Susan J. Creighton van de National Society for the Prevention of Cruelty to Children bestudeerden alle 198 gevallen van vader-dochtermisbruik die in de archieven van de NSPCC over kindermishandeling tussen 1983 en 1985 waren vastgelegd.[95] Inderdaad bleken nietbiologische vaders naar verhouding veel vaker voor te komen als misbruikers, maar in deze studie behoorden zij niet in onevenredige mate tot degenen die zich schuldig maakten aan de ernstigste vormen van kindermishandeling.

Seksueel misbruik van kinderen neemt in belangrijke mate toe wanneer biologische vaders zich uit het gezin terugtrekken. Een van de meest consistente bevindingen, niet alleen in het geval van seksueel misbruik van kinderen maar ook van de vaker voorkomende problemen van kinderverwaarlozing en lichamelijk en emotioneel misbruik van kinderen, is het uiteenvallen van het gezin. In 1981 kwam 43 procent van de als mishandeld geregistreerde kinderen in de VS uit een gezinssituatie met een alleenstaande moeder, tegenover slechts 18 procent van de kinderen van de totale bevolking.[96] Kinderen in eenoudergezinnen worden misschien minder in de gaten gehouden en het toezicht dat zij wel krijgen is wellicht van slechte kwaliteit. In de meeste eenoudergezinnen zijn de vaders er niet om bescherming te bieden, en bescherming van dochters tegen de seksuele avances van andere mannen is uiteindelijk door de eeuwen heen een erkende rol van vaders geweest. Alleenstaande moeders zijn vaak afhankelijk van het personeel van de kinderopvang, die geen biologische verwantschap hebben met het kind. Een studie van seksuele kindermishandeling in Iowa toonde aan dat mannelijke babysitters vijf maal zo vaak schuldig waren aan misbruik als vrouwelijke, zelfs al namen zij maar een heel klein deel van de kinderopvang voor hun rekening.[97]

Een belangrijk probleem bij het inschatten van de kwestie van seksueel misbruik van kinderen is dat het onderzoek dat ernaar verricht wordt onmiddellijk geëxploiteerd wordt door geëngageerde en ideologische actiegroepen. De misdaad van seksueel misbruik van kinderen wordt door de extremere groepen beschreven als de onvermijdelijke consequentie van de aanwezigheid van vaders in huis. Een dergelijke opvatting impliceert het geloof dat de seksuele aanranding van kinderen, speciaal van dochters, een 'versterking is van patriarchale gezinsnormen, maar geen afwijking daarvan'.[98] Louter de aanwezigheid van een vader wordt beschouwd als oorzaak van de ramp. Daartegenover staan de leden van de beweging voor de rechten van vaders, die lijken te willen zeggen dat een mishandelende vader altijd nog beter is dan helemaal geen vader. Er zijn studies die beide kanten ondersteunen – veel mannen gebruiken de kwestie van het voogdijschap om hun ex-vrouw te blijven lastigvallen en intimideren; maar sommige mannen die hun partner mishandelen kunnen tegelijkertijd een goede vader zijn voor hun kinderen. De kwestie is bijzonder ingewikkeld en Kathleen Sternberg heeft ongetwijfeld gelijk wanneer zij stelt dat het voor kinderen gunstiger zou zijn als de pleitbezorgers van bepaalde stellingnames 'zorgvuldiger waren in het presenteren van onderzoeksuitkomsten en ontvankelijker voor de complexiteit van geweld en het effect ervan op gezinsrelaties'.[99]

Maar wat wel gezegd kan worden is dat, hoewel een aantal van de meest schrikbarende gevallen van seksueel misbruik begaan zijn door biologische vaders, de overgrote meerderheid van vaders hun kinderen níet misbruikt, en dat er sterke bewijzen zijn die erop wijzen dat de aanwezigheid van een biologische vader in huis het risico van dergelijk misbruik eerder verkleint dan vergroot.

De vader als kostwinner

Zoals we hebben gezien omschrijven de meeste vaders het vaderschap in termen van de kost verdienen voor hun gezin. Het is een van de manieren waarop zij hun werk rechtvaardigen. Moeders zijn veel eerder geneigd de sociale kant te noemen als reden om buitenshuis te gaan werken: eruit zijn, plezier en kameraadschap op het werk, een gevoel van onafhankelijkheid en iets bereiken. Voor veel mannen, inclusief degenen die ziek, gehandicapt, werkloos zijn en weinig verdienen, tast het onvermogen om in het onderhoud van hun gezin te voorzien hun zelfvertrouwen ernstig aan. Maar, zoals we in hoofdstuk 4 hebben gezien, als het aankomt op het in beslag nemen van de beschikbare banen, zijn vrouwen in opmars. Volgens Suzanne Franks creëert de moderne kapitalistische economie steeds meer banen waarvoor vrouwen eerder in aanmerking komen. Zoals ze het puntig stelt: 'Het stereotiepe beeld van een moderne werkomgeving toont rijen vrouwen met een koptelefoon op, die informatie geven of diensten verlenen op een klantenservice, in plaats van mannen in een overall die staal smelten of in de kolenmijnen werken.'[100]

Ze citeert economen die voorspellen dat mannen uiteindelijk gedwongen zullen worden om lagere lonen en minder arbeidsvoorwaarden te accepteren en dat het 'bezwaarloon', de hoogte van het arbeidsloon waaronder zij niet bereid zijn te werken, zal dalen. Het begrip 'vrouwenwerk', dat snel aan het vervagen is, zal helemaal verdwijnen. Geen wonder dat veel jonge mannen bezorgd zijn over het ouderschap doordat ze het gevoel hebben dat ze er niet zeker van kunnen zijn dat ze een vaste baan krijgen om de cruciale kant van het vaderschap, namelijk de rol van kostwinner, te kunnen vervullen. De toestand is hopeloos voor mannen met een beperkte opleiding of vakkennis. Het zal er ook niet gemakkelijker op worden. En als mannen zoveel van hun identiteit blijven investeren in hun werk (zie hoofdstuk 4), dan wordt het toekomstbeeld voor steeds meer van hen steeds grimmiger.

De problemen die mannen met werk hebben worden meestal omschreven in termen van de verkrijgbaarheid van banen, van loon en arbeidsvoorwaarden, van stress en van de behoefte aan professionele vaardigheden, ervaring en opleiding. In het zogenoemde Voices-initiatief van de Britse regering – een van de breedst opgezette informatieonderzoeken onder vrouwen in het hele Verenigd Koninkrijk, daterend uit de eerste helft van 1999 – noteerden veel vrouwen de mate waarin de kost verdienen nog steeds gezien wordt als een criterium voor mannelijkheid.[101] Toegegeven, het verslag begon met een kenmerkend en begrijpelijk vrouwelijk gezichtspunt: 'Je betrokkenheid bewijzen door veel uren te werken is typisch voor een "macho"-cultuur die bijdraagt aan de druk die vrouwen voelen, vooral wanneer ze pas laat naar huis gaan. En de man wil altijd met de auto.'

Maar daarna ging het een andere richting op en werd gesuggereerd dat 'mannelijke werkgevers' ervan overtuigd zouden kunnen worden dat ze flexibele werktijden niet moesten afschrijven als iets wat alleen vrouwen willen. Ik twijfel er niet aan dat een soortgelijk Voices-onderzoek onder 30.000 mannen in plaats van vrouwen, eenzelfde soort ontevredenheid met de huidige realiteit op het gebied van het werk voor mannen zou opleveren. Het probleem is dat mannen, grotendeels verantwoordelijk voor de manier waarop het werk is gestructureerd en georganiseerd, opgezadeld zijn met een notie van mannelijkheid die doordrenkt is van de notie van zweet en inspanning en toewijding. Zelfs het nadenken over een uitgebalanceerder leven, zoals vrouwen in het onderzoek uit 1999 duidelijk deden, komt neer op vragen om een soort radicaal publiek onderzoek naar de vraag wat het betekent om een man in de eenentwintigste eeuw te zijn, wat bijna ondenkbaar is. Maar als mannen gaan onderhandelen over de overgang van patriarchaat naar seksegelijkheid, dan zullen ze de huidige wanverhouding tussen hun openbare leven en hun privéleven moeten onderwerpen aan een radicale evaluatie en aanpassing.

Ook moeten ze analyseren waar ze, als vader, hun kinderen van voorzien. De waarde van de moderne vader heeft minder te maken met het genereren van inkomen en meer met kwaliteiten als betrokkenheid, consequentheid, bewustzijn van en kundigheid bij de opvoeding.[102] *Betrokkenheid* betekent tijd – tijd doorgebracht met de kinderen, met ze spelen, ze helpen met hun huiswerk en problemen, met ze praten en bepaalde interesses met ze delen, waaronder lezen, televisie kijken en sporten. De elementen bevatten onder meer engagement, een gestructureerde vorm van activiteit waarbij vader en kind samen iets doen; toegankelijkheid, een ongestructureerde vorm die het gevoel van het kind beschrijft dat zijn of haar vader benaderbaar en bereikbaar is; en verantwoordelijkheid, een term die de meer routineuze vormen dekt: het verschaffen van zakgeld, het geruststellen in het geval van angsten en het toezien op de lichamelijke gezondheid van het kind. *Consequentheid* is belangrijk: om veilig en zelfverzekerd op te groeien moeten kinderen erop kunnen rekenen dat hun vader voorspelbaar en betrouwbaar is. Het is echter veel meer de emotionele consequentheid dan het altijd lichamelijk aanwezig zijn wanneer het nodig is, die van cruciaal belang lijkt te zijn. De uitkomst van een longitudinale studie was dat 'vaders die in de loop van de tijd een stabiele en hechte emotionele band met adolescenten onderhouden, die adolescenten ertegen beschermen dat ze zich inlaten met crimineel gedrag'.[103] *Bewustzijn* heeft betrekking op de mate waarin vaders hun kinderen beschouwen als een zelfstandig individu. Sommige kinderen hebben het gevoel dat hun vader hen nauwelijks kent. Ze vrezen dat ze alleen bestaan als representatie van iemand van wie hun vader wil dat ze dat worden, in plaats van wie ze werkelijk zijn.

Stephen kwam bij me omdat zijn moeder het gevoel had dat hij depressief was. Hij had de middelbare school goed doorlopen, maar was in zijn eerste studiejaar lusteloos, apathisch en gereserveerd geworden. Beide ouders waren ambitieus: zijn moeder had een top-baan als sociaal werkster en zijn vader was rechter. Toen ik Stephen sprak klaagde hij erover dat hij geen enkel gevoel van doelgerichtheid had; hij maakte zich zorgen dat hij leed aan chronische vermoeidheid en hij zei nadrukkelijk dat niemand behalve hij er iets aan kon doen dat hij zich zo voelde. Hij raakte in verwarring toen ik hem vroeg wat hij dacht dat zijn ouders van hem vonden. Uiteindelijk antwoordde hij dat hij betwijfelde of zij wel wisten dat hij zich zo voelde, aangezien hij het idee had dat ze nauwelijks iets van zijn leven af wisten.

Tijdens latere sessies gaf Stephen toe dat hij het gevoel had dat zijn ouders, vooral zijn vader, weinig om hem gaven, waarbij hij met het voorbeeld op de proppen kwam dat zijn vader alleen maar interesse in hem had getoond voorzover het ging over zijn cijfers en zijn studie aan de universiteit. Hij kon zich niet herinneren dat zijn vader ooit lichamelijke genegenheid had getoond, noch hem ooit had gevraagd naar zijn mening. Zijn vader gaf toe dat hij vanwege zijn werk weinig tijd voor Stephen had gehad. Hij wist weinig over Stephens interesses of hobby's of met wie hij bevriend was. Hij wees er echter op dat Stephen niets te kort was gekomen op materieel gebied, een uitstekende schoolopleiding had genoten en dat hij vond dat een vader niet beoordeeld moest worden op hoe hij zijn gevoelens jegens zijn kinderen uitte, maar op de manier waarop hij zorgdroeg voor hun lichamelijk welzijn. Stephens moeder stond aan de kant van haar man en vond dat Stephen de verantwoordelijkheid voor zichzelf op zijn ouders afschoof omdat hij zijn leven niet op orde kon krijgen.

Tijdens een aantal gezinssessies vertelden beide ouders iets over hun eigen opvoeding, die sterk neigde naar persoonlijke onafhanke-lijkheid, emotionele zelfbeheersing en terughoudendheid in het uiten van gevoelens. Stephen leek er iets aan te hebben dat hij meer te weten was gekomen over wat zijn ouders beschouwden als het meest waar-

devolle van zijn opvoeding, hoewel hij het niet met ze eens kon wor-
den over hun conclusies. Het zal nog moeten blijken, wanneer het zijn
beurt is om vader te zijn, hoe hij zal functioneren.

Zorgzaamheid behelst het vormen van intieme banden en wordt uitgedrukt in aanraken, aanmoedigen, troosten en bevestigen. Of een
vader wel of niet in staat is tot opvoeden hangt in aanzienlijke mate
af van hoe zijn eigen vader hem heeft gevormd. In de kern van deze
koesterende zorgzaamheid ligt discipline besloten. Vaders hebben nog
steeds een kernrol bij het opleggen van discipline in het gezin. Er rijzen echter problemen wanneer de discipline wordt opgelegd zonder
dat bewustzijn, consequentheid en echte genegenheid aanwezig zijn.
Sommige vaders vinden dat zij alleen een rol hebben als iemand die
discipline oplegt; in dat geval zijn de gevolgen bijna altijd catastrofaal.
Een vader is effectief wanneer hij zorg kan uitdrukken voor, vertrouwen kan hebben in en bewondering voor zijn kinderen én als hij duidelijk kan maken waar de grenzen liggen tussen aanvaardbaar en
onaanvaardbaar gedrag. Een intieme en hechte emotionele band tussen een vader en zijn kinderen maakt het mogelijk dat er discipline
wordt opgelegd zonder te vervallen tot lichamelijke bedreiging en
geweld. Omgekeerd is discipline in een gezin waarin de vader afstandelijk, niet betrokken en niet bewust is, moeilijk te handhaven en
komen vaak lichamelijke confrontaties voor.

De allesoverheersende conclusie uit onderzoek is dat vaders er wel
toe doen. Maar de redenen waarom zij ertoe doen zijn niet noodzakelijkerwijs de redenen waarom veel vaders denken dat ze ertoe doen!
De emotionele en psychologische verarming die gepaard gaat met het
verlies van een vader, zegt veel over het belang van het vaderschap. En
dat zegt dat het er ten aanzien van gezondheid, welzijn en geluk 'niet
toe doet of je vader rijk was of arm, maar of je een vader hád'.[104]

Conclusie

Er is voor mannen wel degelijk een rol als vader weggelegd. Ze kunnen zonen helpen om een betere man te leren zijn, dochters om een
beter gevoel over zichzelf te hebben. Ze kunnen hun gezin en hun
gemeenschap beschermen tegen de verwoestingen door onthechte en
slecht aangepaste soortgenoten. Ze kunnen onderhouden en beschermen en kunnen dat op een meer competente en effectieve manier dan

hun eigen vader. En ze kunnen, door het proces van het vader worden, medeleven, altruïsme, gevoeligheid en emotionele expressiviteit ontwikkelen en cultiveren. Dat moet gezegd worden en daar moet over gediscussieerd worden, want het publieke imago van de man als vader is geen gunstig imago. Een commentator in de Verenigde Staten, zelf psychiater en schrijver over gezinskwesties, beschreef het televisie-imago van de hedendaagse vader als volgt: 'Wanneer we kijken naar de papa in sitcoms en de daarbij behorende reclamespotjes, dan is hij een tamelijk belachelijke figuur. Hij is er niet helemaal bij; hij is de draad een beetje kwijt. Commentatoren op het hedendaagse vaderschap klagen dat hij met opzet belachelijk en ouderwets wordt voorgesteld. [...] Echtgenotes zijn veel praktischer en bij de tijd, kinderen bij de pinken en snugger. Zelfs al is papa een goeie vent, dan nog is papa een beetje dom.'[105]

Zo hoeft het niet te zijn. Er bestaat zoiets als een 'vader die goed genoeg is', zelfs al is het niet gemakkelijker om dat te zijn dan om een man te zijn die goed genoeg is. Een vader te zijn die goed genoeg is vereist dat hij op een redelijke basis aanwezig is, beschermend optreedt tegenover de kinderen in het aangezicht van letsel en gevaar, en ondersteunend in het aangezicht van uitdagingen en kansen. De onderstaande suggesties voor hoe iemand een vader kan zijn die goed genoeg is, zijn bedrieglijk in hun eenvoud en gezond verstand (zie tabel 3). In de kern van de relatie van een vader met zijn kinderen ligt dezelfde notie van gehechtheid besloten die Bowlby jaren terug al formuleerde met betrekking tot moeders. Psychiater Sebastian Kraemer heeft deze gehechtheid goed beschreven: 'Een stevige gehechtheid is als een onzichtbaar elastiekje dat kan rekken en krimpen naar gelang de behoefte aan bescherming. Dus als je ziek bent of pijn hebt, moe of bang bent, dan ga je naar de persoon bij wie je je veilig voelt en wanneer alles weer goed gaat, dan verwijder je je weer om de wereld om je heen te ontdekken. Dit geldt natuurlijk voor ons allemaal, maar het meest voor jonge kinderen.'[106]

Tabel 3
Hoe word je een betere vader

Een rolmodel zijn
Een vader is een rolmodel. Met zijn gedrag leert hij zijn kinderen hoe ze zich moeten gedragen als ze volwassen zijn. Als hij problemen

behandelt door erover te praten, dan zullen zijn kinderen als ze groot zijn eerder geneigd zijn dat ook te doen. Als hij zich redt door zijn humeur te verliezen, ruw te doen of gewelddadig te worden, dan lopen zijn kinderen eerder de kans dat zij hetzelfde doen wanneer ze groot zijn.

- Kinderen leren voornamelijk iets van wat hun vader doet, niet van wat hij zegt.
- Vaders die hun dochters bejegenen met liefde en respect zullen meisjes grootbrengen die, als ze zelf groot zijn, van jongens en mannen eenzelfde behandeling verwachten.
- Vaders die hun zonen leren dat een man zorgzaam en eerlijk is, een vriend is voor zijn kinderen en zijn kinderen met respect behandelt, zullen jonge mannen grootbrengen die positief tegenover vrouwen staan.

Vaders op het werk en in het gezin
Werken is vermoeiend, vol spanningen en kan zorgen met zich meebrengen. Het is echter eerlijk noch verstandig om dergelijke zorgen en spanningen, ongeacht hoe werkelijk ze zijn, over te brengen op de kinderen.

- Vaders moeten tijd reserveren om hun batterijen op te laden.
- Vaders moeten om hun eigen gezondheid denken.
- Vaders moeten hun best doen om de problemen van hun werk op hun werk te laten.

Een vader laat merken dat hij meevoelt
Door bij zijn kinderen betrokken te zijn laat een vader merken dat hij met ze meevoelt.

- Vaders doen dingen die hun kinderen willen dat hij doet.
- Vaders omhelzen hun kinderen en vertellen hun dat ze geweldig zijn.
- Vaders helpen hun kinderen met hun huiswerk.
- Vaders spelen spelletjes en doen aan sport met hun kinderen.
- Vaders gaan naar activiteiten op school, gesprekken met onderwijzers, gaan kijken als hun kinderen sporten, muziek maken, toneelspelen enzovoort.
- Vaders weten hoe de vrienden en onderwijzers van hun kinderen heten.

Vaders en partnerschappen

Een ouder zijn is een partnerschap. Kinderen kunnen niet omgaan met ouders die elkaar vernederen. Vaders moeten eraan denken altijd

- de moeder van hun kinderen te respecteren,
- te vermijden in het bijzijn van de kinderen ruzie te maken,
- iets te doen aan relatieproblemen,
- professionele hulp te zoeken als het niet goed gaat.

Vaders die tijd doorbrengen met hun kinderen

De tijd die vaders met hun kinderen doorbrengen is een goede investering in hun toekomst. Vaders kunnen hun liefde voor hun kinderen laten blijken door betrokken te raken bij hun sport en hobby's of door hun kinderen te betrekken bij hun eigen interesses. Kinderen groeien snel op en vaders raken vaak pas betrokken bij hun kinderen als het te laat is – wanneer hun kinderen geen kinderen meer zijn.

- Vaders en kinderen moeten regelmatig een maaltijd delen.
- Vaders moeten met hun kinderen praten.
- Vaders moeten naar de opvattingen van hun kinderen luisteren zonder ze te bekritiseren.
- Vaders moeten de inspanningen van hun kinderen prijzen.
- Vaders moeten hun kinderen aanmoedigen en ze helpen beslissingen te nemen.[107]

Maar zelfs al accepteren wij het belang en de waarde van de vader – en velen, dat weet ik zeker, zullen blijven twijfelen –, wat moeten we dan aan met het feit dat veel vrouwen er de voorkeur aan geven een kind te krijgen zonder verplichtingen te hebben tegenover de vader ervan, dat velen ervoor kiezen om een huwelijk te beëindigen en kiezen voor de risico's en gevaren van het alleen-leven en alleenstaand ouder te zijn in plaats van te leren omgaan met grofheid en geweld in het huwelijk, en dat velen alles op alles zetten om hun kinderen op te voeden met weinig of geen financiële, emotionele of sociale steun van de man die ze verwekt heeft? Als mannen zo toegewijd kunnen zijn aan hun gezin en als hun toewijding van zo'n vitaal belang kan zijn voor alle betrokkenen, waarom zíjn ze dan niet zo toegewijd? Waarom zijn veel mannen in plaats daarvan onverschillig en onbekwaam als het gaat om hun verantwoordelijkheden en plichten als vader? Als het huwelijk en het gezinsleven zo goed voor ze is, waarom maken zoveel mannen er dan een zootje van? Waardoor worden veel mannen zo onaantrekkelijk als levenspartner, minnaar, mentor en kameraad? Wat is er overgebleven van de fallische macht als steeds meer vrouwen de uitdaging van het leven met een man en het liefhebben van een man meer moeite dan de moeite waard vinden?

8

Mannen en de liefde

Als man houd ik van vrouwen, geniet ik van hun gezelschap, bewonder ik hun emotionele oprechtheid. Ik ben opgegroeid als enige zoon met twee zusters en hoewel ik op een jezuïtische jongensschool heb gezeten, waren de voornaamste invloeden in mijn vroegste jaren van vrouwelijke aard. Misschien voel ik me daarom wel op zoveel meer op mijn gemak in het gezelschap van vrouwen; ik moet toegeven dat het aantal vrienden dat ik heb bescheiden is. Veel mannen die ik ken hebben hetzelfde gevoel, ofschoon anderen duidelijk de voorkeur geven aan en zoeken naar mannelijke kameraadschap op hun werk en in clubs, waar ze sporten en andere dingen doen.

Maar alle mannen, inclusief ikzelf, houden niet alleen van vrouwen. We zien ze niet alleen als collega's, vriendinnen, minnaressen, als seksueel begeerlijk, lichamelijk aantrekkelijk, geestelijk stimulerend. We zijn bang voor ze, haten ze, sluiten ze buiten, denigreren ze en stoppen ze in een hokje. En we streven er voortdurend naar ze te overheersen en te domineren. De oproep aan ons als mannen aan het begin van de eenentwintigste eeuw om geweld te mijden, onze gevoelens onder ogen te zien, onze angsten te uiten en uit te komen voor onze tekortkomingen, is een gedoemde oproep als hij, wat meestal het geval is, voornamelijk door vrouwen wordt gedaan. Met uitzondering van een kleine minderheid lijken mannen bang om de veranderingen te bewerkstelligen die door de dood van het patriarchaat vereist worden. Toch gaat het om een uitdaging van die omvang. Mannen kunnen alleen zichzelf redden. Ze kunnen er niet op rekenen dat vrouwen dat doen.

De mannelijke angst voor vrouwen

De mannelijke angst voor vrouwen en vrouwelijkheid is geen modern fenomeen, geen nevenproduct van de opkomst van het feminisme en de aanslag op het patriarchaat. Ze kan herleid worden tot (voor) de tijd van de Grieken en de Griekse mythologie, waarin de lieflijkheid van de muzen gecompenseerd werd door de moorddadigheid van de sirenen, kenaus, wraakgodinnen en Gorgonen. En deze voorstellingen van vrouwelijke moorddadigheid zijn niet beperkt tot de Griekse mythologie. De godin Kali danst op de lichamen van afgemaakte mannen. Simson, die door geen enkele man klein te krijgen was, wordt door Delila van zijn krachten beroofd. Judit onthoofdt Holofernes nadat ze hem heeft verleid. De psychoanalyticus en classicus Bennett Simon voert aan dat deze en aanverwante mythen een hardnekkige kinderfantasie van de moeder belichamen – machtig, gevaarlijk en voorzien van zowel borsten als een penis – de 'fallische moeder'.[1] Door de eeuwen heen hebben mannen moeten worstelen met hun angst door hem te objectiveren en te rechtvaardigen. Vrouwen worden sinister, destructief, kwaadaardig, heksen, vampiers, hoeren, onverzadigbaar – de personificatie van het gevreesde.

Toen Freud in 1925 de bron van deze mannelijke vijandigheid ging onderzoeken, weet hij haar aan castratieangst. Helaas diende zijn analyse alleen om zowel vernederend als verachtend te zijn. Het was anatomie, besloot hij niet onredelijk, die de relatie tussen man en vrouw bepaalde. Zijn verhandeling 'Enige lichamelijke gevolgen van het anatomische onderscheid tussen de seksen' verschaft een verrassend inzicht in zijn visie op vrouwen. Freud beweert dat er, wanneer een kleine jongen voor het eerst de geslachtsdelen van een meisje ziet, weinig gebeurt. Pas later, 'wanneer een zekere bedreiging van castratie' hem in de greep heeft – een gevolg van de behoefte om zich los te maken van de moeder, bijvoorbeeld –, moet hij wel geloven in de realiteit van het gevaar. Een dergelijke castratieangst dient altijd om de relatie van de jongen met vrouwen te bepalen: 'ontzetting voor het verminkte schepsel of een triomferende minachting voor haar'.[2] In zijn verhandeling uit 1931 over de vrouwelijke seksualiteit keert hij tot het thema terug en merkt hij op dat, wat in de volwassen man is overgebleven van de angst van de kleine jongen die te maken heeft met zijn ontdekking van de vrouwelijke geslachtsdelen, neerkomt op 'een zekere mate van geringschatting in de houding [van de man] jegens de vrouw'.[3]

Een klein meisje gedraagt zich echter anders. Als zij de penis van een kleine jongen ziet, oordeelt ze en besluit ze in een ogenblik. 'Zij heeft het gezien en weet dat zij er geen heeft en wil er een hebben.' En Freud vervolgt: 'Hier vertakt zich wat wel het mannelijkheidscomplex van vrouwen is genoemd. Het kan grote problemen veroorzaken op de weg naar de ordelijke ontwikkeling van de vrouwelijkheid als zij er niet snel overheen komen. De hoop om, ondanks alles, op een dag een penis te krijgen en daardoor een man te worden, kan tot een ongelooflijk laat stadium volgehouden worden en kan een motief worden voor vreemde en onverklaarbare daden. [...] Nadat een vrouw zich bewust is geworden van de wond in haar narcisme, ontwikkelt zij, als een litteken, een gevoel van inferioriteit. Wanneer zij haar eerste poging tot verklaring van de afwezigheid van een penis bij haar als een persoonlijke straf achter zich heeft gelaten en zij zich heeft gerealiseerd dat die seksuele aard een universele is, begint ze de minachting van mannen te delen voor een geslacht dat in zo'n belangrijk opzicht minderwaardig is en wil ze, tenminste in de zin dat zij die mening is toegedaan, net als een man zijn.'[4]

Het is waar dat Freud tegen het eind van zijn verhandeling toegaf dat alle menselijke individuen 'als gevolg van hun biseksuele aard en van kruiserving' mannelijke en vrouwelijke kenmerken in zich combineerden, maar het kwaad was al geschied. Vrouwen kregen de schuld van hun eigen gevoel van inferioriteit. Het was de schuld van de vrouw, en niet te wijten aan eeuwen van mannelijke overheersing en controle. En de oorzaak van alle smarten van de vrouw? Haar besef van de 'wond in haar narcisme', van het feit dat zij niet in het bezit is van het instrument van fallische macht, de penis. Ondanks de suggestie van enkele feministen van de laatste tijd – die sympathiseren met zijn verder over het algemeen verlichte visie op vrouwen – dat hij zijn ideeën aanpaste naar gelang hij ouder werd, bleef Freuds nadruk op het belang van penisnijd bij het begrijpen van vrouwen ondubbelzinnig.

Bij het beschrijven van enkele gevolgen van deze nijd plaatste Freud zich midden tussen gelederen die allang beweerden dat de vrouwelijke inferioriteit een biologisch feit is. Hij speculeerde dat, omdat de psychologische ontwikkeling van een vrouw verschilde van die van een man, voor vrouwen 'het niveau van wat ethisch normaal is, ook verschilt van dat van een man'. En hij ging verder: 'Karaktertrekken waar critici uit elke eeuw vrouwen van hebben beticht – dat ze minder rechtvaardig zijn dan mannen, dat ze zich minder gauw overgeven aan de dringende behoeften van het leven, dat ze bij hun oordeel vaker beïnvloed worden door gevoelens van genegenheid of vijandigheid – zouden allemaal ruimschoots verklaard worden door de wijziging in de vorming van hun superego waarnaar wij hierboven verwezen. Wij moeten ons niet van dergelijke conclusies laten weerhouden door de ontkenning van feministen, die erop gebrand zijn ons te dwingen de twee seksen te beschouwen als volledig gelijk in positie en waarde.'[5]

Freud voegde er nog wel aan toe dat in alle individuen 'als gevolg van hun biseksuele aard en van kruiserving' in feite zowel mannelijke als vrouwelijke kenmerken zijn verenigd en dat pure mannelijkheid en vrouwelijkheid 'theoretische constructies blijven van onzekere inhoud', maar toen zijn verhandeling dit stadium had bereikt, was het kwaad al geschied. De verhandeling riekt grotendeels naar wat Freud elders beschrijft als projectie, dat mentale verdedigingsmechanisme waarbij impulsen of ideeën die onacceptabel zijn voor het ik, geprojecteerd worden op of gelocaliseerd in iemand anders. Wat hier geprojecteerd wordt is mannelijke angst – angst voor de feitelijke basis van de fallische superioriteit, mannelijke seksualiteit en biologische potentie. Door een knap staaltje projectie komt die terecht in *vrouwen*, en wordt hij geschetst als vrouwelijke angst voor het gebrek aan een penis! Het werkelijk verbijsterende aspect van Freuds verhandeling is het volstrekt negeren van zelfs maar de overweging dat vrouwen eeuwenlang een onderdanige sociale en persoonlijke positie hebben gehad, wat natuurlijk verklaard kan worden door te verwijzen naar het feit dat Freud impliciet aanneemt dat de inferioriteit van vrouwen onvermijdelijk is. Freuds psychologische verklaring, neergelegd in een serie verhandelingen en voordrachten in de jaren '20 en '30, complementeerde keurig de hardnekkige biologische verklaring in de geneeskunde uit die tijd (zie hoofdstuk 4).

Eén man-vrouwverhouding die door Freud ontzien werd in zijn in andere opzichten pessimistische analyse van relaties tussen de geslachten, was die tussen moeder en zoon. Hij beschreef die als 'de volmaaktste, en beslist de meest onambivalente van alle menselijke verhoudingen', een opmerking waarbij zijn biograaf Peter Gay heeft aangetekend dat hij eerder klinkt als een wens dan als een gedegen conclusie uit klinisch materiaal.[6] Moederlijke gevoelens jegens zonen worden vaak gecompliceerd door onrealistische verwachtingen, diepe teleurstellingen, hevige angsten en buitengewone emotionele eisen. In de pogingen van een jonge zoon om zijn moeder tevreden te stellen kunnen reeds veel zaden herkend worden van de moeilijkheden die jonge volwassen mannen hebben bij het omgaan met hun vrouwelijke gelijken. Freud was verbijsterend productief en inventief als het aankwam op het analyseren van de relatie van een zoon met zijn vader, een dochter met beide ouders, relaties tussen broers en zusters en de hogere eisen van de maatschappij op de psychologische ontwikkeling van het individu. Maar over de relatie van een zoon met zijn moeder, behalve zijn oedipale verlangen naar haar, is hij betrekkelijk zwijgzaam gebleven. In zijn verhandeling uit 1931 over vrouwelijke seksualiteit verwees hij naar de ambivalente gevoelens van een jongen tegenover zijn moeder, maar alleen om te argumenteren dat mannen ermee omgaan door 'al hun vijandigheid op hun vader te richten' (hetgeen natuurlijk is wat hij zelf lijkt te hebben gedaan, zie blz. 188-189).

Het was aan een van de eerste vrouwelijke psychoanalytici, Karen Horney, om Freuds mannelijk georiënteerde en fallocentrische analyse van de relatie tussen de seksen aan de kaak te stellen. Het jaar na Freuds verhandeling uit 1925 kwam Horney met haar eigen verhandeling, getiteld 'De vlucht uit de vrouwelijkheid', die diende als protest tegen wat haar biografe Susan Quinn noemt 'het vreugdeloze beeld van de vrouwelijke ervaring dat door de psychoanalyse is geschetst'.[7] Horney ging in de aanval tegen Freuds preoccupatie met penisnijd bij vrouwen door een gelijksoortige baarmoedernijd aan te voeren bij mannen: 'Als men, zoals ik heb gedaan, mannen pas begint te analyseren na een lange ervaring in het analyseren van vrouwen, dan krijgt men een zeer verrassende indruk van de intensiteit van deze afgunst op zwangerschap, bevalling en moederschap, evenals op borsten en borstvoeding.'[8]

Misschien is de geringschatting van vrouwen gewoon een geval van mannelijke zure druiven? Horney vervolgt met zout in de wond van mannelijke pretenties te strooien: 'Is de geweldige drijfkracht bij mannen achter de impuls tot creatief werk op elk gebied niet juist te wijten aan hun gevoel dat zij een betrekkelijk kleine rol spelen bij het creëren van nieuw leven, waardoor zij zich steeds weer gedwongen voelen tot overcompensatie in hun prestaties?'

Wat Horney betrof weerspiegelde de ontevredenheid van vrouwen met hun lot geen penisnijd maar de feitelijke nadelen die zij ervoeren in hun sociale leven. Vanaf de geboorte bestempeld als inferieur, heeft een vrouw geen overduidelijke middelen om haar gevoelens te sublimeren, in aanmerking genomen dat, in Horney's woorden, 'alle gewone beroepen door mannen worden beoefend'. Het beheersen en onderwerpen van vrouwen heeft voorspelbare gevolgen, niet alleen voor vrouwen in het algemeen, maar ook voor de vrouw als moeder. Van kwade en wrokkige vrouwen die jonge mannen grootbrengen kan verwacht worden dat zij hun teleurstelling over hun echtgenoot, vader en broer verschuiven naar hun zoon, of dat ze hem opvoeden als wraakinstrument tegen de mannen in hun leven. Ambitieuze, intelligente, begaafde moeders, die ontevreden zijn over de inferieure status en sociale beperkingen van de aan huis gekluisterde moeder, cultiveren hun ambitie en verlangen naar overheersing in hun zonen (en ook in hun dochters). De Griekse mythen en tragedies, waaruit Freud zijn Oedipuscomplex had opgegraven, zijn een rijke bron voor het thema van de moeder die haar zoon gebruikt om haar echtgenoot betaald te zetten. Zo kan een zoon gemakkelijk een voorwerp van verschuiving en woede worden, gericht tegen een echtgenoot en vader die de verwachtingen van een vrouw heeft teleurgesteld. Zo'n zoon wordt de grote hoop van de moeder, een surrogaatpenis die de troost en het prestige kan verschaffen die niet gerealiseerd werden in haar huwelijk. Zo'n zoon was Freud voor zijn moeder.

Toch moet elke jongen een scheiding van zijn moeder doormaken, anders loopt hij de kans 'ontmand' te worden als een moederskindje. Een zoon die na zijn kindertijd bij zijn moeder blijft, 'vastgebonden aan haar schort', castreert zichzelf. Bij het scheidingsproces van zoon en moeder worden een paar van de zaadjes geplant van de mannelijke angst voor en kwaadheid op vrouwen, een angst en woede die zich, hoe Freud daar ook de nadruk op legde, niet tegen de vader richten, maar die al of niet bewust tegen vrouwen worden gekoesterd.

Beide geslachten beginnen het leven met een intieme lichamelijke en psychologische nabijheid van de moeder. Maar de daaruit voortkomende aspecten van de geslachtelijke identiteit verschillen op een cruciale manier tussen jongens en meisjes. Een meisje vormt haar identiteit door identificatie en integratie met haar moeder. Een jongen definieert zichzelf als mannelijk wanneer hij zich afscheidt van zijn moeder. In de kern van de mannelijke geslachtelijke identiteit is, in de woorden van de feministische critica Nancy Chodorow, ingebouwd 'een vroeg, non-verbaal, onbewust en bijna somatisch gevoel van primaire eenheid met de moeder, een onderliggend gevoel van vrouwelijkheid dat voortdurend, meestal ongemerkt maar soms ook constant, het gevoel van mannelijkheid uitdaagt en ondermijnt. Zo is de kern van de geslachtelijke identiteit van een jongen en een man [...] vanwege de primaire eenheid en identificatie met zijn moeder [...] een belangrijk punt.'[9]

Vanuit een dergelijk perspectief zijn jongens en jonge mannen al of niet bewust bezig met het verwerken van een vroegere intieme identificatie met hun moeder, die hun identiteit als man bedreigt en hun gevoel van een eigen ik in gevaar brengt. Hierin, wordt wel beweerd, liggen de redenen besloten waarom mannen intimiteit vermijden en zich niet blootgeven. Omdat hij het voor elkaar heeft moeten spelen om zich terug te trekken uit het intuïtieve en intieme van de moeder-zoonverhouding, beschermt de jonge man zichzelf tegen de pijn van toekomstige scheidingen door een beschermende muur van emotionele zelfbeheersing op te trekken. Als hij geen volwassen mentor heeft, en vooral als zijn vader afwezig is of niet in staat is om een alternatieve, koesterende, steunende en betrokken rol aan te nemen, zou zo'n jongen behoorlijke problemen kunnen krijgen bij het aangaan en handhaven van een emotionele band en een bevredigende heteroseksuele relatie. Later zouden relaties het verlangen naar de moeder weer kunnen opwekken en dat zou kunnen resulteren in het zoeken naar emotionele substituten van de moederliefde zoals ik die in hoofdstuk 7 heb besproken.[10]

Maar betekent dit dat een angst voor en zelfs haat jegens vrouwen een alomtegenwoordig, diepgeworteld fenomeen van elke man tijdens zijn vroegste lichamelijke en geestelijke ontwikkeling is? Betekent dit dat mannen gedoemd zijn tot vrouwenhaat? Sommige invloedrijke hedendaagse commentatoren als Adam Jukes en Dorothy Dinnerstein zijn ervan overtuigd dat dat zo is.[11] Zij gaan nog verder en stellen dat als het mannelijke kind eenmaal ontdekt dat zijn verlangen om zijn moeder genitaal en oraal te bezitten gedoemd is, en zijn idee van haar als 'madonna' of 'prinses' verandert in dat van 'heks' of 'hoer', hij afstand doet van haar en van alles wat vrouw is, en haar devalueert. Mannelijk sadisme wordt de drijfkracht achter alle verhoudingen van mannen met vrouwen.

Helaas bevat deze sombere visie enige waarheid, maar het is maar een deel van het verhaal, zij het een onaangenaam deel. Mannen verdelen vrouwen inderdaad in goed en slecht, moeder en monster, heilige en zondares, madonna en hoer, maar de verdeling wordt nooit omgezet in het één of het ander. Wat misschien nodig is, is dat mannen hun ambivalentie onderkennen, in plaats van te vertrouwen op sentimentele en/of verbitterde opvattingen over de Moeder. Mannen zouden moeten onderzoeken wat Horney en de onderzoekers die haar hebben opgevolgd hebben beschreven, namelijk hun mogelijke afgunst op en angst voor de biologische creativiteit en identiteit van vrouwen.

Een andere bron van mannelijke angst en vijandigheid jegens vrouwen heeft te maken met het vermogen van de vrouw om de seksuele begeerte van de man aan en uit te zetten. De Franse filosoof Michel de Montaigne vroeg in de tweede helft van de zestiende eeuw aandacht voor 'de ongehoorzaamheid van het lid dat zichzelf zo ongelegen opdringt wanneer we dat niet willen en ons zo ongelegen in de steek laat wanneer wij het 't meest nodig hebben'.[12] Er is een passage in Virginia Woolfs roman *Orlando* waarin de held/in mijmert over het effect dat het aanzicht van haar prachtige blote kuit op de mannen heeft. Een matroos hoog in de mast van het schip schrok zo hevig dat hij uitgleed en zichzelf op het nippertje wist te redden. '"Als de aanblik van mijn enkels de dood betekent voor een eerlijke vent die ongetwijfeld een vrouw en kinderen heeft om te onderhouden, dan moet ik ze, in alle menselijkheid, bedekt houden," zei Orlando. En ze verviel in gepeins over de vreemde situatie waarin wij beland zijn als alle schoonheid van een vrouw bedekt moet blijven voor het geval een matroos uit een mast valt. "Laat ze maar barsten," zei ze, zich voor het eerst realiserend wat haar in andere omstandigheden zou zijn aangeleerd als kind, dat wil zeggen, de heilige verantwoordelijkheden van het vrouw-zijn.'[13]

De 'heilige verantwoordelijkheden van het vrouw-zijn', waaronder de beheersing van de anders onbeheersbare en onverbeterlijke mannelijke seksuele driften, verschaffen sommige mannen de rechtvaardiging om elke vrouw die het in haar seksuele macht heeft om hem te verheffen of te degraderen, als potentiële hoer te beschouwen. Het gewoontegetrouwe, ondoordachte gebruik van woorden als kut, poesje, spleet, trut, allemaal synoniemen voor de vrouwelijke geslachtsorganen, als scheldwoorden en vieze woorden die vrouwen omlaag halen als object van verachting en bedoeld om te denigreren en degraderen, weerspiegelt de diepgewortelde mannelijke vijandigheid jegens en angst voor de seksuele macht van de vrouw. Datgene wat begeerd wordt, wordt verafschuwd, want dat wat begeerd wordt oefent een vreselijke, zeurende, aanhoudende, onweerstaanbare verleiding uit en vormt een immense uitdaging voor het mannelijke gevoel van controle. De preoccupatie van mannen met pornografie is een voorbeeld van hoe mannen hun eigen zelfwalging tegen vrouwen kunnen richten. Dat pornografie 'onderdeel is van de geweldpleging en exploitatie van de vrouw als klasse',[14] is een vertrouwde, behoorlijk geschraagde stelling, maar de exploitatie kan op twee manieren bekeken worden, zoals een feministische critica, Deirdre English, heeft geopperd: 'Aangezien er in feite zo weinig vrouwen in voorkomen (maar honderden en duizenden afbeeldingen ervan) is het overweldigende gevoel er een van de commerciële exploitatie van de mannelijke seksuele begeerte. Kijk er maar eens naar: het is beschamend wanhopig, geplaagd, zelfvernederend, smekend om bevrediging, elk substituut voldoet en ze *betalen* er nog voor ook. Mannen die hiervoor leven zijn sukkels en hun ongemakkelijke houding is een teken dat ze het weten ook. Als je er als vrouw afstand van kunt nemen [...] dan zie je hoe vreselijk tragisch ze overkomen.'[15]

Mannen weten maar al te goed hoe tragisch zij overkomen, weten ook in welke mate zij zich de slaaf van hun libido voelen. De kranten, televisiejournaals en obscene roddelbladen vertegenwoordigen dat dagelijkse legioen mannen, groot en klein, dat hun persoonlijke relaties, publieke reputaties en unieke prestaties op het spel zet voor een seksuele ervaring die bijna onvermijdelijk van vluchtige aard blijkt te zijn. Mannen die verslaafd zijn aan seks vertonen zelfwalging en walging jegens wat gezien wordt als de oorzaak van hun vernedering: vrouwen. Mannen weten dat zij vrouwen nodig hebben, van ze afhankelijk zijn. Maar voor sommige mannen, veel mannen (alle mannen?) is de vrouwelijke vervulling van volwassen mannelijke afhankelijkheid, met zijn connotaties van een terugkeer tot de kindertijd en hulpeloosheid, beschamend. Een dergelijke walging verschilt van man tot man. Maar het is een ongemakkelijke waarheid dat mannen slechts van andere mannen verschillen in termen van de *mate* waarin zij er vijandige en wraakzuchtige opvattingen over vrouwen op na houden, en niet in termen van of ze die wel of niet hebben.

Mannen en controle

In mijn leven als man en in mijn werk als psychiater merk ik dat ik me steeds vaker niet zozeer afvraag wat vrouwen willen – de vraag die Freud voor een raadsel stelde – als wel waarom mannen zo nodig de macht in handen moeten hebben. Misschien ligt de sleutel in de aard van de mannelijke seksualiteit, de anarchistische reactie van de penis op triviale erotische stimuli, de autonome, aandringende, jeukende seksuele drift die zo'n groot deel van het leven van een jonge man domineert. Zoveel van de mannelijke seksualiteit is verbonden met een verlangen – in feite een behoefte – om macht te hebben, meester te zijn en de ander te bezitten, terwijl hij zich tegelijkertijd lijkt over te geven, te capituleren. Een van de biologische onontkoombaarheden van het man-zijn is dat hij zich gedwongen voelt om zijn mannelijkheid tegenover vrouwen te bewijzen. Een man moet iets *doen* om zichzelf te vervullen. 'Het ideaal van efficiëntie,' merkte Horney op, 'is een typisch mannelijk ideaal – gericht op het materialistische, het mechanistische, op actie.'[16] Psycholoog Liam Hudson heeft opgemerkt dat mannen bij elke gelegenheid van nature een 'werktuiglijke' manier lijken te hanteren om de wereld om hen heen aan te spreken. Zoals hij het stelt: 'Wanneer er binnen een cultuur een keuze bestaat tussen activiteiten die een kwestie zijn van onpersoonlijke manipulatie of beheersing, en een van persoonlijke relatie en verzorging, dan zijn het altijd de mannen die aangetrokken worden door de eerste keuze en vrouwen door de tweede.'[17]

Deze preoccupatie met het onder controle houden, gekoppeld aan de driften van een dringende seksualiteit, ligt ten grondslag aan de mannelijke agressie, zowel naar buiten gericht in seksuele en andere vormen van geweld, als naar binnen gericht in suïcidale vernietiging. Kijk naar de klinische ziektegeschiedenis van Sean, de jongeman die liever probeerde zich van kant te maken dan toe te geven dat hij hulp nodig had, die ik heb beschreven in hoofdstuk 4. Of kijk naar een man aan de andere kant van de levenscyclus:

Andrew was net met pensioen toen hij bij me kwam. Hij was een competent chirurg geweest die enthousiast had uitgezien naar de pensioengerechtigde leeftijd van 65. Hij had allerlei interesses en hobby's, waaronder schieten, tennis en antiek verzamelen. Kort nadat hij met pensioen ging werd hij echter impotent. Het was een enorme schok. Hij begon paniekaanvallen te krijgen, kon zich niet meer concentreren, klaagde over zijn slechte geheugen en was bang dat hij Alzheimer kreeg. Tijdens zijn eerste consultatie legde hij uit dat hij nooit eerder een probleem had gehad met het krijgen van een erectie. 'Wanneer ik wilde dat hij functioneerde, beantwoordde hij de oproep.' Hij was niet op de hoogte van het feit dat de meeste mannen van zijn leeftijd weleens een zekere mate van erectiele dysfunctie (impotentie) hebben ondervonden en dat op 70-jarige leeftijd slechts een op de drie mannen zichzelf totaal en te allen tijde potent kon noemen.[18] Na uitleg en geruststelling werd Andrew ontspannener en kwam zijn seksuele potentie weer terug. Hij bleef echter van tijd tot tijd een zekere mate van impotentie ervaren, verergerd door het feit dat hij zich ergerde omdat zijn penis, 'die mij altijd had gehoorzaamd', nu een eigenzinnig, minder voorspelbaar gedragspatroon begon te vertonen.

Voor Andrew, zoals voor zoveel mannen, is de ultieme controle seksueel. En zoals zoveel mannen verkoos ook Andrew zuiver in termen van werktuiglijke storing te praten over zijn impotentie – de mate waarin het in zijn vermogen lag om zijn partner wel of niet te bevredigen kwam niet aan de orde. Discussies over impotentie verwijzen zelden naar de gemeenschappelijkheid van de seksualiteit, naar het feit dat een seksuele daad, tenzij er sprake is van masturbatie, een intieme daad is met een andere persoon. Het is geen wonder dat een aantal felle feministische critici van mannelijke seksualiteit mannen ervan betichten dat ze onwetend of onverschillig zijn tegenover vrouwelijke seksuele impotentie, de moeite die veel vrouwen hebben om een orgasme te krijgen. 'Het is een treurig feit,' merkt Phyllis Chesler bitter op, 'dat de meeste mensen zijn verwekt terwijl maar één van beide ouders een orgasme had', en voor het overgrote deel kan het mannen niets schelen.[19] Als een man dus impotent wordt, zelfs als dat op 70-jarige leeftijd gebeurt, wordt de gehele apparatuur van de seksuele therapie, van vacüumpomp tot Viagra, aangerukt; maar als een vrouw anorgasmisch is, zelfs in de volle reproductieve jaren van haar leven, wordt haar meteen medegedeeld dat het voor veel vrouwen een biologische realiteit is waaraan niets veranderd kan worden.

Voor veel mannen is de last om een vrouw te bevredigen veel te zwaar, zodat zij hun toevlucht nemen tot prostituées. Onder de vele motieven om dat te doen is er het onloochenbare feit dat de geldelijke aard van de transactie de man bevrijdt van de noodzaak om rekening te houden met het plezier van de vrouw. Natuurlijk zijn er mannen die zoveel van vrouwen houden dat ze ze heel graag seksueel willen bevredigen, maar zelfs zij zijn er diep vanbinnen van overtuigd dat een vrouw tot het uiterste drijven het ultieme bewijs is van mannelijke seksuele macht en superioriteit. De basis van veel mannelijke seksuele fantasieën – van dominantie, SM, kastijding, verkrachting – is overheersing in dienst van fallisch narcisme. En het ideale seksuele object, de perfecte vrouw om een dergelijke fantasie waar te maken, is een fantasievrouw – die altijd beschikbaar is, altijd gesmeerd, altijd klaar, in een staat van eeuwige lust, maar na beëindiging van de daad meteen overbodig.

De kwestie van impotentie daargelaten hebben maar weinig mannen de seksualiteit volledig onder controle. Maar de ideale opvatting van wat het is om een man te zijn belichaamt een notie van dat soort controle. Wanneer wij een poging doen om antwoord te geven op de vraag waarom mannen verkrachten of zich overgeven aan het molesteren van en seksueel geweld plegen tegen vrouwen en kleine kinderen, stuiten we opnieuw op de kwestie van de mannelijke overheersing en de conflicten waarmee die is omringd.

Er worden meestal vier schuldmodellen aangehaald – de schuld van de maatschappij, de schuld van de aanvaller, de schuld van het slachtoffer en de schuld van de omstandigheden. Relevant voor onze discussie is de schuld van de maatschappij, die suggereert dat seksueel geweld het gevolg is van culturele en sociale gewoontes en waarden die seksuele overmeestering en dwang legitimeren. Zo'n opvatting suggereert dat alle mannen potentiële, zo niet feitelijke verkrachters zijn.[20] Er is verontrustend bewijs hiervoor te vinden in studies die een overlap aantonen van gedrag en houding tussen de plegers van seksuele misdrijven en andere mannen.[21] De uitkomsten van een onderzoek van de Rape Research Group aan de Universiteit van Alabama duiden op een uitgesproken overeenkomst tussen overtreders en de algemene normen van mannelijke bevolkingsgroepen bij naar schaalindeling gemeten houdingen tegenover vrouwen.[22] Sommige mannen die normaal lijken laten zich instemmend uit over verkrachting en houden er opvattingen op na waarin het gewelddadige en negatieve effect van verkrachting op vrouwen tot een minimum wordt teruggebracht.[23] Zulke mannen zijn over het algemeen niet bang om hun agressie te uiten en zijn overheersender, 'mannelijker' en 'dominanter', kenmerken die de opvatting ondersteunen dat geslachtsstereotypering in relatie staat tot opvattingen over verkrachting en tot verkrachting zelf.[24]

De uitkomsten die betrekking hebben op seksueel misbruik van kinderen door volwassen mannen lijken daar verontrustend veel op. De meest consistente bevinding van de afgelopen jaren is dat de meeste seksueel misbruikte kinderen misbruikt worden door een volwassene die zij kennen en vertrouwen. De tweede meest consistente bevinding is dat er minder reden is dan aanvankelijk werd geloofd om een kindermisbruiker te zien als iemand met een seksuele afwijking of als iemand met psychologische problemen. In plaats daarvan is het zijn niet-seksuele motivatie, zoals de wens en de behoefte om te overheersen en te domineren, die benadrukt wordt. Er komt echter vaak een seksuele component bij, in die zin dat kindermisbruikers zich meestal niet beperken tot lichamelijke ontucht met kinderen, maar ze vaak ook seksueel misbruiken en verkrachten. Daar komt bij dat veel kindermisbruikers erotisch opgewonden worden door het kind dat ze aanranden. Veel aanranders vertonen duidelijk omschreven patronen van afwijkende seksuele opwinding. Maar voordat wij mannen geruststelling gaan zoeken in het geloof dat ontuchtplegers een klasse apart zijn en categorisch afgescheiden van de rest van ons, zouden we er goed aan doen de volgende conclusie te overwegen van een van de meest eminente onderzoekers op het gebied van abnormaal seksueel gedrag: 'Betrapte en veroordeelde seksuele delinquenten zijn degenen die het meest dwangmatig, herhalend, flagrant en extreem zijn in hun overtredingen en dus ook degenen wier gedrag voortkomt uit de meest afwijkende ontwikkelingservaringen. We weten nu veel beter dan vroeger hoe wijdverbreid seksueel misbruik voorkomt en hoe klein het aantal overtreders is dat opgepakt, laat staan veroordeeld wordt.

Hoewel onopgemerkte overtreders nog niet bestudeerd zijn, lijkt het waarschijnlijk dat het mensen zijn met een veel minder opvallende psychologische afwijking. Wegens het wijdverbreid voorkomen van seksmisdrijven wordt men weggedreven van uitsluitend op psychopathologie gebaseerde theorieën en in de richting geduwd van de mogelijkheid dat normatieve factoren een rol spelen. Wijdverbreide en conventionele patronen van socialisatie en culturele overdracht spelen eveneens een belangrijke rol bij het creëren van seksmisdadigers.'[25]

Achter zulke neutrale termen als 'conventionele patronen van socialisatie' en 'culturele overdracht' liggen macht en controle op de loer – een tweelingthema dat door de analyse van mannelijke seksuele agressie, mannencultuur, mannelijke preoccupaties, eigenlijk elk aspect van het leven van een man heen klinkt. Mannen die ondergedompeld zijn in de openbare realiteit van een woekerende kapitalistische en materialistische economie, lijken gedreven te worden door een neurotische compensatie, een preoccupatie met het grootste en het beste, om een diep, zeurend gevoel van inadequaatheid op een afstand te houden. Om succesvol te zijn moet een man obsessief bouwen, vergaren, sparen, of het nou gaat om geld, prestatie, status, erkenning of macht. De gevolgen voor de moderne man zijn voorspelbaar: 'Deze man kan zijn inspanningen niet opgeven. Hij moet zichzelf altijd bewijzen, altijd iets nuttigs doen, altijd druk bezig zijn, alsof de geringste verslapping van zijn inzet een verborgen zwakheid aan het licht zou brengen. In zijn hoofd spint hij fantasieën over nieuwe prestaties, zelfs wanneer hij op het strand ligt of op de skibaan staat. Hij moet een telefoon in zijn auto, in zijn badkamer hebben. Hij legt het ene mannelijke raster over het andere en daar weer een raster bovenop, niet door vakkundig een mooie ronding te politoeren maar in eindeloze massaproductie. Hij is de zware industrie; rustieke schoonheid is onbekend terrein voor hem.'[26]

Mannen zijn dus niet alleen bang voor en kwaad op vrouwen. Ze zijn bang voor en kwaad op elkaar. Mannen verwerpen niet alleen het vrouwelijke in vrouwen, maar ook in zichzelf. Zoals de kolonist de gekoloniseerden veracht vanwege hun zwakheid, vanwege het feit dat zij zich hebben laten overmeesteren, zo beschouwen mannen de schijnbare berusting van vrouwen met verachting.

Een dergelijke visie vereist dat bij elke beweging in de richting van identificatie met de onderdrukten de gekoloniseerden onmiddellijk verstoten en uitgeroeid moeten worden. Als een man het gevoel heeft dat hij *het* niet heeft – mannelijke kracht, mannelijke moed, mannelijk prestatievermogen – dan is hij een gecastreerde man. Dan is hij een vrouw. Wanneer mannen in het gezelschap van andere mannen zijn, bespotten en kleineren zij elkaar meestal. Wedijver, het kenmerk van de meeste mannelijke relaties – in zaken, sport, het wetenschappelijk bestaan, romantiek, in sociale situaties – is de antithese van het huiselijke, het intieme, het kwetsbare. Stereotiepe mannelijke activiteiten – drinken als een man, vechten als een man, willen winnen als een man, sterven als een man – houden de bevestiging in van het ik tegenover restrictie, tegenover controle. Samenwerken, wijken, onderwerpen, huilen, dat is voor vrouwen. Veel mannen halen hun neus op voor en vernederen wat zij zien als het bekrompene in het leven dat geleefd wordt door vrouwen die kinderen krijgen en opvoeden.

Veel mannen lijken de overgang van jongen naar man te vrezen. De kenmerken van het huwelijk en gezinsleven – betrokkenheid, betrouwbaarheid, loyaliteit, zelfopoffering, verdraagzaamheid, de liefde zelf – worden beschouwd als soft, beperkt, saai, bedreigend. Veel van de naar binnen gerichte mannelijke literatuur van de late twintigste eeuw – men denke aan Richard Ford en John Updike in de vs, Nick Hornby en Tony Parsons in Engeland – is een onderzoek van de mannelijke inadequaatheid, van het falen van mannen als echtgenoot en vader, van de angst voor de restricties en ketenen van het intieme en het huiselijke, van persoonlijke betrokkenheid en van kinderen die de man meedogenloos herinneren aan het verstrijken van de tijd, aan het ouder worden en zijn sterfelijkheid – en van een overweldigende, ontluikende paniek de macht te verliezen. En er is weinig bewijs dat de houding van homoseksuele mannen tegenover vrouwen veel positiever is.

Uit een van de omvangrijkste studies naar homoseksuele mannen, uitgevoerd in opdracht van het National Institute of Mental Health in de vs, kwam te voorschijn dat homoseksuele mannen geloofden dat mannen in het algemeen een betere persoonlijkheid hadden dan vrouwen en beter gezelschap waren.[27] Hoewel zij niet openlijk vijandig stonden tegenover vrouwen, waren de meeste homoseksuele mannen betrekkelijk onverschillig.

Het zou eveneens een vergissing zijn te geloven dat de afkeer van mannen voor wat vrouwelijk is beperkt blijft tot machosporters, ambitieuze zakenmannen en streberige deskundigen. Men treft het overal aan, zelfs in het hart van de mannelijke gevoeligheid en ontvankelijkheid: de wereld van de poëzie. In 1992 nam een aantal Ierse dichters de taak op zich om een uitgebreide bloemlezing van de Ierse poëzie samen te stellen, *The Field Day Anthology*, gedeeltelijk om de tendens te corrigeren in de grotere Engelssprekende wereld waar Ierse dichters die in het Engels schrijven onvrijwillig inbegrepen worden bij de Engelse poëtische canon en traditie. Het leidde ertoe dat een van de beste dichteressen van het land, Eavan Boland, krachtig protesteerde tegen het feit dat er zo weinig dichteressen vertegenwoordigd waren. (Zij was één van de slechts drie dichteressen van de in totaal 34 dichters.) Het feit dat ze er niet in waren geslaagd de bijdrage aan de Ierse poëzie van een hele schare gerenommeerde dichteressen op waarde te schatten, ontlokte haar het commentaar: 'Geen enkel postkoloniaal project, hoe eminent ook, kan zichzelf in stand houden als het de uitsluiting voortzet die het de oorspronkelijke kolonie in de eerste plaats verwijt. Ik had het gevoel dat dit een postkoloniale bloemlezing was die niet voldoende op zijn hoede was voor die tegenstrijdigheid. Er zijn 28 onderafdelingen en niet één daarvan is samengesteld door een vrouw.'[28]

De kolonisatie waarnaar Boland verwees was de Britse kolonisatie van Ierland en die van vrouwen door mannen. Zij heeft zelf heel bewust de ruimte en realiteit van het huiselijk leven bepaald als een goed en geschikt onderwerp voor poëzie en ze heeft onder meer geschreven over het nachtelijke voeden van een baby, het verlies van een kind, het voorbijgaan van het reproductieve leven van een vrouw. Het is een dimensie van de menselijke ervaring die veel mannen door de eeuwen heen hebben verdrukt, ontkend en, wat nog wel het meest onheilspellend is, bespot. Het is eveneens een dimensie die veel mannen maar al te vlug aan de vrouw afstaan. Dit garandeert dat de publieke macht in mannelijke handen blijft, dat in een tweesferenwereld die bestaat uit het openbare en het particuliere domein, mannen het eerste domineren en zich er via die dominantie van verzekeren dat het laatste in een ondergeschikte en ondergewaardeerde positie blijft.

Het geloof in de noodzaak van een tweesferenwereld voor het functioneren van de maatschappij wordt sterk geschraagd door een aantal invloedrijke sociologen, onder wie Talcott Parsons.[29] Pas onlangs is erop gewezen dat veel van de vroege familiesociologie het feit negeerde dat de ideologie van een particuliere, door vrouwen gedomineerde sfeer 'op zijn plaats werd gehouden door het simpele feit van macht'.[30] Moderne vrouwelijke commentatoren vragen zich af waarom maatstaven van mannelijke ontevredenheid, stijgende zelfmoordcijfers bijvoorbeeld, geacht worden een groter wordende mannelijke angst te weerspiegelen voor de toenemende aanwezigheid van vrouwen in de publieke sfeer en voor de steeds krachtiger eis van vrouwen dat mannen een grotere rol gaan spelen in de particuliere sfeer. Uiteindelijk hebben mannen nog steeds het grootste deel van het stuur in handen in de maatschappij.

Maar mannen worden zo zenuwachtig van het idee dat zij de macht uit handen zouden moeten geven – welke macht dan ook – dat zelfs de vaagste hint dat dat op een dag zou kunnen gebeuren, al de heftigste reacties uitlokt. W.J. Goode herinnert ons eraan waarom mannen zich verzetten tegen de eis om macht en voorrechten op te geven: 'Jongens en volwassen mannen hebben altijd als vanzelfsprekend aangenomen dat wat zij deden belangrijker was dan wat de andere sekse deed, dat er iets te beleven viel als zij in de buurt waren, en dat hun vrouwen die afbakening accepteerden. Mannen namen het midden van het podium in beslag en de aandacht van vrouwen was op hen gericht.'[31]

Jongens en volwassen mannen hebben altijd als vanzelfsprekend aangenomen dat wat zij deden belangrijker was dan wat meisjes en vrouwen deden. Dat was met name het geval als wat jongens en mannen deden een altruïstische en levensverbeterende en intellectueel veeleisende activiteit was, zoals geneeskunde, terwijl de 'andere sekse' thuis bezig was met de opvoeding van de kinderen. Een van de meest eminente artsen uit het begin van de twintigste eeuw, sir William Osler, twijfelde niet aan de prioriteiten toen hij in 1908 Canadese studenten toesprak over hoe zij het beste konden omgaan met de tegenstrijdige eisen van het professionele en het huiselijke leven: 'En als u een vrouw en kinderen hebt? Laat ze! Hoe groot uw verantwoordelijkheden ook mogen zijn voor degenen die het meest nabij en dierbaar zijn, zij worden tenietgedaan door de verantwoordelijkheid voor uzelf, voor het vak, en voor het publiek... Uw vrouw zal haar aandeel in het offer dat u brengt, graag op zich nemen.'[32]

Wat was het toen gemakkelijk voor Osler! En wat zou Osler vinden van de hedendaagse geneeskunde, met meer dan de helft vrouwelijke studenten? Zou hij ze aansporen om hun baby's 'te laten' ten gunste van een 'grotere verantwoordelijkheid'? In 1908 was het vanzelfsprekend dat het midden van het podium door mannen in beslag werd genomen. Maar is dat werkelijk veranderd? Van de vrouwelijke arts van vandaag, zoals van elke vrouw die een bijdrage aan het openbare leven wil leveren, wordt eigenlijk nog steeds verwacht dat ze haar kinderen 'laat' – ze achterlaat bij het kindermeisje, bij de kinderoppas, op de crèche of op de kleuterschool. En dat wordt haar gevraagd omdat de waarde die toegekend wordt aan openbaar werk, welk openbaar werk dan ook, nog steeds hoger is dan die toegekend wordt aan het verzorgen van, betrokken zijn bij en toegewijd zijn aan baby's en kleine kinderen. We wachten nog steeds op een serieuze poging om de relatie tussen openbaar en particulier werk zo te regelen dat het eerste de behoeften van het laatste weerspiegelt, in plaats van te blijven volhouden dat het ene ondergeschikt is aan het andere.

Mannen nemen het midden van het podium in beslag, en vrouwen zorgen voor hen. Dit is niet de traditionele manier waarop wij ons de relatie tussen de seksen voorstelden. Wij stelden ons de vrouwen voor als degenen naar wie gekeken en voor wie gezorgd wordt, de mannen als degenen die keken en zorgden. Maar denk er eens over na. Vrouwen namen voor het grootste deel de wereld van de mode en glamour in beslag, van seksualiteit en pornografie, waarin naar ze gekeken kon worden zonder dat de mannelijke dominantie al te zeer werd bedreigd. Het was – en is nog steeds – in de machtige wereld van de politieke overheersing en het economisch overwicht dat de mannen paraderen en de show opvoeren, en de vrouwen voornamelijk toeschouwers zijn. En in die machtige wereld zijn het de mannelijke waarden en mannelijke opvattingen die de boventoon voeren.

Een van de gevolgen is de gestage waardedaling van taken en bezigheden als kinderen krijgen en opvoeden, gezinsrelaties, het gebruik van *quality time,* het cultiveren van intimiteit tussen mannen en vrouwen en tussen ouders en kinderen. Zelfs vandaag de dag is het, ook nadat vrouwen zich met een klein beetje succes hebben ingezet voor het vervagen van de grenslijn tussen de twee sferen van het routineuze gezinsleven en het vereerde werkleven, een feit dat nog steeds meer waarde wordt toegekend aan de publieke sfeer. Veel vrouwen die buitenshuis gaan werken hebben het gevoel dat ze bijdragen aan het idee dat de directiekamer en het kantoor inderdaad belangrijker zijn dan de keuken en de kinderkamer. Sommigen vinden dat niet zo erg. Maar veel anderen wel. Het is bijvoorbeeld interessant om te zien dat het Voices-initiatief van het Britse kabinet aan het licht bracht dat veel vrouwen niet alleen een werkwereld wensen die de eisen en feiten van het gezinsleven erkent, maar ook een die erkent dat 'het werk dat vrouwen verrichten als verzorgsters gelijkstaat aan welke loopbaan dan ook'.[33] Boven aan de lijst van twaalf kwesties die vrouwen zeiden belangrijk te vinden, stond 'evenwicht tussen betaald werk en het gezinsleven'.

Maar het in evenwicht brengen van betaald werk en het gezinsleven is voor iedereen een probleem geworden, niet alleen voor vrouwen. In een aantal studies waarvan het Henley Centre in Londen verslag doet, zegt meer dan de helft van de volwassenen in het Verenigd Koninkrijk dat er nooit genoeg tijd lijkt te zijn om iets gedaan te krijgen, terwijl een op de drie stelt dat de werkuren steeds maar blijven toenemen. Velen erkennen dat ze weliswaar wat geld betreft rijker zijn, maar dat ze armer worden in termen van beschikbare tijd – het zogenoemde 'ontkoppelen' van de economische groei en tevredenheid van de persoonlijke groei en tevredenheid.[34] Vooral veel vrouwen hebben het gevoel dat zij de kans om kinderen te krijgen, of zelfs om een relatie aan te gaan, hebben opgeofferd omwille van een carrière. Veel mannen missen een groot deel van hun gezinsleven vanwege de eisen van hun werk en de daaraan verbonden reizen. Het gezin wordt opgeofferd omdat het werk boven het huiselijke en persoonlijke leven wordt geplaatst. Aanzienlijke aantallen mannen en vrouwen vinden dat zij de vroege kinderjaren en ontwikkeling van hun kinderen hebben gemist en vele anderen geven de druk en eisen van hun baan de schuld van hun echtscheiding en andere relatieproblemen (zie tabel 4).

Dus, wat de meerwaarde dan ook is die aan het publieke leven wordt toegekend in tegenstelling tot het particuliere leven, de overgrote meerderheid van de mensen verlangt nog steeds een traditionele gezinsstructuur en privéleven. Toen ze gevraagd werd: 'Wat vind je de meest wenselijke manier om te leven?' was dat voor 69 procent een huwelijk met kinderen, ondanks het feit dat steeds meer mensen er niet in slagen die gewenste staat te bereiken.[35] De voorspellingen zijn in feite ontnuchterend. Steeds minder mensen zullen een gezin vormen, er zal een toename van 33 procent zijn van eenoudergezinnen en een toename van 55 procent van eenpersoons-huishoudens in 2011 (in

Tabel 4
De hoge prijs van het werk
'Wat is het grootste persoonlijke offer in je privéleven dat je tot dusverre voor je carrière hebt gebracht?' (%)

	Mannen	Vrouwen
Opgroeien van kinderen gemist	23,7	22,2
Werk voor gezin laten gaan	23,8	21,3
Verhuisd voor werkgever	10,8	4,0
Tijd voor ontspanning/hobby gemist	7,0	15,7
Korte tijd van huis weg	8,9	3,1
Echtscheiding/spanning in relatie	7,1	7,3
Lange tijd van huis weg	4,7	1,3
Tijd besteed aan cursus voor werk	2,7	2,5
Geen kinderen krijgen/uitstellen van	1,2	1,2
Geen kans om relatie te vormen	1,2	3,7

Bron: WFD/Management Today, *The Great Work/Life Debate*, 1998, uit *The Paradox of Prosperity*, The Henley Centre/Salvation Army, Londen 1999, p. 25

vergelijking met 1991) en tegen het jaar 2010 zal 22 procent van de 45-jarige vrouwen kinderloos blijven, in vergelijking met 16 procent in 1997.

Nu willen mannen, steeds meer maar veel te laat, ook dat hun werkgever de feiten en eisen van het gezinsleven erkent. Maar wensen mannen, en in het bijzonder onze (voornamelijk mannelijke) politieke leiders, gelijke erkenning voor het werk dat vrouwen verrichten als verzorgsters? De meeste praatjes die voortgekomen zijn uit het Supporting Families-initiatief van Tony Blair rieken nog naar de wens van zijn regering om steeds meer vrouwen aan te trekken voor een personeelsbestand dat een wanhopige behoefte aan ze heeft, in plaats van te erkennen dat een uitgehongerde kapitalistische banenmarkt ervan weerhouden moet worden de dynamiek uit het privéleven en gezinsleven te halen. Het is het probleem van het voeden van de arbeidsmarkt in een zich almaar uitbreidende vrije-markteconomie, in plaats van een waarachtige wens om de kwaliteit en ook de kwantiteit van het gezins- en privéleven te verbeteren, dat de motiverende kracht lijkt te zijn achter een beleid dat ogenschijnlijk gaat over het beschermen van gezinswaarden. De eis van gelijke erkenning van wat vrouwen thuis doen als verzorgsters – wat in feite neerkomt op een behoorlijke beloning daarvoor – is nooit ter sprake gekomen in het Voices-document, noch ergens anders trouwens.

Een dergelijke verwaarlozing van een zo cruciale kwestie is nauwelijks verbazingwekkend. Het is politiek en financieel dynamiet voor elke regering die erop is gericht het maximum aan arbeid te halen uit de vele honderden en duizenden vrouwen die nog steeds fulltime thuiszitten, terwijl ze te werk kunnen worden gesteld in de fabrieken en bedrijven van Groot-Brittannië NV. De regering-Blair kan praten over gezinsvriendelijke politiek en het versterken van de hoeksteen van de maatschappij, maar wat de publieke werkwereld wil horen is dat meer vrouwen in de richting van zijn onverzadigbare muil worden geduwd. Zo'n werkelijkheid is een slecht voorteken voor de mannen die graag de cultivering willen zien van een beschaafder en evenwichtiger visie op de twee sferen van het publieke en het particuliere leven.

In haar boek *The Second Shift* waarschuwt Arlie Hochschild, hoogleraar sociologie aan de Universiteit van California, voor precies deze ontwikkeling.[36] In de Verenigde Staten heeft de assertieve banencultuur, die de basis is van het kapitalisme, zich meedogenloos uitgebreid ten koste van de gezinscultuur. Recenter nog heeft Hochschild de verregaande gevolgen in de Verenigde Staten van de toename van de werktijd gedurende de laatste twintig jaar aan een onderzoek onderworpen.[37] Een van deze gevolgen is het opnieuw voorkomen van de zogenoemde sleutelkinderen. Uit een onderzoek onder bijna 5.000 kinderen en hun ouders bleek dat kinderen die meer dan elf uur per week alleen thuis waren, drie maal zo snel misbruik maakten van marihuana, alcohol of tabak dan andere kinderen. Of het kinderen betrof uit de middenklasse of uit de arbeidersklasse had geen enkele invloed op deze uitkomst.[38]

Veel ouders die een slechtbetaalde baan hebben, kunnen zich geen kinderoppas veroorloven en zelfs al konden zij dat wel, dan is die niet altijd overal te krijgen. Maar zelfs als werkende ouders anderen gebruiken om op hun kinderen te passen, moeten we dan aannemen dat de balans tussen de onverbiddelijke eisen van het werk en de subtielere eisen van het huishouden en gezinsleven daardoor met elkaar in evenwicht zijn? Hochschild beschrijft het stijgende aantal zelfhulpboeken, bedacht om ouderlijke schuldgevoelens en onzekerheid te verlichten en kleine kinderen te helpen nieuw inzicht te krijgen in en hun waardering te bevorderen voor hoe hard hun ouders proberen hun werk en hun gezinsleven in evenwicht te brengen.

In een van die boeken, getiteld *Teaching your Child to be Home Alone*, hebben twee psychotherapeuten een gedeelte geschreven dat duidelijk niet alleen bedoeld is om door de ouders, maar ook om door de kinderen gelezen te worden: 'Het einde van de werkdag kan een moeilijke tijd zijn voor volwassenen. Het is normaal dat ze soms moe en prikkelbaar zijn. [...] Begin je vast klaar te maken voordat je ouders je komen ophalen en wees erop voorbereid om afscheid te nemen van je vriendjes, zodat het ophalen voor iedereen gemakkelijker is.'[39]

De waarheid over twee werkende ouders in de wereld van de arbeid zoals die op dit moment in elkaar steekt, is dat de wereld van thuis en het gezin geschonden wordt door de tijds- en organisatiemethoden die het werk efficiënt maken. Ik zou Hochschilds verslag, al is het dan een afspiegeling van de Amerikaanse ervaring, niet kunnen verbeteren; die komt helemaal overeen met die van mij aan deze kant van de Atlantische Oceaan: 'Om efficiënt om te gaan met de tijd die ze thuis hebben, proberen veel werkende ouders hun snelheid te verhogen, al is het alleen al om meer ruimte te maken om het langzamer aan te kunnen doen. Ze doen twee of drie dingen tegelijk. [...] In hun efficiëntie trappen ze met gemak op de met emoties geladen symbolen die geassocieerd worden met speciale tijden van de dag of bepaalde dagen van de week. Ze plannen de ene activiteit dichter bij de andere en schenken geen aandacht aan de "omlijsting", die ogenblikken waarin je naar iets uitkijkt of op een ervaring terugkijkt en die de emotionele belevenis verhogen. Ze negeren de bijdrage die een meer ontspannen tempo kan leveren aan vervulling, zodat een snelle maaltijd, gevolgd door een kort bad en een kort verhaaltje bij het naar bed gaan – als het al deel uitmaakt van de *quality time* – geteld wordt als "evenveel waard" als een langzamere versie van dezelfde gebeurtenissen. Waar tijd iets geworden is waar thuis evenveel of zelfs meer dan op het werk op "bespaard" moet worden, wordt het huiselijk leven letterlijk "de tweede ploegendienst".'[40]

Er is geen behoefte aan meer inventieve en verleidelijke initiatieven die door moeten gaan voor gezinsvriendelijk beleid terwijl ze in feite ontplooid worden om steeds meer mensen steeds langer te laten werken en weg te laten blijven van hun gezin en gemeenschap. Er is behoefte aan een fundamentelere herwaardering van de manier waarop werk en huiselijk leven met elkaar overeenkomen. Een dergelijke herwaardering zou verregaande implicaties kunnen hebben voor de manier waarop mannen hun leven organiseren en doorbrengen.

Wat de kwestie van de prijs betreft, die is op haar beurt ook een kwestie van waarden. Wij beslissen, of liever gezegd mannen beslissen in grote trekken, dat het 't waard is om biljoenen te besteden aan de productie van wapens en het ontwerpen en toepassen van instrumenten die bestemd zijn voor massavernietiging. Wij besluiten biljoenen uit te geven aan een straf- en bijstandssysteem dat een *reactie* is op sociale en persoonlijke ellende, waarvan een groot deel het gevolg is van de aanhoudende devaluatie en verwaarlozing van individuele en familieprioriteiten. Het argument voor de bescherming en verbetering van het persoonlijke en het intieme loopt voortdurend het gevaar verworpen te worden vanwege de economische kosten, terwijl het onderschreven moet worden vanwege de menselijke waarde ervan.

De kern van de crisis van de mannelijkheid ligt in het probleem van het verenigen van het particuliere en het publieke, het intieme en het onpersoonlijke, het emotionele en het rationele. Peter Marris, een socioloog met een speciale belangstelling voor het spanningsveld tussen het publieke en het privéleven, stelt onomwonden: 'Het rationalisme van wetenschappelijk management ontkent de geldigheid van persoonlijke genegenheid en loyaliteit in het meeste werk dat mannen doen, terwijl de idealisering van het huiselijk leven de geldigheid ontkent van rationeel eigenbelang in het management door de vrouw van haar moederrol. Mannen willen de kans hebben om liefdevol te zijn en vrouwen om hun eigenbelang te vervullen, zodat beiden elkaar kunnen vinden in een of andere betekenisvolle structuur van relaties. Maar ieder lijkt de ander te bedreigen, want mannen vrezen dat feministen de enige relaties die niet bedorven worden door koop en verkoop de markt op willen slepen van professionele kinderverzorging, salaris voor huishoudelijk werk en afhaalmaaltijden; en vrouwen vrezen dat mannen opnieuw de seksuele gelijkheid zullen ondermijnen door hun eeuwenoude romance met de moederrol.'[41]

Uit de crisis

Een tijd geleden werd ik benaderd door de echtgenote van een bedrijfs-directeur van middelbare leeftijd. Haar man was onvoorspelbaar en prikkelbaar aan het worden, dronk veel en was een aantal keren lichamelijk gewelddadig geweest. Ik schrok genoeg van haar verhaal om haar uit te nodigen om bij me te komen (ze had steevast geweigerd om juridische stappen te ondernemen, zoals de politie inlichten of hem de toegang tot het huis laten ontzeggen, ze hield vol dat haar man ziek was en een dokter nodig had).

Ze dateerde het begin van de verandering in het gedrag van haar man ongeveer twaalf maanden eerder. Ze weet het aan spanningen die te maken hadden met een overnamebod op het bedrijf van haar man, een bod dat na veel moeilijkheden en lang uitstel geaccepteerd werd, waarna hij een rijk man was. Ze had haar man ontmoet toen ze allebei studeerden – zij talen, hij boekhouden. Hij was ambitieus, intelligent en energiek. Zodra hij zijn diploma's had, was hij een eigen bedrijf begonnen dat snel uitbreidde, tot aan de overname door een grote bank. Ze hadden vier kinderen, redelijk kort na elkaar geboren, en toen de jongste naar school ging had de vrouw haar werk in het onderwijs weer opgepakt. Ze beschreef het huwelijk als goed, maar gaf toe dat ze haar man niet echt goed kende, of liever gezegd, dat hij zijn emoties streng onder controle hield en niet aan zelfbeschouwing deed. Ze betwijfelde of hij naar mij zou gaan.

Hij reageerde echter wel op mijn uitnodiging, wellicht omdat ik het zo formuleerde dat ik zijn hulp nodig had bij het helpen van zijn vrouw. Toen hij op mijn kantoor aankwam, straalde hij de manier van doen uit van een man die haast had. Hij maakte duidelijk dat zijn tijd kostbaar was. Hij beantwoordde mijn vragen kortaf en zakelijk. Hij zag zichzelf als kostwinner en beschermer van zijn gezin en benadrukte dat hij een goede vader was en dat zijn vrouw zich nergens zorgen over hoefde te maken. Ik kwam erachter dat hij de jongste was van vijf kinderen, dat zijn vader, een boer, over de zestig was toen hij was geboren en dat hij nooit een hechte band met zijn moeder had gehad. Midden in ons gesprek gaf hij plotseling toe dat hij, toen hij opgroeide, altijd had gedacht dat er iets vreemds aan zijn familie was. Niemand praatte ooit over gevoelens en hij had zich altijd, zoals hij het uitdrukte, 'een gans onder de zwanen' gevoeld. Van alle kinderen had hij het meeste elan en doorzettingsvermogen en hij was de enige die een studie had afgemaakt. Maar hij sprak er verder niet over, zei met nadruk dat hij zich prima voelde, verzekerde mij ervan dat er geen problemen waren in zijn huwelijk, zakenleven of gezinsleven, en vertrok.

Een paar weken later belde hij mijn kantoor om een afspraak te maken. Toen hij kwam leek hij veranderd. Hij was zenuwachtig en voelde zich niet op zijn gemak. Het duurde heel lang voordat hij van wal stak en flapte er toen uit dat hij erachter was gekomen dat zijn vader zijn vader niet was en ook zijn moeder zijn moeder niet. Zijn echte moeder was zijn 'oudere zus', een vrouw die een jaar of zestien ouder was dan hij. Hij was er nog niet achter wie zijn vader was.

Na ons eerste gesprek was hij zijn geboortebewijs gaan ophalen en had hij de identiteit van zijn moeder ontdekt. Er stond geen vader vermeld op het document. Toen ik hem vroeg wat ertoe had geleid om deze gegevens op te vragen, antwoordde hij dat hij zich al enige maanden bezighield met zijn identiteit. Bij de overname van zijn bedrijf was hij geprezen door zijn werknemers en door de nieuwe directeur en collega's. Hij was weer gaan piekeren over de afkomst van zijn talenten en kreeg een vreemd gevoel als hij dacht aan wat hij noemde 'zijn genetische erfgoed': de landelijke eenvoud en alledaagse gewoonten van zijn vader en het gebrek aan inzet, initiatief en leergierigheid van zijn moeder en broers en zusters. Hij was depressief geworden, begon veel te drinken en ruzie te maken met zijn vrouw en kinderen. Aan het eind van het gesprek vertelde hij me dat hij besloten had zijn vader te gaan zoeken.

Een aantal maanden hoorde ik niets van hem. Toen belde hij op om een afspraak te maken. Bij deze gelegenheid leek hij ontspannen en op zijn gemak. Hij praatte kalm en gevoelvol. Hij had de familie van zijn vader opgespoord. Van hen had hij vernomen dat zijn vader gestorven was en ze hadden hem verteld over de tragische details van wat er was gebeurd. Zijn vader had zichzelf van kant gemaakt toen hij 23 jaar oud was nadat hij zijn moeder, indertijd een 16-jarig schoolmeisje, zwanger had gemaakt. Zijn vader was bijna afgestudeerd als arts en bracht de zomer door in zijn ouderlijk huis, waar de moeder van mijn patiënt als dienstmeisje werkte. De zwangerschap en zelfmoord hadden een groot schandaal veroorzaakt. Leden van zijn vaders familie waren zeer succesvol en politiek machtig; die van zijn moeders kant arm en ondergeschikt. Zijn grootouders van moeders kant stuurden hun zwangere dochter naar Engeland om haar kind te baren en toen ze terugkwam deden ze net of het hun kind was. Zijn hele volwassen leven was gebaseerd op een leugen.

Dat het voor mijn patiënt belangrijk was om de waarheid over zijn afkomst te weten te komen werd geïllustreerd door zijn houding en zijn gedrag. Hij zei dat hij zich voor het eerst 'authentiek' voelde. Hij geloofde dat veel van de ambitie en energie die hem ertoe had gedreven zo hard te werken in de zakenwereld, zijn oorsprong had in een fundamenteel gevoel van onzekerheid en twijfel aan zichzelf en dat *hij zich eindelijk kon ontspannen omdat hij niets meer hoefde te bewijzen. Hij wilde nog steeds graag meer te weten komen over zijn vader – gerustgesteld dat hij getalenteerd, populair en ambitieus was geweest, bezorgd dat hij misbruik van zijn moeder had gemaakt en haar misschien wel had verkracht. Er waren veel vragen die hij aan zijn moeder wilde stellen, maar omdat hij nooit erg intiem was geweest met een persoon van wie hij zijn hele leven had gedacht dat het zijn oudere zuster was, vond hij dat moeilijk.*

Sinds die keer heb ik de man niet meer gezien. Maar ik heb een brief ontvangen van zijn vrouw, waarin zij aangaf dat het veel beter met hem ging, dat hij haar niet meer had geslagen en dat hun verhouding beter was dan hij ooit was geweest.

Dit verhaal laat heel veel zien over vaders – echte, ingebeelde en dode. Voor deze man was de identiteit van zijn vader van grote betekenis; hij had hem nodig om hem te helpen zichzelf te leren kennen. Toen hij zijn vader ontdekte was hij zowel gerustgesteld als verontrust, maar ondanks het dramatische en meerduidige verhaal kon hij beter omgaan met de realiteit van een vader die misschien een vreselijke misdaad had begaan, dan met de fantasie van een betrouwbare vader die helemaal geen vader was. En toch droeg de biologische vader van deze man niets aan hem bij behalve zijn genen, terwijl de man die hij voor zijn vader had aangezien, die in feite zijn grootvader was, hem een thuis, een opvoeding en een opstapje in het leven had verschaft.

Er is ontzettend veel geschreven over het belang van de moeder, en dat is begrijpelijk. Maar onze angsten en fantasieën, verwachtingen en idealiseringen van vaders zijn ook rijk, complex en vormend. Wij kunnen even sterk gevormd worden door de vader die we nooit hebben gehad, als door de vader die altijd aanwezig is. Wij kunnen onze wrok en aspiraties op een fantasievader projecteren, terwijl we naar de werkelijke vader reiken en hem wegduwen. Deze man had twee vaders – van wie er één achter hem is blijven staan, hem heeft gekoesterd en opgevoed. Maar pas toen hij zelf zijn biologische vader had gezocht en gevonden, voelde hij zich niet meer incompleet en vervreemd.

Waarom was dit allemaal tot uitbarsting gekomen op een tijdstip dat hij zijn grootste zakelijke succes behaalde? Misschien waren de gevoelens van buitengeslotenheid en geïsoleerdheid die hij als kind had gevoeld, weer opgeweld. Hij was depressief geworden en had zijn vrouw geslagen. Hij was dichter bij een instorting gekomen dan hij ooit was geweest.

Ik ben dit boek begonnen met een bespiegeling over de bedreiging van het overleven van mannen. Ik eindig het met een bespiegeling over het overleven van mannen en vrouwen die worstelen om hun particuliere, persoonlijke, intieme, huiselijke leven te beschermen in de context van een steeds vraatzuchtiger economisch systeem. Het is een worsteling tussen de wereld van persoonlijke liefde, intimiteit, medeleven, edelmoedigheid en zelfopoffering, en de vreselijke druk van duurdoenerij, presteren, bezitten en intimideren. Thomas Lynch, een Iers-Amerikaanse dichter die ook doodgraver is – 'de laatste die je laat vallen', zoals zijn vader, die eveneens doodgraver was, graag mocht zeggen – heeft over Amerika in de tweede helft van de twintigste eeuw opgemerkt dat er nog nooit zoveel levens geleefd waren met zo weinig waardering voor waar het leven om ging. Nooit, bijvoorbeeld, hebben zoveel jonge stellen zo hard gewerkt om hun droomhuis te bouwen en in te richten terwijl er in feite nooit iemand thuis is. De baby's zijn op het kinderdagverblijf, de opgroeiende jeugd op zomerkamp en de grootouders in condominiums in Florida. En de ouders op hun werk. Alles werkt beter in deze technologisch magnifieke wereld, zelfs de mensen – maar niemand schijnt te weten waarvoor.[42]

De sociale veranderingen die door deze verdraaiing van de prioriteiten bemoeilijkt en belemmerd worden, zijn erop gespitst ons ervan te verzekeren dat de huidige verscheurde verhouding tussen mannen en vrouwen aanhoudt en zelfs verscherpt. De economische kloof tussen rijk en arm, gezond en ziek, wordt groter. Degenen die financieel aan het kortste eind trekken worden steeds verder een kringloop ingezogen van werkloosheid, armoede, scheiding, gebroken gezin, misdaad. Het gezin wordt van binnenuit en van buitenaf aan hevige spanningen blootgesteld. Het verband met geweld is ontegenzeggelijk bewezen. Voor de volwassenen die grootgebracht zijn in een verbitterd en verdeeld gezin, lijdend onder een gewelddadige vader of een depressieve moeder, is de aandrang om geweld te plegen tegen figuren en instituten die autoriteit vertegenwoordigen, altijd aanwezig. De persoonlijkheid van veel van onze kwetsbaarste kinderen wordt ernstig verstoord voordat ze de lagere school bereiken. Projecten voor ouders die problemen hebben met hun kinderen zijn niet voorhanden of worden onvoldoende gesubsidieerd. De prijs van een dergelijke psychologische en sociale verwaarlozing is schrikbarend: gewelddadige pubers die van school gestuurd worden wegens het verstoren van de orde, agressieve jongemannen die te veel vrije tijd hebben en die kinderen verwekken en in de steek laten, een toenemende tendens om te vervallen tot afstraffende in plaats van politieke maatregelen.

We besteden enorme bedragen aan dodelijke wapens en staan er versteld van dat onze jeugd zo agressief is en onze jonge mannen zo moorddadig zijn. We staan erop dat onze kinderen vanaf hun vroegste jaren vertrouwd raken met de gecompliceerdheid van de menselijke biologie, maar we zien erop toe dat ze weinig of niets leren over de menselijke psychologie, totdat hun eigen persoonlijkheid onverbeterlijk verwrongen is. En in plaats van dat wij de verwaarlozing en onverschilligheid erkennen die we hebben getoond jegens structuren als het huwelijk en het gezinsleven, vervallen we tot het betwijfelen en ondermijnen van hun belang in de optelsom van menselijke gezondheid en geluk.

De nalatenschap van Freud is controversieel en zijn uiteindelijke plaats in de geschiedenis van ideeën moet nog vastgesteld worden. Maar zijn speculatieve hypothese met betrekking tot penisnijd en mannelijke vrouwenhaat heeft mannen noch vrouwen een dienst bewezen. Voor zover vrouwen mannen hebben benijd – en verfoeid – was dat om hun macht en autonomie. Voor zover mannen vrouwen haten is dat in ieder geval gedeeltelijk omdat vrouwen een sterke en schijnbaar meer biologisch gewortelde en authentieke visie hebben op waar het leven om gaat en gedeeltelijk omdat mannen weten dat ze zonder hen niet kunnen overleven. Mannen hebben vrouwen en kinderen nodig om compleet te worden, om uiting te geven aan hun seksualiteit en humaniteit, om dat gevoel dat iedereen nodig heeft: het gevoel dat ze ertoe doen.

Rijpe mannelijke seksualiteit is zelf weer verbonden met het succes waarmee een zoon de scheiding van zijn moeder aanpakt en hij zich met zijn vader identificeert. Die ontwikkeling gaat ervan uit dat er in de eerste plaats een vader aanwezig is om zich mee te identificeren. Finkelhors verwijzing naar de 'wijdverbreide en conventionele patronen van socialisatie en culturele overdracht' geldt niet alleen voor het pathologische van het misbruik van kinderen door volwassen mannen. Het verwijst naar de perversiteit en naar de afwijking van waarden en het gedrag die mannen in het algemeen en individuele vaders in het bijzonder doorgeven en overdragen aan hun zoons. Culturen die het geloof in de intrinsieke mannelijkheid van waarden als overheersing, onverschilligheid tegenover gevoelens en een nietsontziend streven naar macht bejubelen, brengen een psychopathische mannelijkheid voort waar niet alleen vrouwen maar ook veel mannen zich van afkeren.

Hoe moeten wij mannen nu vanaf dit punt verder? Ten eerste moeten we erkennen waar we staan. En waar we staan markeert het begin van het eind van de mannelijke overheersing. Dat is de realiteit. Als man kunnen wij het ontkennen, ertegen vechten, onze gefrustreerde en boze gevoelens richten op wat we zien als de bron van onze toenemende zwakte, of dat nou de individuele vrouw in ons leven is of de feministische beweging in het algemeen. Maar als mannen een van deze of al deze dingen blijven doen, dan zijn ze gedoemd. Erken het eind van de patriarchale macht en neem deel aan de discussie over de vraag hoe we het postpatriarchale tijdperk tot een goed einde kunnen brengen: dan is er hoop. En we kunnen leren van vrouwen die in de loop van de afgelopen eeuw de gespannen en onevenwichtige relatie tussen de publieke politieke wereld waarvan zij grotendeels waren buitengesloten, en de particuliere huiselijke wereld waarin zij grotendeels waren ondergedompeld, voortdurend en krachtig hebben geanalyseerd. Mannen moeten dat ook doen. Er zijn gelukkig tekenen dat dit inderdaad begint te gebeuren, dat mannen en vrouwen samen hun werkelijke verlangens en behoeften, en de werkelijke obstakels die hun vervulling in de weg staan, beginnen te onderkennen. En mannen kunnen het.

Er is niets intrinsiek, aangeboren, biologisch onverbeterbaars aan mannelijke agressie en geweld, wat zou betekenen dat de huidige wijzen waarop mannen leven niet zouden kunnen worden veranderd en aangepast. De biologische verschillen tussen mannen en vrouwen zijn niet zodanig dat ze mannen in een vorm van fallische chauvinist, seksueel roofdier, gewelddadig moordenaar gieten. De meeste mannen zijn niet gewelddadig. Maar, zoals Joanna Bourke ons eraan herinnert, de meeste mannen kunnen gewelddadig gemaakt worden – door ze te trainen en te conditioneren oorlog te idealiseren, heldhaftige krijgers te bewonderen, de vijand te haten, van hun vaderland te houden en zich met hun kameraden te identificeren en ze te steunen.[43] Het feit alleen al dat moordenaar-zijn minder afhangt van genen en hormonen dan van training en conditionering, betekent dat, in de juiste omstandigheden, vrouwen even gewelddadig en moorddadig kunnen zijn als mannen.

Wij moeten onze kinderen veel vroeger dan we nu doen bekendmaken met inzicht in de manier waarop zowel hun geest als hun lichaam werkt. Wij leven in een cultuur waarin men gelooft dat het belangrijk is dat kinderen vanaf heel jonge leeftijd iets afweten van de menselijke biologie. Maar hoe zit het met de psychologie? Wij tobben over wat we onze kinderen moeten vertellen over liefde en haat, verdraagzaamheid en onverdraagzaamheid, vriendschap en intimidatie, romantiek en relaties. Wij eisen met klem dat deskundigen met ze praten over drugs en alcohol, cannabis en xtc, hiv en aids. Maar de cursussen die wij bedenken worden ongeïnspireerd beschreven als maatschappijleer, lichamelijke gezondheidsleer of sociale biologie en worden op of in het lespakket geplakt op een willekeurige en onsamenhangende manier. Het is dan ook niet verwonderlijk dat wanneer voorgesteld wordt – meestal in reactie op een echte of denkbeeldige crisis –, een serie lezingen te organiseren over controversiële onderwerpen als homoseksualiteit, aids of drugsverslaving, dit gepaard gaat met angst en meningsverschillen.

Wat we nodig hebben is een behoorlijke, systematische en gecoördineerde introductie tot de menselijke psychologie: de psychologie van de persoonlijkheid, de psychologie van het gedrag, de psychologie van de gevoelens, de psychologie van individuen en van groepen, de psychologie van het geheugen en de wil en de drang om de controle te behouden en de psychologie van de seksualiteit. Het zou kunnen beginnen op de lagere school en op de middelbare school behandeld worden als examenvak. Wij leren onze kinderen de geschiedenis van oorlogen, maar weinig over de psychologie erachter. Wij leren onze kinderen de relaties tussen staten, maar weinig over liefde en het huwelijk, echtscheiding en hertrouwen, hetero- en homoseksualiteit. Wij leren onze kinderen over de complexiteit van het menselijk lichaam, maar weinig over het functioneren (en slecht functioneren) van de menselijke geest. Wij hebben het onderwijs nodig om onze kinderen alles te leren over kinderen krijgen – niet alleen over de biologie van de voortplanting maar ook over de psychologie van menselijke verhoudingen. Wij moeten onze kinderen gaan leren hoe ze betere mannen en vrouwen kunnen zijn, betere minnaars en partners, betere moeders en vaders.

Wij moeten erkennen dat het particuliere, persoonlijke, intieme domein van kinderen en het gezin en de familie en vriendschap en gemeenschap een even waardevolle en belangrijke en bevredigende en vervullende wereld is als het strijdtoneel van macht en prestaties, status en geld. Er wordt veel te vaak gesproken over de *eisen* van het gezin, de *kosten* van kinderen, de *frustraties* van het ouderschap, de *lasten* van de familie. Voor vele ouders zijn kinderen een obstakel geworden, een oppasprobleem, een belemmering voor zelfontplooiing en promotie op het werk. Ik beweer echter dat de beloning voor het gezinsleven, in termen van gezondheid, bevrediging en geluk, aanzienlijk is. 'De hele morele filosofie kan evengoed toegeschreven worden aan een gewoon privéleven,' verklaarde Montaigne, 'als aan een leven dat luxueuzer is.' Of, zoals Alain de Botton opmerkte in zijn schitterende essay over die wijze Fransman: 'Een fatsoenlijk, gewoon leven, strevend naar wijsheid maar nooit ver verwijderd van dwaasheid, is al een hele prestatie.'[44]

Wij moeten bij mannen opnieuw een geloof aanwakkeren in het belang van het vaderschap voor henzelf en voor hun kinderen. Voor de meeste mannen zal het vaderschap een positievere uitwerking hebben op hun gezondheid en geluk dan hun werkprestaties. En in tegenstelling tot wat algemeen gedacht wordt doen vaders er wél toe. Het vaderschap blijft een centrale civiliserende kracht in elke gemeenschap. De verantwoordelijkheden, mogelijkheden, plichten, emotionele eisen en beloningen die gepaard gaan met het vaderschap, kunnen in veel gevallen jonge mannen helpen zich te ontwikkelen tot volwassen, constructieve en liefhebbende sociale wezens.

Ik realiseer me dat ik door het vaderschap en het gezinsleven op deze manier te beschrijven het risico loop de waarde en waardigheid terzijde te schuiven van al die mannen, en vrouwen, die om redenen van natuurlijke geaardheid of uit eigen wil geen ouders worden. Veel homoseksuele mannen zullen bijvoorbeeld geen vader worden – ofschoon sommigen wel een heteroseksuele relatie aangaan met het doel die rol te vervullen, terwijl anderen zich inzetten voor het recht van homoseksuele stellen om kinderen te adopteren of een draagmoeder aan te wijzen die kinderen voor hen baart. Ik heb geen uitgesproken mening over de geschiktheid of ongeschiktheid van homo's of lesbiennes om het ouderschap aan te gaan. Maar het lijkt mij zeer waarschijnlijk dat sommigen zullen bewijzen dat ze veel gemotiveerder, verzorgender en liefhebbender ouders zijn dan heel wat heteroseksuele stellen die hun nakomelingen verwekken tijdens een dronken of gewelddadig treffen, en volstrekt ongeschikte ouders worden. Wat belangrijk is, is dat mannen, hetero en homo, hun ouderlijke rol serieus nemen.

Politici moeten zich veel serieuzer gaan bezighouden met de uitwerking van beleidsvoering op het huwelijk en het gezin. Een groot deel van de politiek houdt zich bezig met de gevolgen van het falen van ouders en gezinnen – gebrekkig onderwijs, misdaad, gewelddadigheid, geestelijke en lichamelijke ziekte, isolatie, gebrek aan steun voor bejaarden. Thuisloze kinderen zijn vaak het product van gebroken gezinnen of ongelukkige stiefgezinnen. En de ondernemende, kapitalistische, individualistische economie eist zijn eigen tol. De Britse werkweek is al de langste in Europa; hoeveel groter kan de tijdsdruk van het werk op het privé- en gezinsleven nog worden?

Meer, veel meer, moet gedaan worden om een werkomgeving te creëren waarin de realiteit van het gezinsleven serieus genomen wordt, maar ook de behoefte van ouders, vooral moeders, om tijd vrij te maken en te herintreden met gepaste training; er moet grotere flexibiliteit op het werk komen, en een belastingsysteem dat het huwelijk steunt en vrouwen in staat stelt een echte keuze te maken tussen zelf voor hun kinderen zorgen totdat en zolang ze naar school gaan, of betalen voor professionele kinderverzorging. Maar als het aankomt op de kwestie van professionele kinderverzorging zullen diezelfde politici en de invloedrijke stemmen die hen steunen, de toenemende schaarste in ogenschouw moeten nemen van mensen die andere verzorgende taken op zich nemen in de maatschappij – verpleegsters, sociaal werkster, onderwijzers, mensen in de thuiszorg. Vanwege die schaarste is het noodzakelijke leger van goed opgeleide en toegewijde professionele kinderverzorgers uiterst moeilijk te rekruteren.

De lasten van het werken en het verzorgen van de kinderen drukken meestal het zwaarst op de schouders van de ouders zelf. Politici zouden er goed aan doen om op te houden met vrome praatjes over de noodzaak van een gezinsvriendelijk arbeidsbeleid, flexibele werkuren en behoorlijke verlofregelingen voor ouders, en te beginnen met die ten uitvoer te brengen. Ongeveer twee maanden voor de geboorte van haar zoon Leo verkondigde Cherie Blair tegen een publiek van advocaten: 'Onze kinderen hebben behoefte aan zowel hun mannelijke als hun vrouwelijke rolmodellen.' Mooi gesproken, en nog beter was haar voorstel dat mannen 'de veronderstelling dat de opvoeding van kinderen niets met hen te maken heeft, zouden moeten aanvechten'.[45] Het probleem is alleen dat de meeste regeringen, met inbegrip van die van haar echtgenoot en Leo's vader, Tony Blair, hun werktijd zó indelen en hun politieke prioriteiten zó kiezen dat het overduidelijk wordt dat de opvoeding van hun kinderen niets met hen te maken heeft.

Tenzij mannen wakker worden en gaan inzien wat er om hen heen gebeurt, zullen ze merken dat ze in nog grotere problemen terechtkomen. De voortekenen zijn niet gunstig. Richard Scase is slechts een van de vele sociale analisten die van mening is dat de huidige trends rampzalig zijn voor mannen. In zijn boek *Britain Towards 2010* voorspelt Scase meer alleenstaanden, minder kinderen, steeds hogere echtscheidingscijfers en meer partnerwisselingen.[46] De meeste van deze alleenstaanden zullen mannen zijn: een op de drie mannen zal in 2010 alleen wonen. Zo'n anderhalf miljoen mannen zullen permanent buitengesloten worden van de actieve bevolking, wegens vervroegd pensioen of omdat zij gewoon de opleiding en vakkennis niet hebben die vereist zijn voor een baan. En de toenemende vraag in aanmerking genomen naar vakmensen die creatief en in teamverband kunnen werken, in plaats van in een hiërarchische en competitieve situatie waarin men geobsedeerd is door status, kunnen mannen gaan merken dat ze overbodig zijn op de banenmarkt.

Freud stelde ooit de vraag: 'Wat willen vrouwen eigenlijk?' Als man aarzel ik om te antwoorden, maar ik heb het vermoeden dat respect van mannen hoog op de lijst van antwoorden staat. En wat willen mannen eigenlijk? Nou, wat ik wil als man en wat ik voor mannen wil, is dat wij beter uitdrukking zullen kunnen geven aan de kwetsbaarheid en de tederheid en de genegenheid die wij voelen, dat wij meer waarde hechten aan liefde, gezin en persoonlijke relaties en minder aan macht, bezittingen en prestaties, en dat wij vertrouwen houden in bredere sociale en gemeenschapswaarden voorzover die in staat zijn en het in hun macht hebben om ons allemaal een guller en voller leven te laten leven. Het is niet per se nodig een 'nieuwe man' te creëren naar het evenbeeld van de vrouw. Het is nodig dat de 'oude man' weer te voorschijn komt. Zo'n man gebruikt zijn lichamelijke, intellectuele en morele kracht niet om anderen te domineren maar om zichzelf te bevrijden, niet om te overheersen maar om te beschermen, niet om prestaties te vereren maar om zich in de strijd te werpen om betekenis en vervulling te vinden.

'Een man kan niet langs dezelfde weg naar buiten als hij naar binnen kwam,' zegt Willy Loman in *Death of a Salesman*. 'Een man moet zorgen dat hij iets voorstelt.'[47] En dat kan hij nog steeds.

Noten

Hoofdstuk 1

1 C.G. Jung, 'America facing its most tragic moment', in *The New York Times*, 19-09-1912. Herdrukt in *C.G. Jung Speaking: Interviews and Encounters*, red. W. McGuire en R.F.C. Hull, Londen 1978, p. 19.
2 United Nations Development Programme, *Human Development Report*, New York 1999, p. 225, tabel 24.
3 A.E. Jukes, *Why Men Hate Women*, Londen 1994, pp. 300-301; S. Jefferies, *Anticlimax*, Londen 1990, pp. 289-297; E. Kelly, 'The continuum of male violence', J. Hanmer en M. Maynard, in *Women, Violence and Social Control*, Londen 1987, pp. 46-60.
4 G. Greer, *In the Psychiatrist's Chair*, BBC Radio 4, Londen 1989.
5 J. Lacan, *Ecrits. A Selection*, Londen 1977.
6 M. Maguire, *Men, Women, Passion and Power*, Londen 1995, p. 63.

Hoofdstuk 2

1 B.T. Lahn en K. Jegalian, 'The key to masculinity', in *Scientific American*, 10, 2 (1999): 20-25.
2 J.M. Reinisch, M. Ziemba-Davis en S.A. Sanders, 'Hormonal contributions to sexually dimorphic behavioral development in humans', in *Psychoneuroendocrinology*, 16, 1-3 (1991): 216.
3 S. Goldberg, *The Inevitability of Patriarchy*, New York 1973, p. 78.
4 G. Greer, *The Whole Woman*, Londen 1999, p. 327.
5 T.N. Wiesel, 'Genetics and behavior', in *Science*, 264 (1994): 1647.
6 G. Giordano en M. Giusti, 'Hormones and psychosexual differentiation', in *Minerva Endocrinologica*, 20, 3 (1995): 179.
7 D.B. Kelley, 'Sexually dimorphic behaviors', in *Annual Review of Neurosciences*, 11 (1988): 225-251.
8 B.A. Gladue en J.M. Bailey, 'Aggressiveness, competitiveness and human sexual orientation', in *Psychoneuroendocrinology*, 20, 5 (1995): 475-485.

9   L. Ellis, 'Developmental androgen fluctuations and the five dimen-
    sions of mammalian sex (with emphasis upon the behavioral dimen-
    sion and the human species)', in *Ethology and Sociobiology*, 3 (1982):
    171-197; M. Hines, 'Prenatal gonadal hormones and sex differences in
    human behavior', in *Psychological Bulletin*, 92 (1982): 56-80; J.M.
    Reinisch, 'Influence of early exposure to steroid hormones on beha-
    vioral development', in *Development in Adolescence: Psychological,
    Social and Biological Aspects*, red. W. Everaerd, C.B. Hindley, A. Bot en
    J.J. van der Werff Ten Bosch, Boston 1983, pp. 63-113.

10 E.P. Monaghan en S.E. Glickman, 'Hormones and aggressive behavi-
    or', in *Behavioral Endocrinology*, red. J.B. Becker, S.M. Breedlove en D.
    Crews, Cambridge, Mass. 1992, pp. 261-286.

11 A.A. Ehrhardt, H.F. Meyer-Bahlburg, L.R. Rosen, J.F. Feldman, N.P.
    Veridiano, E.J. Elkin en B.S. McEwen, 'The development of gender-
    related behavior in females following prenatal exposure to diethylbe-
    strol (DES)', in *Hormones and Behavior*, 23, 4 (1989): 526-541.

12 J. Money en A.A. Ehrhardt, *Man and Woman, Boy and Girl. The
    Differentiation and Dimorphism of Gender Identity from Conception to
    Maturity*, Baltimore, Maryland 1972. A.A. Ehrhardt en H.F. Meyer-
    Bahlburg, 'Effects of prenatal sex hormones on gender-related beha-
    vior', in *Science*, 211 (1981): 1312-1318. R.G. Dittman, M.H. Kappes, M.E.
    Kappes, D. Borger, H. Stegner, R.H. Willis en H. Wallis, 'Congenital
    adrenal hyperplasia 1: gender-related behavior and attitudes in female
    patients and their sisters', in *Psychoneuroendocrinology*, 15 (1990): 401-
    420.

13 S.A. Berenbaum en M. Hines, 'Early androgens are related to child-
    hood sex-typed toy preferences', in *Psychological Science*, 3 (1992): 203-
    206.

14 R. Bleier, *Science and Gender: A Critique of Biology and its Theories on
    Women*, Oxford 1984, pp. 99-101.

15 J.E. Griffin, 'Androgen resistance. The clinical and molecular spec-
    trum', in *New England Journal of Medicine*, 326 (1992): 611-618.

16 J. Imperato-McGinley, R.E. Peterson, T. Gautier en E. Sturla,
    'Androgens and the evolution of male-gender identity among male
    pseudohermaphrodites with 5a-reductase deficiency', in *New England
    Journal of Medicine*, 300 (1979): 1233-1237.

17 Ibid., p. 1235.

18 N. Heim en C. Hursch, 'Castration for sex offenders. Treatment or
    punishment?', in *Archives of sexual behavior*, 8 (1979): 281-304.

19 P. Brain, 'Hormonal aspects of aggression and violence', in *Under-*

standing and Preventing Violence 1, red. A. Reiss Jr, K. Miczek en J. Roth, New York 1994.

20 A. Roesler en E. Witztum, 'Treatment of men with paraphilia with a long-acting analogue of gonadotropin-releasing hormone', in *New England Journal of Medicine*, 338 (1998): 416-422; A. Cooper en Z.E. Cernovsky, 'Comparison of cyproterone acetate (CPA) and leuprolide acetate (LHRH agonist) in a chronic pedophile: a clinical case study', in *Biological Psychiatry*, 36 (1995): 269-272; F. Thibaut, B. Cordier en J.M. Kuhn, 'Gonadotrophin hormone releasing hormone agonist in cases of severe paraphilia: a lifetime treatment', in *Psychoneuroendocrinology*, 21 (1996): 411-419.

21 Giordano en Giusti, 'Hormones'.

22 D. Simon, P. Preziosi, E. Barrett-Connor, M. Roger, M. Saint-Paul, J. Nahoul en K. Papoz, 'The influence of aging on plasma sex hormones in men', in *American Journal of Epidemiology*, 135 (1992): 783-791.

23 K.N. Pike en P. Doerr, 'Age-related changes and inter-relationships between plasma testosterone, oestradiol and testosterone-binding globulin in normal adult males', in *Acta Endocrinologica*, 74 (1973): 792-800.

24 J. Wilson en R. Herrnstein, *Crime and Human Nature*, New York 1985.

25 D. Simon, P. Preziosi, E. Barrett-Connor, M. Roger, M. Saint-Paul, J. Nahoul en K. Papoz, 'The influence of aging on plasma sex hormones in men: the Telecom study', in *American Journal of Epidemiology*, 135 (1992): 783-791.

26 R. O'Carroll, C. Shapiro en J. Bancroft, 'Androgens, behavior and nocturnal erection in hypogonadal men: the effects of varying the replacement dose', in *Clinical Endocrinology*, 23 (1985): 527-538.

27 R.A. Anderson, J. Bancroft en F.C.W. Wu, 'The effects of exogenous testosterone on sexuality and mood of normal men', in *Journal of Clinical Endocrinology and Metabolism*, 75 (1992): 1503-1507.

28 J. Archer, 'The influence of testosterone on human aggression', in *British Journal of Psychology*, 82 (1991): 1-28.

29 J.M. Dabbs Jr, S. Carr, R. Frady en J. Riad, 'Testosterone, crime and misbehavior among 692 male prison inmates', in *Personality and Individual Differences*, 18 (1995): 627-633; T. Scaramella en W. Brown, 'Serum testosterone and aggressiveness in hockey players', in *Psychosomatic Medicine*, 40 (1978): 262-263; A. Booth en J.M. Dabbs Jr., 'Testosterone and men's marriages', in *Social Forces*, 72 (1993): 463-477; A. Booth en D. Osgood, 'The influence of testosterone on deviance in adulthood', in *Criminology*, 31 (1993): 93-117. J.M. Dabbs Jr. en R.

Morris, 'Testosterone, social class and antisocial behavior in a sample of 4.462 men', in *Psychological Sciences*, 3 (1990): 209-211; A. Mazur, 'Biosocial models of deviant behavior among army veterans', in *Biological Psychology*, 41 (1995): 271-293.

30 W. Jeffcoate, N. Lincoln, C. Selby en M. Herbert, 'Correlation between anxiety and serum prolactin in humans', in *Journal of Psychosomatic Research*, 29 (1986): 217-222.

31 H. Pope Jr en D. Katz, 'Psychiatric and medical effects of anabolic-androgenic steroid use', in *Archives of General Psychiatry*, 51 (1994): 375-382.

32 E. Susman, C. Inoff-Germain, E. Nottelmann, D. Loriaux, G. Cutler Jr en G. Chrousos, 'Hormones, emotional dispositions and aggressive attributes of young adolescents', in *Child Development*, 58 (1987): 1114-1134.

33 C. Halpern, J. Udry, B. Campbell en C. Suchindran, 'Testosterone and pubertal development as predictors of sexual activity', in *Psychosomatic Medicine*, 55 (1993): 436-447.

34 J. Constantino, D. Grosz, P. Saenger, D. Chandler, R. Nandi en F. Earls, 'Testosterone and aggression in children', in *Journal of the American Academy of Child and Adolescent Psychiatry*, 32 (1993): 1217-1222.

35 Anderson et al., 'Effects'.

36 A. Mazur en A. Booth, 'Testosterone and dominance in men', in *Behavioral and Brain Sciences*, 21 (1998): 353-397.

37 A. Booth, C. Shelley, A. Mazur, G. Tharp en R. Kittok, 'Testosterone and winning and losing in human competition', in *Hormones and Behavior*, 23 (1989): 556-571.

38 B. Campbell, M. O'Rourke en M. Rabow, 'Pulsatile response of salivary testosterone and cortisol to aggressive competition in young males'. Paper voor jaarlijkse bijeenkomst van de American Association of Physical Anthropologists, Kansas City 1988. M. Elias, 'Serum cortisol, testosterone and testosterone-binding globulin responses to competitive fighting in human males', in *Aggressive Behavior*, 7 (1981): 215-224.

39 A. Mazur, A. Booth en J.M. Dabbs Jr, 'Testosterone and chess competition', in *Social Psychology Quarterly*, 55 (1992): 70-77.

40 J. Fielden, C. Lutter en J.M. Dabbs Jr, *Basking in glory: testosterone changes in World Cup soccer fans*, Georgia 1994.

41 R.E. Nisbett en D. Cohen, 'Men, honor and murder', in *Scientific American*, 10,2 (1999): 18.

42 R.E. Nisbett en D. Cohen, *Culture of Honor: The Psychology of Violence in the South*, Boulder, Colorado 1996.

43 J.M. Dabbs en R. Morris, 'Testosterone, social class and antisocial behavior in a sample of 4.462 men', in *Psychological Science*, 1 (1990): 209-211.

44 D. Cohen, 'Shaping, channelling and distributing testosterone in social systems', in *Behavioral and Brain Sciences*, 31, 3 (1998): 367.

45 R. Sapolsky, 'The trouble with testosterone', in *The Trouble with Testosterone and Other Essays*, New York 1997, p. 155.

46 Ibid., pp. 151-152.

47 Mazur en Booth, 'Testosterone', p. 353.

48 J.M. Dabbs Jr, 'Testosterone and the concept of dominance', in *Behavioral and Brain Sciences*, 21, 3 (1998): 370-371. A.A. Berthold, 'Transplantation of testes' (1849), vert. D.P. Quiring, in *Bulletin of the History of Medicine*, 16 (1994): 399-401.

49 V. Grant, 'Dominance runs deep', in *Behavioral and Brain Sciences*, 21 (1998): 376-377.

50 Archer, 'Influence of testosterone'.

51 J. Ehrenkranz, E. Bliss en M. Sheard, 'Plasma testosterone. Correlation with aggressive behavior and social dominance in men', in *Psychosomatic Medicine*, 36 (1974): 469-473.

52 L.A. Jensen-Campbell, W.G. Graziano en S. West, 'Dominance, prosocial orientation and female preference: do nice guys really finish last?', in *Journal of Personality and Social Psychology*, 68 (1995): 427-440. E.K. Sadalla, D.T. Kenrick en B. Vershure, 'Dominance and heterosexual attraction', in *Journal of Personality and Social Psychology*, 52 (1987): 730-738. J.M. Townsend, 'Gender differences in mate preferences among law students', in *Journal of Psychology*, 127 (1993): 507-528.

53 F. Purifoy en L. Koopmans, 'Androstenedione, testosterone and free testosterone concentrations in women of various occupations', in *Social Biology*, 26 (1979): 179-188.

54 E. Cashdan, 'Hormones, sex and status in women', in *Hormones and Behavior*, 29 (1995): 354-366.

55 J.M. Dabbs Jr en M. Hargrove, 'Age, testosterone and behavior among female prison inmates', in *Psychosomatic Medicine* (1999).

56 J.M. Dabbs Jr, R.B. Ruback, R.L. Frady, C.H. Hopper en D.S. Sgoutas, 'Saliva testosterone and criminal violence among women', in *Personality and Individual Differences*, 9 (1988): 269-275.

57 Cashdan, 'Hormones'.

58 V. Grant, 'Maternal dominance and the conception of sons', in *British Journal of Medical Psychology*, 67 (1994): 343-351. V. Grant, 'Sex of infant differences in mother-infant interaction: a reinterpretation of past findings', in *Developmental Review*, 14 (1994): 1-26.

59   Grant, 'Dominance runs deep', p. 377.

60   Booth en Dabbs Jr, 'Testosterone'.

61   Mazur en Booth, 'Testosterone', pp. 361-362.

62   J. Batty, 'Acute changes in plasma testosterone levels and their relation to measures of sexual behavior in the male house mouse (*Mus musculus*)', in *Animal Behavior*, 26 (1978): 349-357.

63   S. LeVay, 'A difference in hypothalamic structure between heterosexual and homosexual men', in *Science*, 253 (1995): 1034-1037. D.H. Hamer, S. Hu, V.L. Magnuson, N. Hu en A.M. Pattatucci, ' A linkage between DNA markers on the x chromosome and male sexual orientation', in *Science*, 261 (1993): 321-327.

64   R. Blanchard, J.G. McConkey, V. Roper en B. Steiner, 'Measuring physical aggressiveness in heterosexual, homosexual and transsexual men', in *Archives of Sexual Behavior*, 12 (1985): 511-524. B.A. Gladue, 'Aggressive behavioral characteristics, hormones and sexual orientation in men and women', in *Aggressive Behavior*, 17 (1991): 313-326.

65   B.A. Gladue en J.M. Bailey, 'Aggressiveness, competitiveness and human sexual orientation', in *Psychoneuroendocrinology*, 20 (1995): 475-487.

66   L. Gooren, 'The endocrinology of transsexualism: a review and commentary', in *Psychoneuroendocrinology*, 15, 1 (1990): 3-14.

67   Giordano en Giusti, 'Hormones'.

68   E.E. Maccoby en C.N. Jacklin, *The Psychology of Sex Differences*, Londen 1975.

69   D.K. Kimura, 'Sex differences in the brain', in *Scientific American*, 10 (1999): 28.

70   College Board, *College-bound Seniors* 1984-1985, Princeton, New Jersey 1985. E.G.J. Moore en A.W. Smith, 'Sex and ethnic group differences in mathematics achievement: results from the National Longitudinal Study', in *Journal for Research in Mathematics Education*, 18 (1987): 25-36.

71   C.P. Benbow, 'Sex differences in mathematical reasoning ability in intellectually talented preadolescents: their nature, effects and possible causes', in *Behavioral and Brain Sciences*, 2 (1988): 169-183.

72   C.P. Benbow en J.C. Stanley, 'Sex differences in mathematical ability: fact or artifact?', in *Science*, 210 (1980): 1262-1264.

73   Bleier, *Science and Gender*, p. 104.

74   J. McGlone, 'Sex differences in human brain asymmetry', in *Behavior and Brain Sciences*, 3 (1980): 215-263.

75   M. Hines en R.A. Gorski, 'Hormonal influences on the development

of neural asymmetries', in *The Dual Brain*, red. F. Benson en E. Zaidel, Londen 1985, pp. 75-96.

76 C. de LaCoste-Utamsing en R.L. Holloway, 'Sexual dimorphism in human corpus callosum', in *Science*, 216 (1982): 1431-1432.

77 J. Baack en C. de LaCoste-Utamsing, 'Sexual dimorphism in fetal corpus callosum', in *Society of Neurosciences Abstracts*, 8 (1982): 213.

78 S.G. Gould, 'Cardboard Darwinism', in *An Urchin in the Storm*, New York 1987.

79 E.O. Wilson, *On Human Nature*, Cambridge, Mass. 1978, p. 125.

80 L. Tiger, *Men in Groups*, Londen 1984², p. 182. A. Storr, *Human Aggression*, Harmondsworth, Middlesex 1968, p. 88.

81 K. Lorenz, *On Aggression*, Londen 1966, p. 209.

Hoofdstuk 3

1 T. Maden, 'Women as violent offenders and violent patients', in *Violence in Society*, red. P. Taylor, Londen 1993, pp. 69-80.

2 R.E. Nisbett en D. Cohen, 'Men, honour and murder', in *Scientific American*, 10, 2 (1999): 16-19.

3 P. Fusell, 'On war and the pity of war', in *The Guardian*, 1990: 25-26.

4 E. Stover en G. Peress, *The Graves: Srebrenica and Vukovar*, Zürich 1998, p. 182.

5 E.O. Wilson, *On Human Nature*, Cambridge, Mass. 1978, p. 114.

6 National Research Council Panel on the Understanding and Control of Violent Behavior, *Understanding and Preventing Violence*, Washington 1993, p. 2.

7 D. Walsh, 'Crime in Limerick', Anglo-Irish Encounter Conference, Limerick 1998.

8 G. Mezey en S. Bewley, 'Domestic violence and pregnancy', in *British Medical Journal*, 314 (1997): 1295.

9 Wereldbank, *World Development Report: Investing in Health*, Oxford 1993, p. 50.

10 P.A. Hillard, 'Physical abuse in pregnancy', in *Obstetrics and Gynecology*, 66 (1985): 185-190.

11 A.S. Helton, J. McFarlane en E.T. Anderson, 'Battered and pregnant: a prevalence study', in *American Journal of Public Health*, 77 (1987): 1337-1339. L.B. Norton, J.F. Peipert, S. Zierler, B. Lima en L. Hume, 'Battering in pregnancy: an assessment of two screening methods', in *Obstetrics and Gynecology*, 85 (1995): 321-325.

12 E. Stark, A. Flitcraft en W. Frazier, 'Medicine and patriarchal violence: the social construction of a "private" event', in *International Journal of Health Services*, 9 (1979): 461-493.

13 D.C. Berrios en D. Grady, 'Domestic violence: risk factors and outcomes', in *Western Journal of Medicine*, 155 (1991): 133-135.

14 J.A. Gazmarian, M. Adams, L.E. Saltzman, C.H. Johnson, F.C. Bruce, J.S. Marks et al., voor prams Working Group, 'The relationship between pregnancy intendedness and physical violence in mothers of newborns', in *Obstetrics and Gynecology*, 85 (1995): 1031-1038.

15 Wereldbank (1993), Ibid., p. 50.

16 M. Cheasty, A.W. Clare en C. Collins, 'Relation between sexual abuse in childhood and adult depression: case-control study', in *British Medical Journal*, 316 (1998): 198-201.

17 D. Halperin, P. Bouvier, P.D. Jaffe, R-L. Mounod, C.H. Pawlak, J. Laederach, H.R. Wicky en F. Astie, 'Prevalence of child sexual abuse among adolescents in Geneva: results of a cross-sectional survey', in *British Medical Journal*, 312 (1996): 1326-1329.

18 J. Lalor, 'Study suggests culture of sexual aggression towards girls', in *Irish Times* 13-11-98: 7.

19 N. Walter, 'Three per cent of men say they're rapists', in *Observer* 18-01-98: 1.

20 *Domestic Violence: Findings from a New British Crime Survey Self-completion Questionnaire*, ministerie van Binnenlandse Zaken, Londen 1999.

21 L. Magdol, T.E. Moffitt, A. Caspi, D.L. Newman, J. Fagan en P.A. Silva, 'Gender differences in partner violence in a birth cohort of 21-year-olds: bridging the gap between clinical and epidemiological approaches', in *Journal of Consulting and Clinical Psychology*, 65 (1997): 68-78.

22 C.T. Snowden, 'The nurture of nature: social, developmental and environmental controls of aggression', in *Behavioral and Brain Sciences*, 21, 3 (1998): 385.

23 C.W. Harlow, *Female Victims of Violent Crime*, Bureau of Justice Statistics, Washington 1991, p. 4.

24 United States Centers for Disease Control and Prevention, *Morbidity and Mortality Weekly Report*, 43, 8 (1994): 135.

25 O.M. Linaker, 'Dangerous female psychiatric patients: prevalences and characteristics', in *Acta Psychiatrica Scandinavica*, 101 (2000): 67-72.

26 J. Waters, in *Irish Times*, 12-01-99.

27 H. Johnson en V.F. Sacco, 'Researching violence against women:

Statistics Canada's national survey', in *Canadian Journal of Criminology*, 37 (1995): 282-304.

28 Australian Bureau of Statistics, *Women's Safety – Australia 1996*, Canberra 1996.

29 A.E. Jukes, *Men Who Batter Women*, Londen 1999.

30 D. Edgar, *Men, Mateship and Marriage*, Sydney 1997, p. 65.

31 Jukes, *Men Who Batter Women*, p. 83.

32 N. Tinbergen, 'Of war and peace in animals and men', in *Science*, 160 (1968): 1411-1418.

33 K. Lorenz, 'Über das Toten von Artgenossen', in *Jahrbuch der Max-Planck-Gesellschaft*, 1955, pp. 105-140.

34 K. Lorenz, *On Aggression*, New York 1963.

35 L. Tiger, *Men in Groups*, New York 19842, p. 182.

36 F. de Zulueta, *From Pain to Violence*, Londen 1993, p. 32.

37 D. Morris, *The Naked Ape*, New York 1967. I. Eibl-Eibesfeldt, *On Love and Hate: The Natural History of Behavior Patterns*, vert. G. Strachan, New York 1972. R. Ardrey, *The Territorial Imperative: A Personal Inquiry into the Animal Origins of Property and Nations*, New York 1966. A. Storr, *Human Aggression*, Harmondsworth 1968. Wilson, *On Human Nature*.

38 P. Gay, *Freud: A Life of Our Times*, Londen 1988, pp. 395-396.

39 S. Freud, *Beyond the Pleasure Principle*, Londen 1920, vw XVIII, p. 38; Ned. ed. 'Aan gene zijde van het lustprincipe', in vw pt1, Meppel/Amsterdam 1985.

40 S. Freud, *Civilization and Its Discontents*, Ibid., vw XXI, pp. 118-119; Ned. ed. 'Het onbehagen in de cultuur', in vw cr3, Meppel/Amsterdam 1984.

41 Freud, *Beyond the Pleasure Principle*, p. 24.

42 S. Freud, *New Introductory Lectures on Psychoanalysis*, Ibid., vw XXII, 1933.

43 N. Ferguson, *The Pity of War*, Londen 1998, pp. 357-358.

44 Ibid., p. 447.

45 S. Freud, *Why War?*, Londen 1939, vw XXII, pp. 214-215.

46 E. Fromm, *The Anatomy of Human Destructiveness*, Londen 1973.

47 H. Arendt, *On Violence*, Londen 1969, p. 64.

48 Fromm, *Anatomy*, p. 187.

49 I. Suttie, *The Origins of Love and Hate* (1935), Londen 1999, p. 15.

50 M. Rutter, 'A fresh look at "maternal deprivation"', in *The Development and Integration of Behaviour*, red. P. Bateson, Cambridge 1991, pp. 331-374.

51 M. Daly en M. Wilson, 'Machismo', in *Scientific American*, 10, 2 (1999): 9-14.

52 R.J. Lifton, *The Nazi Doctors: A Study of the Psychology of Evil*, Londen 1986, pp. 418-429.

53 Ibid., p. 428.

54 R. Morgan, *The Demon Lover: On the Sexuality of Terrorism*, Londen 1985, p. 84.

55 Gecit. ibid.

56 Che Guevara, 'Socialism and Man in Cuba', gecit. in voorwoord bij *Reminiscences of the Cuban Revolutionary War*, New York 1968.

57 B. Allen, *Rape Warfare: The Hidden Genocide in Bosnia-Herzegovina and Croatia*, Minneapolis 1996.

58 Documenten betreffende Brits Buitenlands beleid 1919-1939, 3e serie, VII, HMSO, Londen 1954, pp. 257-260.

59 Nisbett en Cohen, 'Men, honor and murder', pp. 18-19.

60 D. Hamburg, 'Human aggression', in *The Development and Integration of Behaviour*, red. P. Bateson, Cambridge 1991, pp. 419-457.

61 J. Demos, 'Child abuse in context: an historian's perspective', in *Past, Present and Personal: The Family and the Life Course in American History*, New York 1986, pp. 68-91.

62 Ibid., p. 72.

63 Ibid., pp. 83-84.

64 J. Wilson en J. Howell, 'Comprehensive strategy for serious, violent and chronic juvenile offenders', in *Serious, Violent and Chronic Juvenile Offenders*, red. J. Howell, B. Krisberg, D. Hawkins en J. Wilson, Londen 1995.

65 *Carnegie Quarterly*, 39, 1 (1994).

66 S. Asquith, persoonlijke mededeling, 1999.

67 Boswell, G., *Young and Dangerous – the backgrounds and careers of Section 53 offenders*, Aldeshot 1996.

68 G. Sereny, Cries Unheard: *Why Children Kill*, New York 1998. B. Morrison, *As If*, Londen 1997.

69 J. Garbarino, *Lost Boys: Why Our Sons Turn Violent and How We Can Save Them*, New York 1999.

70 M. Meany, gecit. in 'Why the young kill', in *Newsweek* 3-05-99: 81.

71 J. Bertrand, *Born to Win*, Sydney, NSW, 1985, p. 136.

72 Lorenz, *On Aggression*, p. 243.

73 I. Reid, *Social Class Differences in Britain*, Londen 19893, p. 385.

74 J. Updike, *Golf Dreams*, Londen 1998, p. 125.

75 National Research Council, *Understanding…Violence*, p. 358.

76 D.P. Farrington, L. Gallagher, R.J. St Leger Morley en D.J. West, 'Are there any successful men from criminogenic backgrounds?', in *Psychiatry*, 51 (1988): 116-130.

77 J.S. Milner, K.R. Robertson en D.L. Rogers, 'Childhood history of abuse and child abuse potential', in *Journal of Family Violence*, 5 (1990): 15-34.

78 J. Monahan, 'The Causes of Violence', in *Drugs and Violence in America*, Washington, pp. 77-85.

79 N. Edley en M. Wetherell, *Men in Perspective: Practise, Power and Identity*, Londen 1995.

Hoofdstuk 4

1   J. Strouse, *Alice James: A Biography*, Londen 1980, p. 101.

2   A.D. Wood, '"The fashionable diseases". Women's complaints and their treatment in nineteenth-century America', in *Journal of Inter-disciplinary History*, 4,1 (1973): 25-52.

3   E.H. Clark, *Sex in Education: or a Fair Chance for Girls*, Boston 1878.

4   W.P. Dewees, *A Treatise on the Diseases of Females*, 17.14, Philadelphia 1843.

5   W.H. Byford, *A Treatise on the Chronic Inflammation and Displacements of the Unimpregnated Uterus*, Philadelphia 1864, pp. 22-44.

6   J. Sadgrove, 'What makes women sick?', in *Lancet*, 346 (1995): 890.

7   P. Horn, *Maternal mortality*, in *Women in the 1920s*, Stroud 1995.

8   M. Hall, *Commentaries on Some of the Views Imparted of the Diseases of Females*, Londen 1827.

9   I. Irwell, 'The competition of the sexes and its results', in *American Medical Bulletin*, 10 (1896): 319.

10 *Lancet*, 30-03-1867.

11 G. Engelmann, *The American Girl of Today: Modern Education and Functional Health*, Washington 1900, pp. 9-10.

12 K. Dalton, 'Menstruation and examinations', in *Lancet*, 2 (1968): 1386-1388.

13 C. Smith-Rosenberg en C. Rosenberg, 'The Female animal: medical and biological views of woman and her role in 19th century America', in *Journal of American History*, 60 (1973): 332-356.

14 H. Maudsley, in *Fortnightly Review*, 15 (1874): 467.

15 B. Harrison, 'Women's health and the women's movement in Britain: 1840-1940', in *Biology, Medicine and Society*, red. C. Webster, Londen 1981, pp. 206-207.

16 University of Wisconsin, *Annual Report for the Year Ending September 30 1877*, Wisconsin 1877.

17 C.F. Taylor, 'Emotional prodigality', in *The Dental Cosmos*, juli 1879, pp. 4-11.

18 H. James Sr., in *Putnam's Monthly*, 1-03-1853, pp. 279-288.

19 Strouse, *Alice James*.

20 G.M. Beard, *American Nervousness*, New York 1881.

21 S. Wessely, 'Old wine in new bottles: neurasthenia and me', in *Psychological Medicine*, 20 (1990): 35-53.

22 A. James, *The Diary of Alice James*, red. L. Edel, Boston 1964, pp. 206-207.

23 Ibid., p. 207

24 J. Critchley, gecit. in D. Orr, 'Take a good look at yourself', in *Independent*, 4-06-99: 5.

25 C. Moynihan, 'Testicular cancer: the psychosocial problems of patients and their relatives', in *Cancer Survey*, 6 (1987): 477-510.

26 C. Moynihan, 'Theories of masculinity', in *British Medical Journal*, 317 (1998): 1072-1075.

27 M. Kaplan en G. Marks, 'Appraisal of health risks: the roles of masculinity, femininity and sex', in *Social Health and Illness*, 17 (1995): 206-221.

28 Moynihan, 'Theories'.

29 C. Mitchel, 'Relationship of femininity, masculinity and gender to attribution of responsibility', in *Sex Roles*, 16 (1987): 151-163.

30 F. Korzenny, 'AIDS communication, beliefs and behaviours', paper bij symposium Science Communication, Los Angeles 1988.

31 Contraception Education Service, *Use of Family Planning Services*, Londen 1998.

32 A. Prince en A.L. Bernard, 'Sexual behaviors and safer sex practices of college students on a commuter campus', in *Journal of the American College Health*, 47 (1998): 11-21. G. Yamey, 'Sexual and preproductive health: what about boys and men?', in *British Medical Journal*, 319 (1999): 1315-1316.

33 K. Dunnell, 'Are we healthier?', in *The Health of Adult Britain*, red. J. Charlton en M. Murphy, Vol. 2, Government Statistical Service, HMSO, Londen 1997, p. 174.

34 A.R.P. Walker, 'Women – how far still to go?', in *Journal of the Royal Society of Medicine*, 92, 2 (1999): 57-59.

35 *United Nations Human Development Report*, New York 1996, pp. 135-137.

36 A. Booth, D.R. Johnson en D.A. Granger, 'Testosterone and men's health', in *Journal of Behavioral Medicine*, 22,1 (1998): 1-19.

37 J.M. Dabbs, 'Testosterone and occupational achievement', in *Social Forces*, 70 (1992): 813-824.

38 I. Young, J. Mackenback, K. Stronks, J. van de Mheen en F. van Poppel, 'The contribution of intermediary factors to marital status differences in self reported health', in *Journal of Marriage and the Family*, 59 (1997): 476-490.

39 J.M. Dabbs en R. Morris, 'Testosterone, social class and antisocial behavior in a sample of 4.462 men', in *Psychological Sciences*, 3 (1990): 209-211.

40 V. Chandra, M. Szklo, R. Goldberg en J. Tonascia, 'The impact of marital status on survival after an acute myocardial infarct', in *American Journal of Epidemiology*, 117 (1983): 320-325.

41 H. Carter en P. Glick, *Marriage and Divorce: A Social and Economic Study*, Cambridge, Mass. 1970.

42 M. Koskenvuo, J. Kaprio en S. Sarna, 'Causes of specific mortality by marital status and social class', in *Journal of Chronic Disease*, 33 (1980): 95-106.

43 C.M. Parkes, B. Benjamin en R.G. Fitzgerald, 'Broken heart: a statistical study of increased mortality among widowers', in *British Medical Journal*, 1 (1969): 740-743.

44 C.F. Mendes de Leon, A.W.P.M. Appels, F.W.J. Otten en E.G.W. Shouten, 'Risk of mortality and coronary heart disease by marital status in middle-aged men in the Netherlands', in *International Journal of Epidemiology*, 21 (1992): 46-466.

45 A.V. Horwitz en H.R. White, 'Becoming married, depression and alcohol problems among the young', in *Journal of Health and Social Behavior*, 32 (1991): 221-237.

46 M.T.Temple, K.M. Fillmore, E. Hartka, B. Johnstone, E.V. Leino en M. Motoyoshi, 'The collaborative alcohol-related longitudinal project. A meta-analysis of changes in marital and employment status as predictors of alcohol consumption on a typical occasion', in *British Journal of Addiction*, 86 (1991): 1269-1281.

47 A. Rosengren, H. Wedel en L. Wilhelmsen, 'Marital status and mortality in middle-aged Swedish men', in *American Journal of Epidemiology*, 129, 1 (1989): 54.

48 D.A. Leon, *Longitudinal Study: Social Distribution of Cancer 1971-1975*, OPCS LS Series, nr. 3, HMSO, Londen 1988. A.J. Fox en P.O. Goldblatt, *Longitudinal Study: Socio-demographic Mortality Differentials 1971-1975*, OPCS LS Series, nr 1, HMSO, Londen 1982.

49 J.S. Goodwin, W.C. Hunt, C.R. Key en J.M. Samet, 'The effect of marital status on stage, treatment and survival of cancer patients', in *Journal of the American Medical Association*, 258, 21 (1987): 3125.

50 W. Gove, M. Hughes en C.B. Style, 'Does marriage have positive effects on the psychological well-being of the individual?', in *Journal of Health and Social Behavior*, 24 (1983): 122-131.

51 D. Jewell, 'Adult life', in *Men's Health*, red. T. O'Dowd en D. Jewell, Oxford 1998, pp. 46-48.

52 The NHS Health Advisory Service, *Suicide Prevention: the Challenge Confronted*, HMSO, Londen 1999.

53 R. Desjarlais, L. Eisenberg, B. Good en A. Kleinman, *World Mental Health: Problems and Priorities in Low-income Countries*, Oxford 1995.

54 E. Isometsa, M. Henriksson, M. Marttunen, M. Heikkinen, H. Aro, K. Kuoppasalmi en J. Lonnqvist, 'Mental disorders in young and middle-aged men who commit suicide', in *British Medical Journal*, 310 (1995): 1366-1367.

55 A.D. Lesage, R. Boyer, F. Grunberg, C. Vanier, R. Morissette, C. Menard-Buteau en M. Loyer, 'Suicide and mental disorders: a case-control study of young men', in *American Journal of Psychiatry*, 151 (1994): 1063-1068.

56 C.L. Rich, D. Young en R.C. Fowler, 'San Diego suicide study: young v. old subjects', in *Archives of General Psychiatry*, 43 (1986): 577-582.

57 E. Fombonne, 'Suicidal behaviours in vulnerable adolescents: time trends and their correlates', in *British Journal of Psychiatry*, 173 (1998): 154-159.

58 H. Hendin, *Suicide in America*, New York 1999.

59 The Samaritans, *Young Men Speak Out*, Londen 1999.

60 Ibid., p. 3.

61 Jewell, 'Adult Life', p. 50.

62 D.J. Levinson, C.N. Darrow, E.B. Klein, M.H. Levinson en B. McKee, *The Seasons of a Man's Life*, New York 1978, p. 335.

63 A.P. Bell en M.S. Weinberg, *Homosexualities: A Study of Diversity among Men and Women*, Londen 1978, p. 175.

64 D. Ornish, *Love and Survival*, Londen 1999.

65 L.F. Berkman en S.L. Syme, 'Social networks, host resistance and mortality: a nine year follow-up study of Alameda County residents', in *American Journal of Epidemiology*, 109 (1979): 186-204.

66 G.A. Kaplan, J.T. Salonen, R.D. Cohen, et al, 'Social connections and mortality from all causes and from cardiovascular disease: prospective evidence from eastern Finland', in *American Journal of Epidemiology*, 128 (1984): 370-380.

67 B.W. Penninx, T. van Tilburg, D.M. Kriegsman e.a., 'Effects of social support and personal coping resources on mortality in older age: the Longitudinal Aging Study Amsterdam', in *American Journal of Epidemiology*, 146 (1997): 510-519.

68 T.E. Oxman, D.H. Freeman Jr en E.D. Manheimer, 'Lack of social participation or religious strength and comfort as risk factors for death after cardiac surgery in the elderly', in *Psychosomatic Medicine*, 57 (1995): 5-15.

69 Ornish, p. 24.

70 D. Gilmore, *Manhood in the Making: Cultural Concepts of Masculinity*, Londen 1990, pp. 10-12.

71 N. Mailer, *Armies of the Night*, New York 1968, p. 25.

72 Gilmore, *Manhood*, p. 19.

73 Central Statistics Office, *Statistical Bulletin*, Dublin, december 1998.

74 Higher Education Statistics Agency, Cheltenham 1999.

75 M. Baxter, *Women in Advertising*, Institute of Practitioners in Advertising, Londen 1990.

76 J. O'Connor, 'Women making a difference? Reflections on the glass ceiling', verhandeling voorgelezen bij de jaarlijkse conferentie van de Irish Medical Organisation, Killarney, 9-04-99.

77 Central Statistics Office, *Statistical Bulletin*, Dublin, december 1998.

78 L. Brooks, 'Some are more equal than others', in *The Guardian*, 11-11-99, 2.

79 L. Hodge, 'It's time for women to turn the tables', in *Independent*, 11-11-99, 7.

80 J.C. Mason, 'Women at work: knocking on the glass ceiling', in *Management Review*, 82 (1993): 5.

81 P.J. Ohlott, M.N. Ruderman en C.D. McCauley, 'Gender differences in managers' development job experiences', in *Academy of Management Journal*, 37 (1994): 46-67.

82 C.M. Dominguez, 'Women at work: knocking on the glass ceiling', in *Management Review*, 31 (1992): 385-392.

83 S.B. Garland, 'How to keep women managers on the corporate ladder', in *Business Week*, 3329 (1991): 64.

84 M. Brennan, 'Marriage, gender influence and career advancement for chemists', in *Chemical and Engineering News*, 70 (1992): 46-51.

85 N.D. Marlow, E. Marlow en V.A. Arnold, 'Career development and women managers: does "one size fit all?"', in *Human Resource Planning*, 18 (1995): 38-50.

86 O'Connor, 'Women making a difference?', pp. 11-15.

87 *United Nations Human Development Report*, New York 1999, p. 80.

88 A. Roddick, 'Fairness not equality', in *Newsweek*, 10-05-98: 23.

89 *United Nations Human Development Report*, New York 1996, p. 52.

90 A.R. Hochschild, *The Time Bind: When Work Becomes Home and Home Becomes Work*, New York 1997.

91 'Superwoman squashed on the glass ceiling', in *Sunday Times*, 16-01-2000. Interview van Eleanor Mills met Aisling Sykes.

92 F.M. Andrews en S.B. Withey, *Social Indicators of Well-being: Americans' Perception of Life Quality*, New York 1976, p. 124. A. Campbell, P.E. Converse en W.I. Rodgers, *The Quality of American Life*, New York 1976, pp. 380-381.

93 R.E. Lane, *The Loss of Happiness in Market Democracies*, New Haven, Conn. 2000, p. 336.

Hoofdstuk 5

1   S. Farrar, in *Sunday Times*, 10-01-99.

2   C. Smith-Rosenberg en C. Rosenberg, 'The Female animal: medical and biological views of woman and her role in nineteenth-century America', in *Journal of American History*, 60 (1973): 332-356.

3   W.D. Haggard, 'Abortion: accidental, essential, criminal', toespraak voor de Nashville Academy of Medicine, Nashville, Tennessee, 4-08-1898, gecit. in Smith-Rosenberg en Rosenberg, 'The female animal'.

4   B. Harrison, 'Women's health and the woman's movement', in *Biology, Medicine and Society*, red. C. Webster, Cambridge 1981, pp. 60-72.

5   Ibid., p. 64.

6   S. D'Cruze, 'Women and the family', in *Women's History: Britain 1850-1945. An Introduction*, red. J. Purvis, Londen 1995, p 56.

7   G. Greer, 'Contraception – 1972', in *The Madwoman's Underclothes*, Londen 1986, pp. 105-108.

8   A. Prince en A.L. Bernard, 'Sexual behaviors and safer sex practices of college students on a commuter campus', in *Journal of American College Health*, 47 (1998): 11-21.

9   Centers for Disease Control and Prevention, 'Increases in unsafe sex and rectal gonorrhoea among men who have sex with men, San Francisco 1994-1997', in *Journal of the American Medical Association*, 281 (1999): 696-707.

10 C. AbouZahr en E. Ahman, 'Unsafe abortion and ectopic pregnancy',

in *Health Dimensions of Sex and Reproduction*, red. C.J.L. Murray en A.D. Lopez, Cambridge, Mass. 1998, p. 277.

11 C.F. Westoff en L.H. Ochoa, *Demographic and Health Surveys. Unmet Need and the Demand for Family Planning*, Institute for Resource Development/Macro International Inc., Columbia, Maryland 1991.

12 S.K. Henshaw en K. Kost, 'Abortion patients in 1994-95: characteristics and contraceptive use', in *Family Planning Perspectives*, 28 (1996): 140-158.

13 G. Yamey, 'Sexual and reproductive health: what about boys and men?', in *British Medical Journal*, 319 (1999): 1315-1316.

14 E.C. Small en R.N. Turskov, 'A view of artificial insemination', in *Advances in Psychosomatic Medicine*, 12 (1985): 105-123. H. Waltzer, 'Psychological and legal aspects of artificial insemination (AID): an overview', in *American Journal of Psychotherapy*, 36 (1982): 91-102.

15 A.F. Guttmacher, 'Artificial insemination', in *Annals of the New York Academy of Science*, 97 (1962): 623.

16 R. Snowden en E. Snowden, *The Gift of a Child*, Londen 1984.

17 British Medical Association, 'Annual Report of the Council (1973) Report of the Panel on Human Artificial Insemination', Appendix v, in *British Medical Journal (Suppl.)*, 2 (1973): 3-5.

18 *Report of the Committee of Inquiry into Human Fertilisation and Embryology* (The Warnock Report), HMSO, Londen 1984, p. 82.

19 P. Petersen en A.T. Teichmann, 'Our attitude to fertilization and conception', in *Journal of Psychosomatic Obstetrics and Gynaecology*, 3 (1984): 59-65.

20 The Warnock Report, p. 21.

21 D. Callahan, 'Bioethics and fatherhood', *Utah Law Review*, 735 (1992).

22 R.J. Edelmann, 'Psychological aspects of insemination by donor', in *Journal of Psychosomatic Obstetrics and Gynaecology*, 10 (1989): 3-13.

23 D. van Berkel, L. van der Veen, I. Kimmel en E. te Velde, 'Differences in the attitudes of couples whose children were conceived through artificial insemination by donor in 1980 and in 1996', in *Fertility and Sterility*, 71, 2 (1999): 226-231.

24 A. Brewaeys, S. Golombok, N. Naaktgeboren, J.K. de Bruyn en E.V. van Hall, 'Donor insemination: Dutch parents' opinions about confidentiality and donor anonymity and the emotional adjustment of their children', in *Human Reproduction*, 12, 7 (1997): 1591-1597.

25 S. Golombok, A. Brewaeys, R. Cook, M.T. Giavazzi, D. Guerra, A. Mantovani, E. van Hall, P.G. Crosignani en S. Dexeus, 'The European study of assisted reproduction families: family functioning and child development', in *Human Reproduction*, 11, 10 (1996): 2324-2331.

26 C. Mihill, 'UK fertility doctors rule out test tube babies for older women because of fears for children's welfare', in *The Guardian*, 20-07-93.

27 B. Pedersen, A. F. Nielsen en J.G. Lauritsen, 'Attitudes and motivations of sperm donors in relation to donor insemination', in *Ugeskr Laeger*, 157 (1995): 4462-4465.

28 N. Farley, 'The sperm donor', in *The Times*, Section 3 (1999), 37.

29 M. Hull, 'Ethics of egg and sperm donation', brief, in *The Times*, 10-08-99, 23.

30 A. Baran en R. Pannor, *Lethal Secrets: The Psychology of Donor Insemination, Problems and Solutions*, New York 1993.

31 M. Morton en M.A. Irving, 'Common questions that arise at adoption', in *Secrets in the Genes: Adoption, Inheritance and Genetic Disease*, red. O. Turnberry, British Agencies for Adoption and Fostering, Londen 1995, pp. 166-175.

32 R. Landau, 'Secrets, anonymity and deception in donor insemination: a genetic, psychosocial and ethical critique', in *Social Work in Health Care*, 28, 1 (1998): 75-89.

33 P. Turnpenny, 'Introduction', in *Secrets in the Genes*, red. Turnpenny, pp. 1-8.

34 C. Bennett, 'Every sperm has a past', in *The Guardian* 29-07-99, p. 5.

35 Baran en Pannor, *Lethal Secrets*.

36 S. Michic en T. Marteau, 'Knowing too much or knowing too little. Psychological questions raised for the adoption process by genetic testing', in *Secrets in the Genes*, red. Turnberry, pp. 166-175.

37 T. Hedgley, 'Should sperm donors be traceable?', in *The Guardian*, 11-09-99, 2.

38 B.D. Whitehead, *The Divorce Culture*, New York 1996, p. 146.

39 J. Mattes, *Single Mothers by Choice: A Guidebook for Single Women Who Are Considering or Have Chosen Motherhood*, New York 1994, p. 156.

40 K.R. Daniels en K. Taylor, 'Secrecy and openness in donor insemination', in *Politics Life Sciences*, 12 (1993): 155.

41 K.R. Daniels, G.M. Lewis en W. Gillett, 'Telling donor insemination offspring about their conception: the nature of couples' decision-making', in *Social Science and Medicine*, 40, 9 (1995): 1213-1220.

42 Bennett, 'Every sperm has a past'.

43 C.V. Frost, H. Moss en R. Moss, *Helping the Stork: The Choices and Challenges of Donor Insemination*, New York 1997.

44 M. Warnock, *A Question of Life: The Warnock Report on Human Fertilisation and Embryology*, Oxford 1984, p 11.

45 C. Strong, *Ethics in Reproductive and Perinatal Medicine*, New Haven, Conn. 1997, pp. 86-97.

46 *Regulation of Assisted Human Reproduction Bill*, Ingeleid door M. Henry, Government Publications Office, Dublin 1999.

47 M. Henry, persoonlijke mededeling, 1999.

48 J. Savulescu, 'Should we clone human beings? Cloning as a source of tissue for transplantation', in *Journal of Medical Ethics*, 25 (1999): 87-95.

49 J. Burley en J. Harris, 'Human cloning and child welfare', in *Journal of Medical Ethics*, 25 (1999): 108-113.

50 J.P. Kassirer en N.A. Rosenthal, 'Should human cloning research be off limits?', in *New England Journal of Medicine*, 338, 13 (1998): 905-906.

51 R. Winston, red., 'The promise of cloning for human medicine', in *British Medical Journal*, 314 (1997): 913-914.

52 J.D. Watson, 'The future of asexual reproduction', in *Intellectual Digest*, oktober 1971: 69-74.

53 Ibid., p. 73.

54 R. Williamson, 'Human reproductive cloning is unethical because it undermines autonomy: commentary on Savulescu', in *Journal of Medical Ethics*, 25 (1999): 96-97.

55 C. Dyer, 'Whose sperm is it anyway?', in *British Medical Journal*, 313 (1996): 837.

56 E. Corrigan, E. Mumford en M.G.R. Hull, 'Posthumous storage and use of sperm and embryos: survey of opinion of treatment centres', in *British Medical Journal*, 313 (1996): 24.

57 NIH Consensus Development Panel on Impotence, 'Impotence', in *Journal of the American Medical Association*, 270 (1993): 83-90. P. Nettelbladt en N. Uddenberg, 'Sexual dysfunction and sexual satisfaction in 58 married Swedish men', in *Journal of Psychosomatic Research*, 23 (1979): 141-147.

58 'Just how safe is sex?', in *Newsweek*, 22-06-68, 42.

59 J. Warden, 'Viagra unlikely to be prescribed by GP's in Britain', in *British Medical Journal*, 317 (1998): 234.

60 J. Bressan, 'Hard and true facts on Viagra', in *Medicine Weekly*, 20-10-99, 36.

61 'Sexual Chemistry', in *Focus Magazine*, 22-08-98, 31.

62 G. Greer, *The Whole Woman*, Londen 1999, p. 181.

63 E.S. Person, 'Male sexuality and power' (1986), in *The Sexual Century*, red. E.S. Person, New Haven, Conn. 1999, p. 316.

64 R. English, 'I lost everything after bungled sex operation', in *Express*, 24-11-98.

65 C. Dyer, '3m pound claim over penis operation', in *The Guardian*, 24-11-98.

66 P. Kedem, M. Mikulincer en Y.E. Nathanson, 'Psychological aspects of male infertility', in *British Journal of Medical Psychology*, 63 (1990): 73-80.

67 L.P. Salzer, *Infertility: How Couples Can Cope*, Boston 1986.

68 S. Irvine, E. Cawood, D. Richardson, E. MacDonald en J. Aitken, 'Evidence of deteriorating semen quality in the United Kingdom birth cohort study in 577 men in Scotland over 11 years', in *British Medical Journal*, 312 (1996): 467-470. L. Bujan, A. Mansart, F. Ponteonnier en R. Mieusset, 'Time series analysis of sperm concentration in fertile men in Toulouse, France between 1977 and 1992', in *British Medical Journal*, 312 (1996): 471-472.

69 E. Carlsen, A. Giwerman, N. Keiding en N.E. Skakkeback, 'Evidence of decreasing quality of semen during the past 50 years', in *British Medical Journal*, 305 (1992): 609-613.

70 World Health Organisation Task Force on Methods for the Regulation of Male Infertility, 'Contraceptive efficacy of testosterone-induced azoospermia in normal men', in *Lancet*, 336 (1990): 955-959.

71 Ministry of Environment and Energy, Denmark, *Male Reproductive Health and Environmental Chemicals with Estrogenic Effects*, Danish Environmental Protection Agency, Kopenhagen 1995.

72 D.M. de Krester, 'Declining sperm counts', in *British Medical Journal*, 312 (1996): 457-458.

73 J.A. Thomas, 'Falling sperm counts', in *Lancet*, 346 (1995): 635.

74 H.J. Menger, 'Sexual revolution and sperm count', brief aan *British Medical Journal*, 308 (1994): 1440-1441.

75 R. Baker, 'The brave new world of sexual relations', in *Independent*, 8-05-99.

Hoofdstuk 6

1 C. Pateman, *The Sexual Contact*, Cambridge 1988, pp. 77-92.

2 P. Aries, *Centuries of Childhood*, Londen 1960.

3 L. Stone, *The Family, Sex and Marriage in England 1500-1800*, Londen 1977, pp. 652-653.

4 J. Demos, *Past, Present and Personal: The Family and the Life Course in American History*, New York 1986.

5 Ibid., p. 46.

6   P. Laslett, *Family Life and Illicit Love in Earlier Generations*, Cambridge 1977.

7   A. Burgess, *Fatherhood Reclaimed: The Making of the Modern Father*, Londen 1997, p. 55.

8   J. Tosh, *A Man's Place: Masculinity and the Middle Class Home in Victorian England*, New Haven en Londen 1999.

9   Ibid., p. 6.

10 Demos, J., (1986), Ibid., p. 58.

11 Demos, J., Ibid., p. 57.

12 J. Bourke, 'Family values seminar', in *Cusp Review*, herfst 1997: 10-11.

13 Demos, *Past, Present and Personal*, p. 58.

14 Burgess, *Fatherhood Reclaimed*, p. 73.

15 D. Blankenhorn, *Fatherless America*, New York 1996, p. 15.

16 D. Yankelovich, 'How changes in the economy are reshaping American values', in *Values and Public Policy*, red. H.J. Aaron, T.E. Mann en T. Taylor, Brookings Institute, Washington 1994, p. 34.

17 'Home sweet home: the family', in *Economist*, 9-09-95, 21.

18 *Social Trends*, 29, Government Statistical Service, Londen 1999, 42.

19 *Daily Telegraph*, 24-06-98.

20 *The Times*, 24-06-98.

21 *Bright Futures: Promoting Children and Young People's Mental Health*, Mental Heath Foundation, Londen 1999.

22 M. Richards en M. Dyson, *Separation, Divorce and the Development of Children: A Review*, Child Care and Development Group, Cambridge 1982.

23 N.R. Butler en J. Golding, *From Birth to Five: A Study of the Health and Behaviour of Britain's Five Year Olds*, Oxford 1986.

24 J.W.B. Douglas, 'Early disturbing events and later enuresis', in *Bladder Control and Enuresis*, red. I. Kolvin, R.C. McKeith en S.R. Meadows, Spastics International Medical, Londen 1973.

25 Butler en Golding, *From Birth to Five*.

26 D.A. Dawson, *Family Structure and Children's Health United States 1988*, Series 10: 178, Vital and Health Statistics Public Health Service, Maryland 1991.

27 L.E. Wells en J.H. Rankin, 'Families and delinquency: a meta-analysis of the impact of broken homes', in *Social Problems*, 38, 1 (1991): 71-93.

28 M.E.J. Wadsworth, 'Early stress and associations with adult health behaviour and parenting', in *Stress and Disability in Childhood*, red. N.R. Butler en B.D. Corner, Bristol 1984, pp. 100-104.

29 B.J. Elliott en M.P.M. Richards, 'Children and divorce: educational

performance and behaviour before and after parental separation', in *International Journal of Law and the Family*, 5 (1991): 258.

30 M. Cockett en J. Tripp, *The Exeter Family Study: Family Breakdown and its Impact on Children*, Exeter 1994, p. 61.

31 Ibid., p. 53.

32 S. McLanahan en G. Sandefur, *Growing up with a Single Parent: What Hurts, What Helps*, Cambridge, Mass. 1994, p. 49.

33 J. Campion en P. Leeson, 'Marriage, morals and the law', paper voor Empowering People in Families Conference, University of Plymouth, Family Law Action Group, West Sussex 1994.

34 *Second Commission on the Status of Women Report to Government 1993*, Government of Ireland, Stationery Office, Dublin 1993, p. 170.

35 D.P. Moynihan, *The Negro Family: The Case for National Action*, Office of Planning and Research, United States Department of Labor, Washington 1965.

36 McLanahan en Sandefur, *Growing up with a Single Parent*, p. 1.

37 Ibid., p. 141.

38 Ibid., p. 29.

39 P. Uhlenberg, 'Changing configurations of the life course', in *Transitions: The Family and the Life Course in Historical Perspective*, red. T.K. Hareven, New York 1978, pp. 78-79.

40 S. Coontz, *The Way We Never Were: American Families and the Nostalgia Trap*, New York 1992, pp. 183-184.

41 McLanahan en Sandefur, *Growing Up with a Single Parent*, p. 66.

42 B.D. Whitehead, *The Divorce Culture*, New York 1997, p. 98.

43 E.M. Hetherington, W.G. Clingempeel, E.R. Anderson, J.E. Deal, M.S. Hagan, E.A. Hollier en M.S. Lindner, 'Coping with marital transitions', in *Impact of Divorce, Single-parenting and Step-parenting on Children*, Hillsdale, NJ 1992.

44 P. Hill, 'Recent advances in selected aspects of adolescent development', in *Journal of Child Psychology and Psychiatry*, 34, 1 (1993): 84-85.

45 *Social Trends*, Government Statistical Service, Londen 1998, pp. 50-51.

46 Cockett en Tripp, *The Exeter Family Study*, p. 41.

47 B. Bergman, *The Economic Independence of Women*, New York 1986.

48 J.S. Wallerstein en S. Blakeslee, *Second Chances: Men, Women and Children, a Decade after Divorce*, Londen 1989.

49 C. Masheter, 'Post-divorce relationships between ex-spouses: the roles of attachment and interpersonal conflict', in *Journal of Marriage and the Family*, 53 (1992): 103.

50 R.E. Emery en P. Dillon, 'Conceptualizing the divorce process: rene-

gotiating boundaries of intimacy and power in the divorced family system', in *Family Relations*, 43 (1994): 374.

51 J.A. Seltzer, 'Relationships between fathers and children who live apart: the father's role after separation', in *Journal of Marriage and the Family*, 53 (1991): 79.

52 *Marital Breakdown and the Health of the Nation*, red. F. McAllister, Londen 1995.

53 Seltzer, p. 246.

54 Family Policy Studies Centre, *Family Policy Bulletin*, maart 1991.

55 *Marital Breakdown and the Health of the Nation*, p. 28.

56 P. Bronstein, M.F. Stoll, J. Clauson, C.L. Abrams en M. Briones, 'Fathering after separation or divorce: factors predicting children's adjustment', in *Family Relations*, 43, 4 (1994): 469.

57 Blankenhorn, *Fatherless America*, p. 148.

58 D. Donnelly en D. Finkelhor, 'Does equality in custody arrangements improve the parent-child relationship?', in *Journal of Marriage and the Family*, 54, 4 (1992): 837.

59 Wallerstein en Blakeslee, *Second Chances*.

60 Blankenhorn, *Fatherless America*, p. 155. F.F. Furstenberg Jr en A.J. Cherlin, *Divided Families: What Happens to Children When Parents Part*, Cambridge, Mass. 1991.

61 D.H. Demo en A.C. Adcock, 'The impact of divorce on children', in *Contemporary Families: Looking Forward, Looking Back*, Minnesota 1991.

62 S. Gable, K. Ornic en J. Belsky, 'Co-parenting within the family system: influences on children's development', in *Family Relations*, 43, 4 (1994): 380.

63 A.J. Stewart, A.P. Copeland, N.L. Chester, J.E. Malley en N.B. Barenbaum, *Separating Together: How Divorce Transforms Families*, Londen 1997.

64 L.A. Kurdek, 'The relationship between reported well-being and divorce history, availability of proximate adult and gender', in *Journal of Marriage and the Family*, 53 (1991): 71.

65 McLanahan en Sandefur, *Growing up with a Single Parent*, pp. 30-31.

66 M. Gallagher, 'The importance of being married', in *The Fatherhood Movement*, red. W.F. Horn, D. Blankenhorn en M.B. Pearlstein, New York, p. 62.

67 Wallerstein en Blakeslee, *Second Chances*, p. 238.

68 R. Pickford, *Fathers, Marriage and the Law*, Family Policy Studies Centre/Joseph Rowntree Foundation, Londen 1999.

69 Department of Social Security, *Child Support Agency: Quarterly Summary of Statistics*, Government Statistical Service, mei 1966.

70 A. Marsh, R. Ford en L. Finlayson, *Lone Parents, Work and Benefits*, Department of Social Security Research Report 61, HMSO, Londen 1997.

71 J. Bradshaw, C. Stimson, J. Williams en C. Skinner, 'Non resident fathers in Britain', paper voor seminar ESRC Programme on Population and Househould Change, 13-03-1997.

72 Pickford, *Fathers, Marriage and the Law*, p. 35.

73 L. Burghes, L. Clarke en N. Cronin, *Fathers and Fatherhood in Britain*, Family Policy Studies Centre, Londen 1997, pp. 72-73.

74 D. Popenoe, *Life without Father*, New York 1996.

75 K. McKeown, H. Ferguson en D. Rooney, *Changing Fathers? Fatherhood and Family Life in Modern Ireland*, Dublin 1998, p. 26.

76 J. Warin, Y. Solomon, C. Lewis en W. Langford, *Fathers, Work and Family Life*, Family Policy Studies Centre/Joseph Rowntree Foundation, Londen 1999, p. 34.

Hoofdstuk 7

1 J. Knitzer, *Unclaimed Children*, Washington 1982.

2 P.J. Caplan en I.H. McCorquodale, 'Mother-blaming in major clinical journals', in *American Journal of Orthopsychiatry*, 53 (1985): 345-353.

3 S.M. Bianchi, in *The New York Times*, 11-12-98.

4 S. Freud, *An Outline of Psychoanalysis*, Londen 1938, gecit. in J. Bowlby, 'The nature of the child's tie to his mother', in *International Journal of Psychoanalysis*, 39 (1958): 350-373.

5 R.W. Clark, *Freud, the Man and the Cause*, Londen 1980, p. 19.

6 P. Gay, *Freud: A Life For Our Time*, Londen 1988, pp. 11-12.

7 J. Bowlby, *Maternal Care and Mental Health*, World Health Organization, Genève 1951.

8 Ibid., p. 7.

9 Ibid., p. 46.

10 R. Karen, *Becoming Attached*, New York 1994, p. 110.

11 C. Ernest, 'Are early childhood experiences overrated? A reassessment of maternal deprivation', in *European Archives of Psychiatry and Neurological Sciences*, 237 (1988): 80-90.

12 A.S. Rossi, 'Gender and parenthood', in *American Sociological Review*, 49 (1984): 1-19.

13 R. Baker en E. Oram, *Baby Wars: Parenthood and Family Strife*, Londen 1998.

14 K. Holmquist, 'Single mothers rule OK', in *Irish Times*, 2-0298.

15 S. Kraemer, *Active Fathering for the Future*, DEMOS, Londen 1995.

16 L. Burghes, L. Clarke en N. Cronin, *Fathers and Fatherhood in Britain*, Family Policy Studies Centre, Londen 1997, p. 11.

17 J. Haskey, 'Estimated numbers of one-parent families and their prevalence in Great Britain in 1991', in *Population Trends*, 71, HMSO, Londen 1994.

18 R. Pickford, *Fathers, Marriage and the Law*, Londen 1999, p. 44.

19 M.E. Lamb, 'Fathers and child development: an introductory overview and guide', in *The Role of the Father in Child Development*, red. M.E. Lamb, New York 1997, p. 5.

20 A. Misterlich, *Society without the Father: A Contribution to Social Psychology*, New York 1993.

21 D. Dawson, 'Family structure and children's well-being: data from the 1988 National Health Survey', in *Journal of Marriage and the Family*, 53 (1991). National Center for Health Statistics *Survey of Child Health*, Washington 1988.

22 National Center for Health Statistics, *National Health Interview Survey*, Hyattsville, Maryland 1988.

23 J. Garfinkel en S. McLanahan, *Single Mothers and Their Children*, Washington 1986.

24 C.L. Tishler, P.C. McKenry en K.C. Morgan, 'Adolescent suicide attempts: some significant factors', in *Suicide and Life Threatening Behavior*, 11 (1981): 86-92.

25 A. Botsis, M. Plutchik, M. Kotler en H. van Praag, 'Parental loss and family violence as correlates of suicide and violence risk', in *Suicide and Life Threatening Behavior*, 25 (1995): 253-260.

26 H. Abramovitch, 'Images of the "Father" in psychology and religion', in *The Role of the Father in Child Development*, red. M.E. Lamb, p. 21.

27 N. Dennis, *Rising Crime and the Dismembered Family*, Institute of Economic Affairs, Londen 1993.

28 Abramovitch, 'Images', pp. 19-32.

29 M.E. Lamb, 'Introduction. The emergent American father', in *The Father's Role: Cross-cultural Perspectives*, red. M.E. Lamb, Lawrence Erlbaum, Hillsdale, NJ 1987, pp. 3-25.

30 N. Radin, 'Primary-caregiving fathers in intact families', in *Redefining Families: Indications for Children's Development*, red. A.E. Gottfried en A.W. Gottfried, New York 1994, pp. 55-97.

31 J.K. Nugent, 'Cultural and psychological influences on the father's role in infant development', in *Journal of Marriage and the Family*, 53 (1991): 475-485.

32 A.E. Gottfried, A.W. Gottfried en K. Bathurst, 'Maternal employment, family environment and children's development. Infancy throughout the school years', in *Maternal Employment and Children's Development: Longitudinal Research*, red. A.E. Gottfried en A.W. Gottfried, New York 1988, pp. 11-58.

33 E. Williams, N. Radin en T. Allegro, 'Sex-role attitudes of adolescents raised primarily by their fathers', in *Merrill-Palmer Quarterly*, 38 (1992): 457-476.

34 J. Mosley en E. Thomson, 'Fathering behavior and child outcomes. The role of race and poverty', in *Fatherhood: Contemporary Theory Research and Social Policy*, red. W. Marsigkio, Thousand Oaks, Cal. 1995, pp. 148-165.

35 S. Glueck en E. Glueck, *Delinquents and Nondelinquents in Perspective*, Cambridge, Mass. 1968.

36 G.E. Vaillant, 'Natural history of male psychological health: VI. Correlates of successful marriages and fatherhood', in *American Journal of Psychiatry*, 135 (1978): 653-659.

37 J. Snarey, *How Fathers Care for the Next Generation: A Four-Decade Study*, Cambridge, Mass. 1993.

38 E. Erikson, *Identity and the Life Cycle*, New York 1959.

39 Snarey, *How Fathers Care*, pp. 18-19.

40 J. Kotre, *Outliving the Self: Generativity and the Interpretation of Lives*, Baltimore, Maryland 1984.

41 D.H. Heath, 'What meaning and effects does fatherhood have for the maturing of professional men?', in *Merrill-Palmer Quarterly*, 24, 4 (1978): 265-278.

42 D.H. Heath and H.E. Heath, *Fulfilling Lives: Paths to Maturity and Success*, San Francisco 1991, p. 227.

43 Ibid., p. 288.

44 Vaillant, 'Natural history'.

45 D. Popenoe, *Life without Father*, New York 1996, p. 75.

46 D. Blankenhorn, *Fatherless America*, New York 1995, p. 38.

47 G. Vidal, 'Sex is politics', in *Pink Triangle and Yellow Star*, Londen 1982, p. 150.

48 D.L. Gutmann, 'The species narrative', in *Fatherhood Movement*, red. W.F. Horn, D. Blankenhorn en M.B. Pearlstein, Lanham, Maryland 1999, pp. 141-142.

49 A.H. Halsey, in *Families without Fatherhood*, red. N. Dennis en G. Erdos, Institute of Economic Affairs, Londen 1992.

50 H.B. Biller, *Fathers and Families. Paternal Factors in Child Development*, Westport, Conn. 1993, pp. 1-2.

51 L. Jardine, 'Mummy's Boy', in *The Guardian*, 22-02-99.

52 A.M. Nicoli Jr, 'The adolescent', in *The Harvard Guide to Psychiatry*, Cambridge, Mass. 1999, p. 623.

53 D.L. Guttmann, 'The species narrative', in *The Fatherhood Movement*, red. Horn e.a., p. 138.

54 M.H. Huyck, 'Development and pathology in post-parental men', in *Older Men's Lives*, red. E. Thompson Jr, Thousand Oaks, Cal. 1994.

55 E.M. Hetherington, 'Effects of father absence on personality development in adolescent daughters', in *Developmental Pychology*, 7 (1972): 313-326.

56 L. Tessman, 'A note of father's contribution to his daughter's way of loving and working', in *Father and child: development and clinical perspectives*, red. S. Cath, A.R. Gurwitt en J. Ross, 1982, pp. 219-238.

57 Ibid., p. 204.

58 Snarey, *How Fathers Care*, p. 323.

59 K. McKeown, H. Ferguson en D. Rooney, 'Fathers: Irish experience in an international context', in *Strengthening Families for Life*, Dublin 1998, p. 426.

60 A. Hawkins, S.L. Christiansen, K. Pond Sargent en E.J. Hill, 'Rethinking fathers' involvement in child care: a developmental perspective', in *Fatherhood: Contemporary Theory, Research and Social Policy*, red. W. Marsiglio, Londen 1995.

61 McKeown e.a., 'Fathers: Irish experience', p. 427.

62 Burghes e.a., *Fathers and Fatherhood*, p. 88.

63 K.A. May en S.P. Perrin, 'Prelude, pregnancy and birth', in *Dimensions of Fatherhood*, red. S. Hanson en F. Bozett, Beverly Hills, Cal. 1985, pp. 64-91.

64 J. Brockington, *Motherhood and Mental Health*, Oxford 1996, p. 526.

65 N. Morris, 'Human relations in obstetric practice', in *Lancet*, 1 (1960): 913-915.

66 C. Lewis, *Becoming a Father*, Milton Keynes 1986.

67 Ibid., p. 70.

68 M. Greenberg en N. Morris, 'Engrossment: the newborn's impact upon the father', in *American Journal of Orthopsychiatry*, 44 (1984): 520-531.

69 M. Roedholm en K. Larsson, 'Father-infant interaction at the first contact after delivery', in *Early Human Development*, 3 (1979): 21-27.

70 Brockington, *Motherhood*, p. 528.

71 M. Roedholm, 'Effect of father-infant postpartum contact in their interaction 3 months after birth', in *Early Human Development*, 5 (1981): 79-85.

72 S. Coltrane, *Family Man: Fatherhood, Housework and Gender Equity*, New York 1996, p. 42.

73 M. Kotelchuck, 'The infant's relationship to the father: experimental evidence', in *The Role of the Father in Child Development*, red. M.E. Lamb, New York 1976, pp. 329-344.

74 M.E. Lamb, J. Pleck, E. Charnov en J. Levine, 'A biosocial perspective on paternal behavior and involvement', in *Parenting across the Lifespan: Biosocial Dimensions*, red. J. Lancaster, J. Altmann, A. Rossi en L.R. Sherrod, New York 1987, pp. 111-142.

75 J. Robinson, 'Who's doing the housework?', in *American Demographics*, 10 (1988): 24-28.

76 Bureau of the Census, 'Child care arrangements: who's minding the kids?', in *Child Care arrangements: Winter 1986-1987* (1990), Current Population Reports, serie P. 7, nr 20.

77 Coltrane, *Family Man*, p. 52.

78 Snarey, *How Fathers Care*, p. 36.

79 Ibid., pp. 36-37.

80 A.C. Crouter, M. Perry-Jenkins, T. Huston en S. McHale, 'Processes underlying father involvement in dual-earner and single-earner families', in *Developmental Psychology*, 23 (1987): 431-440.

81 F.K. Grossman, W.S. Pollack en E. Golding, 'Fathers and children: predicting the quality and quantity of fathering', in *Developmental Psychology*, 24 (1988): 82-91.

82 G. Russell en N. Radin, 'Increased paternal participation: the father's perspective', in *Fatherhood and Family Policy*, red. M.E. Lamb en A. Sagi, Hillsdale, NJ 1983, pp. 139-165.

83 G. Kiely, 'Fathers in families', in *Irish Family Studies: Selected Papers*, red. C. McCarthy, Dublin 1996, pp. 147-158.

84 J. Warin, Y. Solomon, C. Lewis en W. Langford, *Fathers, Work and Family Life*, Joseph Rowntree Foundation en Family Policy Studies Centre, Londen 1999, p. 37.

85 M.E. Lamb, J.H. Pleck, E.L. Charnov en J.A. Levine, 'Paternal behavior in humans', in *American Zoologist*, 25 (1985): 883-894.

86 J.H. Pleck, 'Paternal involvement: levels, sources and consequences', in *The Role of the Father in Child Development*, red. M.E. Lamb, 1997, p. 74.

87 D. Finkelhor, 'Current information on the scope and nature of child sexual abuse', in *Future of Children*, 4,2 (1994): 31-53.

88 A. Burgess, verslag van A. Thompson in 'Father Figures', *Community Care*, 5-11 augustus 1999, pp. 20-21.

89 T. Knijn, 'Towards post-paternalism? Social and theoretical changes in fatherhood', in *Changing Fatherhood: An Interdisciplinary Perspective*, red. G.A.B. Frinking, M. van Dongen en M.J.G. Jacobs, Amsterdam 1995, pp. 1-20, gecit. in W. Marsiglio en M. Cohan, 'Young fathers and child development', in *The Role of the Father in Child Development*, red. M.E. Lamb, 1997, p. 242.

90 National Research Council, *Understanding Child Abuse and Neglect*, Washington 1993, p. 81.

91 Market Research Bureau of Ireland, 1987, gecit. in *Changing Fathers: Fatherhood and Family Life in Modern Ireland*, red. K. McKeown, H. Ferguson en D. Rooney, Dublin 1998, p. 186.

92 Blankenhorn, *Fatherless America*, p. 40. E. Sagarin, 'Incest: problems of definition and frequency', in *Journal of Sex Research*, 13 (1977): 126-135.

93 R. Bachman en L.E. Salzman, *Violence against Women: Estimates from the Redesigned Survey*, Department of Justice, Washington 1995.

94 D.E.H. Russell, 'The prevalence and seriousness of incestuous abuse. Stepfathers versus biological fathers', in *Child Abuse and Neglect*, 8 (1984): 15-22.

95 M. Gordon en S.J. Creighton, 'Natal and non-natal fathers as sexual abusers in the United Kingdom: a comparative analysis', in *Journal of Marriage and the Family*, 50 (1988): 99-105.

96 *National Study of the Incidence and Severity of Child Abuse and Neglect*, National Center on Child Abuse and Neglect, Washington 1981.

97 L. Margolin, 'Child sexual abuse by nonrelated caregivers', in *Child Abuse and Neglect*, 15 (1991): 213-221.

98 J.L. Herman (met Lisa Hirschman), *Father-Daughter Incest*, Cambridge, Mass. 1981.

99 K.J. Sternberg, 'Fathers: the missing parents in research on family violence', in *The Role of the Father in Child Development*, red. M.E. Lamb, 1997, p. 295.

100 S. Franks, *Having None of It: Women, Men and the Future of Work*, Londen 1999.

101 *Better for Women, Better for All: Listening to Women*, Women's Unit, Cabinet Office, Londen 1999, p. 11.

102 K.R. Canfield, 'Promises worth keeping', in *The Fatherhood Movement*, red. Horn e.a., pp. 45-50.

103 K.M. Harris, F. Furstenberg Jr en J. Marmer, 'Paternal involvement with adolescents in intact families: the influence of fathers over the life course', paper voor jaarlijkse bijeenkomst American Sociological Association, New York, 16-20 augustus 1996, p. 28.

104 L. Meade, 'The new politics of the new poverty', in *The Public Interest*, 103 (1991): 10.

105 J. Hillman, *The Soul's Code: In Search of Character and Calling*, New York 1996, p. 80.

106 S. Kraemer, 'Parenting yesterday, today and tomorrow', in *Families and Parenting*, Family Policies Study Centre, Londen 1995.

107 Dit is een aangepaste en uitgebreide vorm van een tabel gebruikt bij de campagne 'Six Ways to a Better Dad', gepubliceerd door The Office for Families and Children, Southern Australia.

Hoofdstuk 8

1 B. Simon, *Mind and Madness in Ancient Greece*, Ithaca, NY 1978, p. 246.

2 S. Freud, 'Some psychical consequences of the anatomical distinction between the sexes', in *Standard Edition of the Complete Works of Sigmund Freud*, red. Strachey, Institute of Psychoanalysis, Londen 1925, vw xix, pp. 252-253.

3 S. Freud, 'Female sexuality', in *Standard Edition*, red. Strachey, vw xxi, p. 229.

4 Freud, 'Some psychical consequences', p. 253.

5 Ibid., pp. 257-258.

6 P. Gay, *Freud: A Life for Our Time*, Londen 1988, p. 506.

7 S. Quinn, *A Mind of Her Own: The Life of Karen Horney*, Londen 1987, p. 222.

8 K. Horney, 'The flight from womanhood', in *International Journal of Psychoanalysis*, 7 (1926): 324.

9 N. Chodorow, *Feminism and Psychoanalytic Theory*, New Haven, Conn. 1989, p. 109.

10 W.S. Pollack, 'Fatherhood as a transformation of the self: steps toward a new psychology of men', in *Masculinity and Sexuality: Selected Topics in the Psychology of Men*, red. R.C. Friedman en J.I. Downey, Washington 1999, p. 93.

11 A.E. Jukes, *Why Men Hate Women*, Londen 1994. D. Dinnerstein, *The Mermaid and the Minotaur*, New York 1976.

12 M. de Montaigne, gecit. in Alain de Botton, *The Consolations of Philosophy*, Londen 2000, p. 127. (Ned. vert. *De troost van de filosofie*)

13 V. Woolf, *Orlando*, Londen 1925, pp. 110-111.

14 C. MacKinnon, *Feminism Unmodified: Discourses on Life and Law*, Cambridge, Mass. 1987, p. 225.

15 D. English, 'The politics of porn: can feminists walk the line?', in *The Best of Mother Jones*, red. R. Reynolds, San Francisco 1985, pp. 49-58.

16 K. Horney, 'The dread of women: observations on a specific difference in the dread felt by men and by women for the opposite sex', in *International Journal of Psychoanalysis*, 13 (1932): 348.

17 L. Hudson, *Bodies of Knowledge*, Londen 1982, p. 19.

18 H.A. Feldman, I. Goldstein, D.G. Hatzichristou e.a., 'Impotence and its medical and psychosocial correlates: results of the Massachusetts Male Aging Study', in *Journal of Urology*, 151 (1994): 54-61.

19 P. Chesler, *About Men*, Londen 1978, p. 221.

20 S. Brownmiller, *Against Our Will: Men, Women and Rape*, New York 1975. L. Clark en D. Lewis, *Rape: The Price of Coercive Sexuality*, Toronto 1977.

21 E.C. Nelson, 'Pornography and sexual aggression', in *The Influence of Pornography on Behaviour*, red. M. Yaffe en E.C. Nelson, Londen 1982, p. 226.

22 S.L. Brodsky en S.C. Hobart, 'Blame Models and Assailant Research', in *Criminal Justice and Behavior*, 5 (1978): 379-388.

23 T. Tieger, 'Self-rated likelihood of raping and the social perception of rape', in *Journal of Research in Personality*, 15 (1981): 147-158.

24 M.R. Burt, 'Cultural myths and supports for rape', in *Journal of Personality and Social Psychology*, 38 (1980): 217-230.

25 D. Finkelhor, *Child Sexual Abuse: New Theory and Research*, New York 1984, p. 35.

26 E. Monick, *Castration and Male Rage: The Phallic Wound*, Toronto 1987, p. 110.

27 A.P. Bell en M.S. Weinberg, *Homosexualities: A Study of Diversity among Men and Women*, Londen 1978, pp. 173-175.

28 E. Boland, 'The beauty of ordinary things'. Interview met Eileen Battersby in *Irish Times*, 22-11-98.

29 T. Parsons, 'Age and sex in the social structure of the United States', in *American Sociological Review*, 7 (1942): 604-616. T. Parsons en R. Bales, *Family: Socialization and Interaction Process*, Glencoe, Ill. 1955.

30 M. Komarovsky, 'The new feminist scholarship: some precursors and polemics', in *Journal of Marriage and the Family*, 50 (1988): 585-593.

Citaat uit H.Z. Lopata, 'The interweave of public and private: women's challenge to American society', in *Journal of Marriage and the Family*, 55 (1993): 176-190.

31 W.J. Goode, 'Why men resist', in *Rethinking the Family: Some Feminist Questions*, red. B. Thorne en M. Yalom, New York 1982, pp. 130-150.

32 W. Osler, 'The student life', in *Aequanimitas: With Other Addresses to Medical Students, Nurses and Practitioners of Medicine*, Londen 1908, p. 435.

33 *Voices*, Women's Unit, Cabinet Office, Londen, oktober 1999, p. 11.

34 *The Paradox of Prosperity*, The Henley Centre/Salvation Army, Londen 1999, pp. 11-12.

35 Ibid., pp. 25-26.

36 A.R. Hochschild, *The Second Shift*, New York 1989.

37 A.R. Hochschild, *The Time Bind: When Work Becomes Home and Home Becomes Work*, New York 1997.

38 J. Richardson, K. Dwyer, K. McGuigan, W. Hansen, C. Dent, C.A. Johnson, S. Sussman, B. Brannon en B. Flay, 'Substance use among eighth-grade students who take care of themselves after school', in *Paediatrics*, 84 (1989): 556-566.

39 E.A. Grollman en G.L. Sweder, *Teaching Your Child To Be Home Alone*, New York 1983, p. 14.

40 Hochschild, *The Second Shift*, p. 212.

41 P. Marris, 'Attachment and society', in *The Place of Attachment in Human Behaviour*, red. C. Murray Parkes en J. Stevenson-Hinde, Londen 1982.

42 T. Lynch, *The Undertaker: Life Studies from a Dismal Trade*, Londen 1997.

43 Jo. Bourke, *An Intimate History of Killing: Face to Face Killing in Twentieth Century Warfare*, Londen 2000.

44 A. de Botton, *The Consolations of Philosophy*, Londen 2000 (Ned. vert. *De troost van de filosofie*).

45 C. Blair, gecit. in 'Cherie fighting for a better family life', Natasha Walter, in *Irish Independent*, 22-05-00.

46 R. Scase, *Britain Towards 2000*, Oxford.

47 Arthur Miller, *Death of a Salesman*.